LA BREGA

Como Sobrevir en el Barrio

PREFACIO por el RICK ROSS VERDADERO

SUPREME UNDERSTANDING

Traducido por Kano Ayala. Aunque el autor y publicador han hecho todo lo posible para asegurar la veracidad de la información contenido en este libro, no asumimos responsabilidad por errores, omisiones, inexactitudes o cualquier inconsistencia. Cualquier injuria percibido de personas, sitios, o organizaciones no son maliciosos.

Primera imprenta 2010.

Diseño de portada por Supreme Design, LLC. www.supremedesignllc.com

Library of Congress Control Number: 2010923159

ISBN 13: 978-0-9816170-8-4

ATENCION CORPORACIONES, ESCUELAS, CLUB DE LIBROS, ORGANIZACIONES SIN FINES DE LUCRO Y INSTITUCIONES PENALES: Descuentos por cantidad son disponibles en compras en masa de este libro para propósitos educacionales, de regalos, o como premios por generar participación en programas. Libros especiales o egresos de libros pueden ser creados para llenar necesidades específicas. Para más información de estos descuentos o para contratar el autor, favor comunicarse con Supreme Design Publishing, PO Box 10887, Atlanta, GA 30310, o correo electrónico: mecca@hustleandwin.com

Visitanos en el Internet al www.HustleAndWin.com

DEDICACION

A mi familia. Gracias por tu paciencia y entendimiento.

A mi Nación Todopoderosa, y todos que me han asistido en mi jornada. Gracias por su guía y apoyo. Lo pagare hacia adelante.

A todos los que odiaron. Gracias por la motivación. Sin ustedes, no tendría la determinación de hacer el mejor en todo lo que hago. Detrás de cada persona exitosa andan un corrillo que los odia.

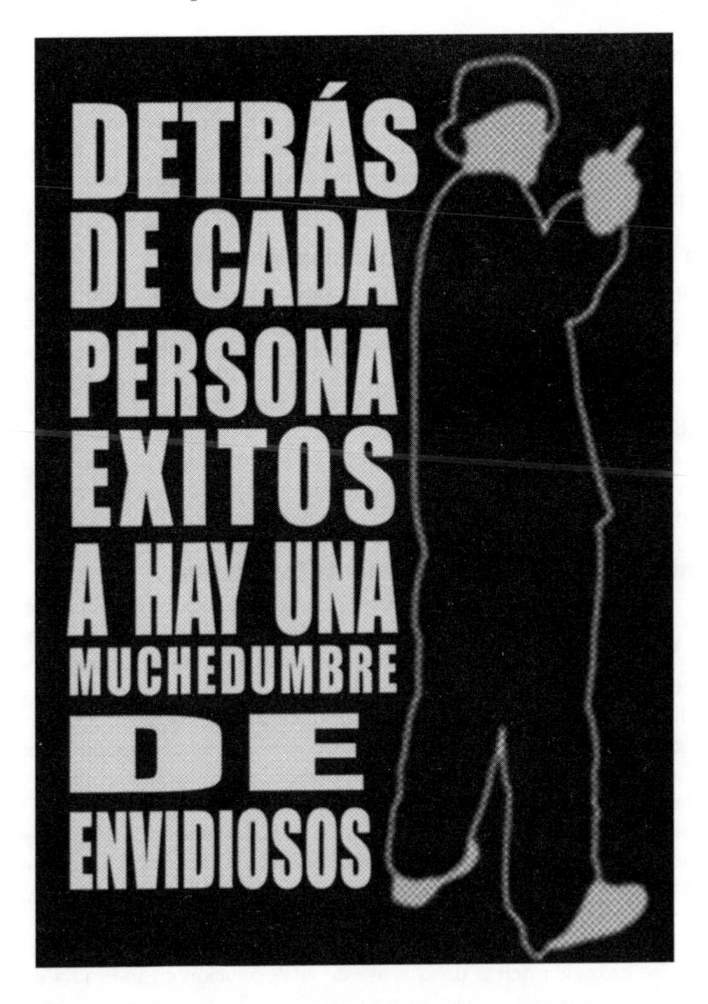

ELOGIOS PARA *LA BREGA*

Herbert Borrero, Colombia:

Nuestro país está en guerra, sufre por el narcotráfico que en realidad comenzó los gringos, Colombia no se puede rendir, si hay formas de salir del infierno del cual vivimos. *La Brega* es un libro que te da el plano y las herramientas necesarias para salir de ese entorno con mentalidad pobre que te esta jalando los pies para que no te vayas de ese mundo. Este libro es la llave de la puerta que cuando se abra te va a despertar a la realidad de este mundo y como somos controlados todavía como esclavos. Amo a Colombia, ese país que tiene tantas maravillas pero por la reputación que nos han dado nadie ha podido aprovechar esa belleza, créeme cuando te digo que este será un paso para poder comenzar el movimiento necesario y liberar a nuestra linda patria que los gringos inundo de drogas. Que Viva Colombia y la paz.

Danny Rodríguez, Republica Dominicana:

"Mucha gente le da gusto asumir que no estamos conectados, especialmente cuando viene a nuestra lucha. La Brega demuestra que estamos conectados en esa lucha y fuera de ella. El sentido práctico es algo que es necesario para la gente joven en nuestra comunidad hoy día. Supreme Understanding nos demuestra cómo ponerlo todo junto para ganar no solo para el individuo, sino para nuestras comunidades."

Viva Fidel, México, www.vivafidelonline.com:

Por años pensé que necesitábamos un manual actualizado, y como necesitábamos libros que le daban dirección especifica y guía a los jóvenes y adultos del barrio. *La Brega* es ese libro. Es una mirada muy reflexivo y a veces cómico de nuestro mundo en general, pero también de "nuestro mundo" específicamente a como relaciona a la gente original negras y trigueñas y a la cultura 'hiphop'. Aun el estilo y disposición del libro lo hace interesante y fácil de entender. Supreme hizo un gran trabajo en reflejar conversaciones comunes e ideas que muchos hemos compartido durante los años y ponerlos en un contexto de un plan para mejorarse uno y su comunidad que podemos compartir con orgullo.

Infinito Mente, Cuba, www.infinite7mind.com:

No soy Marxista, no soy Leninista, no soy comunista o socialista. Yo no soy ningún "ista", pero unas personas me quieren clasificar porque yo apoyo una educación libre y gratis para todos, apoyo el servicio de salud para todos, específicamente para los que no tienen los recursos. Si soy (Afro) Cubano consorte y apoyo la Revolución de Cuba pero yo no soy ciego, ignorante, o iluso. Yo conozco los problemas económicos de mi patria. Yo vi pueblos pasando hambre, sin electricidad, sin dinero, y sin las cosas básicas que se necesitan para sobrevivir. Mucho de eso es por el embargo de los Estados Unidos contra Cuba. Un embargo apoyado por aquellos que huyeron de Cuba por la Revolución. Este embargo es una de las principales razones por las que sufren hoy. Estas mismas personas tienen familias en Cuba que sufren por este embargo y todavía lo apoyan; y se atreven de llamarse humanitarios. Pero como dije: "Yo no soy ciego, ignorante, o iluso." Yo también he visto el resultado del gobierno corrupto en Cuba. Los opresores del pueblo se esconden detrás de la causa de la Revolución creando una división de clases en una supuesta "sociedad sin clases". Yo he visto personas ganando más dinero sirviendo de guía turístico que aquellas personas estudiadas como médicos o abogados. Yo sé que muchos se van a ofender por lo que he escrito pero no me puedo sentar a ver mi gente sufrir. Porque no puedo criticar la Revolución sin ser juzgado "Contra-Revolución" o apoyarlo sin ser llamando "Comunista"? Si mi gente está dolida, porque no puedo hablar del dolor sin ser criticado. Ahora que pueden hacer los Cubanos para Bregar y Ganar? Este libro te puede dar unas ideas de cómo hacerlo. Por supuesto, primero pueden asistir a las Universidades de Cuba que son gratis y libres. Mientras los Cubanos pueden disfrutar de este beneficio, en los Estados Unidos debemos pagar para obtenerlo. Yo conozco personas que deben aproximadamente unos ciento mil pesos a las Universidades en préstamos estudiantiles. También en los Estados Unidos hay personas que no pueden disponer del seguro medico y por eso tienen problemas de salud. En Cuba cualquiera puede disponer de servicio de salud gratuitos. Los que aprovechan en sus estudios tienen las oportunidades de trabajar para el Gobierno de Cuba y ayudar a cambiar la estructura económica social en Cuba. También, depende del título, se puede viajar a diferentes países para enseñar, practicar medicina, estudiar, etc. Yo entiendo que no es fácil y que hay resistencia en ciertos sectores del Gobierno pero en vez de criticar, que podemos hacer para ayudar, para cambiar? Que mas podemos hacer para Bregar y Ganar? Que viva mi gente, porque ellos son la Revolución de Cuba!!!

Jenn Laskin, Watsonville Brown Berets:

La Brega debe ser currículo central para toda gente joven en los barrios. Le quita el velo sucio a la política, historia, nutrición, religión y el status quo. La verdad revelada le trae luz y esperanza a todas las mentes que encuentran este libro.

King G, México:

La Brega es la mejor guía de cómo sobrevivir estas calles de manera inteligente. Nunca ha habido un libro como este que le dice, embotado porqué sufrimos y qué podemos hacer para darse prisa y para salir de la caja que este sistema nos coloca adentro. Este libro es para todos nosotros que nos estamos esforzando para la perfección y para ésos allí quién quiere vivir sin caer victima al juego. Hay finalmente un libro que explica los obstáculos que confrontamos sobre una base diaria. Si están metidos en la tracala de la calle o si eres un nuevo jugador en el juego grande de la vida, este libro te va dar las herramientas para salir adelante y ser exitoso.

Esto no es el libro romántico de tu abuelita, esto es un libro de la pura verdad sin censores.

Big Ram, Republica Dominicana:

La gente Dominicana es una gente orgullosa, son muy familiares. Somos unidos y muy críticos de nuestras acciones por completo, siempre consciente de donde estamos parados política y socialmente en nuestra tierra nativa además que en los Estados Unidos.

Yo me gravite hacia la calle, como hacemos algunos. El atractivo del dólar rápido es a veces arrollador. En perseguir una vida mejor a veces tratamos a tomar la ruta fácil pero pronto encontramos que no es tan fácil. Esto no es un problema cultural, es un problema económico que se trata de tratar de salir de la pobreza. Como saben muchos de países empobrecidos, nuestras opciones parecen limitadas, aun en el supuesto mejor país del mundo. Para hacer las cosas aun peores, muchos tenemos problemas serios con nuestra identidad, especialmente cuan Negro somos. No sé si es negación o solo que no sabemos nuestra historia, lo cual mucho de las personas en el hemisferio occidental no saben. Es una locura ver cosas como lo que se hizo Sammy Sosa viniendo de una gente tan orgullosa.

Después de leer este libro aprendí mucho de mí mismo, con todas las lecciones de historia y las actividades de auto realización, no solo aprendí como bregar positivamente, también aprendí que si no conoces la historia estas destinado a repetirlo. Digo, lo había escuchado antes, pero se me hizo claro después de haber leído unos capítulos. Algunos de los cuentos en este libro son tan familiares. La personalidad del autor sobresalió dándome su confianza en como en realidad aplicar estas técnicas.

Soy del barrio y leer no es número uno en mi lista, pero me agrado mucho leer este libro. Hablo mi idioma, entiendes?

Malik Allah, Cuba:

Este libro ha significado mucho para mí, pues lo que relata forma parte de mi cultura, de mi medio, y de mi gente. El mensaje político y cultural que transmite es de gran importancia para la nueva generación.

Angelo Brathwaite, Panamá:

Yo amo a Panamá! Amo la comida, la cultura y la música. Sin embargo, my gente sufre de pobreza extrema, drogas, pandillas y son derrotados por el catolicismo. Muchos de nosotros no tenemos idea que hay soluciones a los problemas que enfrentamos. Buscamos en la religión un guía, y seguimos en la misma posición. No sabemos quién somos y el poder que tenemos. A muchos no se nos enseña a esforzarnos y agarrar lo que queremos. Así que mucha de mi gente termina haciendo cosas que los lleva a prisión y la muerte. Yo estuve allí durante la invasión. Antes de la invasión, no teníamos crimen y todos comían. Cuando llegaron los gringos y destruyo nuestro militar, matando miles de gente, nuestro país decayó. Sobraron armas, y Panamá nunca ha vuelto a ser la misma. En vez de juntarnos, nos matamos. Mucho de nosotros caminamos por nuestros barrios sin saber dónde estamos parados en esta lucha.

Yo sumamente recomiendo este libro a todo Panameño y todo los llamados 'hispanos'! Yo recomiendo este libro a todos los hermanos Sur y Centro Americano y los del Caribe. Somos una familia y nuestra lucha es la misma. Leer este libro te autorizara a hacer un cambio dentro de sí y ser exitoso en todo aspecto de tu vida. Hay una solución a todo los problemas que enfrentamos en nuestras comunidades! Tenemos el poder de cambiar nuestro ambiente, nuestras vidas y hasta el mundo. Hemos sido derrotados por la religión por demasiado tiempo. Podemos cambiar el negativo a positivo con este manual de sobrevivencia. Este libro ha impactado tantos, incluyendo me a mí. Si quieres hacer un cambio y no sabes cómo, lee este libro y te garantizo éxito.

Stic.man, de grupo hiphop dead prez:

Por su carácter, profundidad, practicalidad y originalidad, me encanta. Yo personalmente lo recomiendo!

Introducción a la Edición Hispana

KANO AYALA

El libro siguiente fue escrito específicamente para el joven Negro, Estadounidense, de las calles urbanas. La primera vez que había escuchado sobre el libro How to Hustle and Win (el titulo de esta en Ingles) fue visitando la pagina de un nuevo amigo de Facebook. El muy honorable Dr. Dass, también conocido como Supreme Understanding, me había captado la atención por su obvia dedicación al ayudar el joven urbano, un interés que compartimos. Vi que había escrito unos libros y me interese en leerlos. Al leer el libro (una obra de dos partes) sentí que era algo que se debería regalar por las calles de las ciudades de los Estados Unidos mas necesitadas. Entiendo que Supreme lo esta intentando. Es un libro que entretiene a la vez de educarte. Es mas, hay mucha información que demasiados universitarios no conocen. A su vez el libro viene como la calle...dura. Hay cosas aquí que serán muy controversiales y seguramente atraerá oposición a sus verdades. Pues que vengan las criticas.

Un buen día Supreme Understanding, Supremo Entendimiento en Español, me hablo de traducir el libro. Pensé que era información que no solo debería regarse por las calles de las ciudades de los EE.UU., debería también regarse por las calles de las ciudades de Latina America. Yo nunca antes había hecho una traducción de una obra así como esta, y no supe todo lo que iba a conllevar. Ademas de que había que traducir lo normal, también había que traducir el lenguaje de la calle. Y a todo esto teniendo en cuenta los mucho dialectos del Español. Gracias a la ayuda de un hermano Mexicano, King G Delgadillo, y algunos otros de diferentes regiones, se pudo lograr. Sus revisiones aseguraron que esta obra seria dirigida a todas las regiones hispanas, y no solo a la mía, ademas de que les llegara con menos errores ortográficos.

Básicamente, he traducido las palabras de Supremo tales como las uso el. Unas pocas cosas se cambiaron para hacer el mensaje mas llevadero a los jóvenes urbanos de habla hispana. Para mejor entender esta obra, debes de entender que Supremo ve el mundo en blanco y negro. El se crió en las calles de Nueva Jersey y conoce bien el mundo de *La Brega.* Y todavía hoy día se pasa en las comunidades mas necesitadas de Atlanta, donde reside. Así que el viene con los guantes quitados tratando de llegarle al joven callejero que no se le puede llegar con menos.

En este libro leerá los términos Negros y Blancos una y otra vez. Si me pudieran ver, entenderían que el uso de estas dos palabras significa mucho mas que lo normal en este texto. Es mi sentir que hay un mundo Negro y uno Blanco, así que hay una América Negra y una América Blanca. La América Blanca es la que vemos en las telenovelas, y en toda la programación de la televisión Hispana, en la mayoría de los puestos políticos mas grandes de nuestro países y en las paginas sociales de nuestros periódicos. El Negro es el que vemos sudando en el campo, muriendo en las guerras, y bregando en las calles. Así que no tiene que ser blanco para ser Blanco, ni negro para ser Negro. En las Américas las cosas no son tan claras. En algunos países, la mayoría de los Negros son blancos como en Argentina o en España, mientras en otros los Blancos son negros, como en Haití.

Para mi no tiene que ver con el color de la piel, pues yo soy un Negro blanco, sino que tiene que ver con la conciencia del individuo o entidades. Las entidades que controlan nuestros países, y todo lo que pasa en ellos, son gente adinerada y sin muchos escrúpulos. Le importa un carajo el bienestar de la gente o del planeta. Solo les importa el dinero y el poder. El que me quiera llevar la contraria debe estudiarse bien la historia, y mirar bien las realidades, de su país. La mayoría de esa gente si son blancos de piel y de descendencia Europea. Eso es la realidad en la gran mayoría de nuestro planeta. Si no me lo cree, ve a investigarlo por si mismo. Empieza por leer este libro. El otro lado de la ficha es la gente que no viven como los apoderados. No tienen yates, ni autos lujosos, ni mansiones con equipos de mantenimiento. No aparecen en las telenovelas, al menos que estén haciendo el papel de alguna ama de llaves o algún jardinero. Son los que le hacen los trabajos a esos que controlan el país. Son el pueblo verdadero, la gente, mi gente. De quienes se hablaba en los 60s cuando decían "Power to the People!" (Poder a la Gente!).

Como ya mencione, este libro se escribió para el joven Negro de la calle, y así es que lo traduje. Para el joven Negro de las calles de habla hispana, que se encuentran por toda América y también en España. Esos jóvenes que se encuentran bregando, tracalando, hoseando, traqueteando, o sea luchando por una vida mejor. Tratando de salir por delante contra un mundo que no lo quiere ayudar y es mas, lo quisiera destruir.

De veraz espero que disfruten de este libro y mas que eso de verdad quisiera que se aprendan algo. Especialmente, lo bueno que es leer. Deben leer mucho y así investigar las cosas por si mismo. Lo primordial es el auto-conocimiento, todo lo demás gira alrededor de eso. Conocete a ti mismo. Entonces sera mas fácil conocer lo demás.

Creo que la lección primaria de este libro es la libre investigación de la verdad. Una y otra vez Supremo le pide al lector que busquen por ellos mismos. Menciona libros, sitios del Internet y otros recursos que pueden utilizar para comprobar todo lo que el dice. Deben seguir el consejo y escrudiñar todos estos temas por ti mismo. Te prometo que solo te ayudara a crecer como persona.

El truco es salir de la trampa en que nacemos. Nos cogen de pendejos demasiado fácil. Estamos muy programados. Hay que romper con esa programación lo antes posible. Y evitar que sigan programando a nuestros niños. Una buena forma de empezar a romper ese ciclo es leyendo este libro. Este libro lo ayudara a empezar una jornada que te llevara mas allá de lo normal.

Acabo de leer que en país de Chile es un 94% blancos, eso es una mentira. Yo he conocido Chilenos y aun si estabas prestando atención durante el reciente terremoto, pudiste ver que esa gente son igual que la mayoría de los Sur y Centro Americanos Indígenas con sangre Europea. Eso de considerarse blanco cuando uno no lo es, es parte de la trampa. Es lo que se le enseña en esta sociedad. Lo triste es que aun muchos de ustedes probablemente dirían que son blancos. Yo quisiera que fueran a un vecindario de blancos en gringolandia a ver si ellos te considerarían blanco. Debes tener orgullo en ser uno de los Negros. Y de nuevo cuando digo Negro, allí incluyo a todas las poblaciones que están luchando por sobrevivir. Que se encuentran oprimidos por aquellos que tienen mas. La realidad es que la gran mayoría que pasan por esas son de piel oscura. Pero de que los hay blancos, los hay. Miro a uno en el espejo cada día.

Es muy importante que conozcas el mundo tal y como es, y no como te lo pintan. Eso solo lo puedes saber si estas consciente de quien eres y por que eres. En la realidad de este traductor y del autor, tu eres Dios. Tu eres el que crea el mundo a tu alrededor. Tu percepción es todo. Por desfortuna, eso lo saben otros y por eso buscan mantener a las masas tranquilas y distraídas con tonterías y mentiras. Para que no se despierten y den cuenta que este mundo nos pertenece a todos, y no a los pocos que han agarrado la mayoría del poder.

Le quiero dar las gracias a Supremo Entendimiento por permitirme ayudarle en hacer llegar este libro a mis hermanitos alrededor del mundo. Pienso que va a contribuir mucho al progreso de nuestros jóvenes que están bregando en las calles a diario.

También se le agradece a los que tomaron el tiempo para leerlo. Cualquier pregunta que tengan, o si solo quieren saber mas de algo mencionado en estas paginas; también si quieren ofrecer sugerencias para la próxima edicion o hacer algún comentario, se pueden comunicar conmigo a la siguiente dirección electronica: kano@supremedesignonline.com

Paz, unidad, amor y el disfrutar!

Yo me llamo Kano Ayala y hago de todo un poco. En estos momentos estoy en Puerto Rico disfrutando del amor familiar y el calor de mi gente. Nací y me críe en el Sur del Bronx en NYC durante los 70s y 80s, una juventud interesante. Yo también escribo y pienso pronto traerles unos libros en nuestro idioma para la gente urbana. Por criarme donde y cuando me crié, soy un hiphoppa. Es algo que muchos de los Negros del mundo tenemos en común. Es una cultura que nos une como gente a pesar de las diferencias. Es la cultura urbana nacido en las calles del Bronx en los años 70s, y que ahora es global y abusada por la misma gente Blanca que abusa de todo, pero hay una tradición fuerte y creciente que seguirá por siempre. And it don't stop! Que nunca pare! Por ser la cultura de la calle decidimos añadirle una especie de 'soundtrack' a este libro. Es un mix cd de muchos hiphoppas latinos que encontraras representados en nuestra pagina. 'Shouts' a mi hermano Eterno Bboy por su ayuda con la compilación. Geist por su presencia como artista...musical ademas de graffitero. A mi familia por siempre apoyar lo que haga. Especialmente mi hija Linda Krystal. Y a todos los jóvenes que se den la oportunidad de cambiar de camino. Hay muchas bregas hermanos. Si pueden bregar en aquello, también pueden en otras cosas. Uno!

9elementos.com es la dirección del HipHop en Español. Donde hablaremos de todos los elementos de nuestra cultura; Djay, Bboy, Graffiti, Mcees, Beatbox, Idioma de la calle (Slang), Estilo de la calle (Swag), Negocio de la calle (Brega), Conocimiento.

Prefacio

"FREEWAY" RICK ROSS

Hace treinta años atrás, yo estaba en las calles cuando un hombre que yo pensaba era mi amigo me presento la cocaína. Lo corrí y después corrí con él. Era muy bueno en lo que hacía. Las calles, el gobierno, los medios, todos decían que yo era responsable por la distribución de cocaína desde la costa del oeste hasta llegar a el medio oeste. Una operación, decían ellos, que hacía por lo menos un millón de dólares diariamente. No le veía fin.

Entonces paso lo inevitable.

Treinta años luego las cosas son diferentes…por lo menos para mí. Hace tiempo que cambie mi mentalidad y como veo la vida y el éxito. Como diferente ahora. No ha visto televisión ni ha escuchado el radio en tres años. Cuando empecé a vender cocaína, era funcionalmente analfabeta – pero mientras era cautivo, había leído sobre 200 libros cuando otro preso me presento un libro llamado *La Brega.* Reclamaba ser un guía para "cómo sobrevivir en el barrio." Sonaba interesante. En este libro vi cuentos de gente que, o conocía personalmente o sabia de ellos. Más importante que eso, leí mi historia y las de gente como yo.

Leí de gente en el pasado y el presente que estuvieron en mi misma situación. Pude ver, paso por paso, como pude haber evitado ciertas caídas. Como no soy uno para hacer hincapié en el pasado, también aprendí como capitalizar de mis éxitos y habilidades naturales.

Hubo cosas en el libro que ya sabía, además de cosas que se me habían olvidado, así que puedo confirmar la verdad de todo 100%. *La Brega* es estrictamente para el barrio. Es un libro poderoso que todo el que brega, hombre o mujer, debe recoger y leer. No solo es inspirante, pero también alumbrara las mentes de nuestra juventud atrapada y confundida. Es raro encontrar un libro así.

Ya era tiempo que alguien le enseñara a los que bregan como cambiar sus ganancias a negocios legítimos. Esto era un tema cercano a mí, ya que era propietario de todo entre bienes raíces a cines. Es más, me decían "Freeway" Ricky porque poseía tantas propiedades en el Harbor Freeway de Los Angeles. Aprendí esa parte del juego y lo hice bien, pero tuve que aprender de manera dura como realmente funciona este juego. Sin necesidad es decir que aun los jugadores grandes caen…a diario.

En prisión, yo he despertado a muchos al juego. Vi que Supreme Understanding tenía la misma visión. Yo sé como reconocer un producto que tiene el destino a cambiar todo. Siempre lo ha hecho. Igual como cuando entre al juego de narco, leí este libro y corrí con él. Empecé a vender copias de *La Brega* en la prisión…y fui testigo de primera mano los cambios que realizaban sus lectores. El cambio más grande es, creo yo, cuando la gente empieza hacer sacrificios reales en el nombre de la Vida y la Libertad…en vez de por Dinero y Lujo.

Algunos persiguen la grandeza y se la aplican, mientras otros esperan que la grandeza venga a tocarles en la puerta algún día. No te tengo que decir que ese día casi nunca viene. Este siendo el caso, tenemos que Bregar para Ganar. Ha hecho muchos sacrificios en los dos lados de la pared, física y mentalmente. Y al final, yo gane. No fue fácil. Para poder ganar el juego, tienes que cambiarlo. Y es exactamente lo que hice.

Cambie como miraba la vida – dejando mi espíritu intacto – sin cambiar mis principios. Se de unos que han cuestionado mis acciones basado en una falta de entendimiento de mi caso, el mundo en general o un mal entendimiento severo del código de la calle. Permíteme educarte. Si investigas a fondo, fue mi caso que trajo a la luz como el gobierno de los EE.UU. era responsable por traer drogas al país. Y tumbe policías que eran mis enemigos (nunca mis socios). Estos policías se conocían por plantar drogas en y arrestar falsamente a inocentes. Tumbando a esos policías logre a liberar a 150 soldados de las prisiones.

Sí, yo moví muchas drogas, pero también asumí mucha responsabilidad cuando llego la hora de ser un hombre. Yo tomo toda la responsabilidad por mis acciones, además de las repercusiones, pero no puedo vivir en el pasado. No te puedo hablar de kilos. Pero si puedo hablarte de libras y onzas: *Una onza de prevención es mejor que una libra de cura.*

Leyendo *La Brega* es parte de la prevención. Pero si te encuentras ahogándote ya – también puede ser la cura. El barrio es una trampa y si quieres sobrevivir, es hora de tomar control de tu vida. Lee este libro y toma tus primeros pasos fuera de la sepultura…y hacia la vida. Los principios de *La Brega* han sido mi pasaporte al mundo, mi idioma y mi sustento.

- "Freeway" Rick Ross,
Pandillero Americano

Rick Ross es uno de los más famosos bregadores de nuestros tiempos. Aun mientras encarcelado, su nombre se escuchaba en los cuentos urbanos que raperos han hecho carreras de imitarlo. El ha sido presentado en docenas de revistas, periódicos, programas de televisión y documentales. Su historia también es documentada en la séquela a este libro.

Libre desde el otoño del 2009, el se ha dedicado a cambiar el juego que el ayudo a crear. Sus proyectos incluyen un libro titulado '*Diamond Lane*' y una película de largometraje titulada '*The Life Story of Freeway Ricky Ross.*' Está buscando artistas, actores y modelos para estos y otros proyectos.

Puedes aprender más sobre Rick Ross en su 'blog' en línea: **freewayenterprise.blogspot.com**

También asegúrate de chequear su sitio de red social **www.freewayenterprise.com,** que habla de lo último en cuestiones de hiphop y urbanas.

PIENSO, ASÍ QUE SOY PELIGROSO

TABLE OF CONTENTS

PART ONE

DEDICACION 2
ELOGIOS PARA *LA BREGA* 3

INTRODUCCIÓN A LA EDICIÓN HISPANA 6
PREFACIO 10
INTRODUCCIÓN 16
GANANDO EL JUEGO 16
ES ESTE LIBRO PARA TI? 17
LO QUE ESTE LIBRO NO ES 18
POR QUE FUE ESCRITO ESTE LIBRO 19
2 PARTES – PARA QUE? 20
COMO LEER ESTE LIBRO 22

QUIEN ERES? 23
EXAMEN 1: IDENTIDAD E IDEAS 24
TRES KILOS DE COCAÍNA COLOMBIANA 26
JAY-Z Y EMINEM: TEMES SER TU MISMO? 27
26 RAZONES PARA MANTENERTE FUERA DEL JUEGO 29
LIMPIANDO DINERO SUCIO 33
5 COSAS QUE PUEDES HACER PARA SER LEGITIMO 35
'CASH MONEY' Y EL BAMBÚ 36
EL CUENTO DE AKON: ESTA EN TI. 37
JUEGO DE LA CULPA. 39
PESCADO FEO 40
ENCONTRANDO A NEMO 41
ERES UN 'NIGGA' O NO? 42
PELÍCULAS PARA VER 45
EL IMAGEN ES TODO? 45
EDUCACIÓN NO QUIERE DECIR ESCUELA 48
EL NEGRO ES BELLO 54
BREGADORES PUEDEN SER BRILLANTES 61
PUEDES ANDAR SOLO? 62
NACER SOLO, MORIR SOLO 64
LO QUE NO SE CUENTA DE LA ESCLAVITUD 66
PELÍCULAS PARA VER 71
TIROTEOS Y CADILLACS 71
DOS GRANDES ROBOS 74
HAZ EL CONOCIMIENTO 76
ENFERMEDADES MENTALES EN NUESTRAS COMUNIDADES 78
PELICULAS PARA VER 83
ENCUENTRA LOS ESCONDITES 84
EL EQUIPO SUPREMO 85
REVISO 87

HAZ LO QUE DICES 88
EXAMEN 2: ENFOQUE DE LA VIDA Y SITUACIONES 89
DEJA DE CHOTEAR 91
SOPLANDO SE UNO MISMO 93
EL SILENCIO ES DORADO 94
QUE ME SUBA LOS PANTALONES? 96
26 SEÑALES QUE TE MUERES POR ATENCIÓN 98
LAS COMIDAS EQUIVOCADAS 99
17 VENENOS 101
TU PALABRA ES TU GARANTÍA 102

EL PODER EN LAS PALABRAS ... 103
HABLANDO BLANCO ... 107
MATÓN VS. SOLDADO ... 109
SOLDADO POR VIDA ... 110
PELÍCULAS PARA VER ... 115
50 CENT: UNA VIDA DE MENTIRAS ... 115
EL REY DEL CRUNK ... 118
PELÍCULAS PARA VER ... 119
PEGADO A LA ESQUINA ... 120
PELICULAS PARA VER ... 122
LOS AÑOS XXX ... 122
SER HOMBRE ... 123
LA VIDA, EL MEJO MAESTRO ... 124
CONSEJOS PARA UN JOVEN JUGADOR ... 126
ATRAPADO ... 128
COMO IR A LA CÁRCEL ... 129
LA CAMPAÑA "DEJA DE MENTIR" ... 130
HACIENDO EL TONTO ... 132
LA REALIDAD ... 133
PENDEJOS Y BREGADORES ... 134
FALTA DE COMUNICACIÓN ... 136
CRISTIANOS NEGROS Y CATÓLICOS TRIGUEÑOS ... 138
REVISO ... 143

CHEQUEASE ... 145
EXAMEN TRES: VISTAS Y PENSAMIENTOS ... 146
20 ILUSIONES COMUNES ... 148
CHULOS ARRIBA, PUTAS ABAJO ... 152
911 ES UN CHISTE ... 157
PELÍCULAS PARA VER ... 160
EL ESPEJO NO MIENTE ... 160
10 SEÑALES QUE TE ODIAS ... 161
COMO ME VEO ... 162
BREGAS Y GRATAS ... 164
10 TRACALAS LEGITIMAS ... 166
20 HABILIDADES DE LA TRACALA ... 168
EL ARTE DE LA ESTAFA ... 169
MUCHACHAS VUELTAS LOCAS ... 172
EL ARTE DE LA GUERRA ... 174
ESQUEMAS Y CONSECUENCIAS ... 175
GANADORES Y PERDEDORES ... 177
ORA Y NO VENDRA ... 178
PERDIENDO TU MENTE ... 179
EN EL VIP ... 181
MENSAJE EN UNA BOTELLA ... 183
10 LECCIONES DE AMERICAN GANGSTER ... 186
CADA UNO, ENSEÑA UNO ... 190
EL ARTE DE VELAR GENTE ... 191
EL BOMBARDEO DE MOVE ... 193
PELÍCULAS PARA VER ... 197
10 LECCIONES DEL CLUB ... 197
EL RACISMO ESTA VIVO ... 200
REVISO ... 204

HÁBITOS Y ADICCIONES ... 206
EXAMEN CUATRO: VALORES Y PRIORIDADES ... 207
PELÍCULAS PARA VER ... 211
21 DÍAS ... 211
LEY Y ORDEN ... 217
LOS CICLOS DE VIDA ... 223

PELÍCULAS PARA VER 228
UNA VIDA DE LAMENTOS 228
"JUSTICIA" JUVENIL 230
LOS CICLOS DE LA HISTORIA 231
COMO LUCHAR CONTRA UN CARGO CRIMINAL 233
PELÍCULAS PARA VER 235
AMOR REVOLUCIONARIO 236
22 GUÍAS PARA BREGAR CON MUJERES 238
COME PARA VIVIR 240
CON QUIEN PELEAS? 244
TRAIDOR DE RAZA 245
COMO SOBREVIVIR UNA FAMILIA DISFUNCIONAL 248
ASESINANDO A CUATRO DIABLOS 249
TIENES UN PROBLEMA DE IRA? 253
YO FUMO, YO BEBO 255
PORQUE LOS POBRES SE QUEDAN DÉBILES 258
NO HAY MEJOR PRECIO QUE GRATIS 261
GUERRA GUERRILLERA 263
IDEAS DETERMINADAS 267
CON QUIEN ESTAS? 268
PATINADOR NEGRO 269
EXILIADOS 271
NO TE QUIEREN 274
REVISO 276

ARMADURAS 278
EXAMEN CINCO: INFLUENCIAS Y CONSCIENCIA 279
POR LO MENOS DISPARA AL ALERO 282
HORMIGAS ASESINAS 283
TUPAC VIVE 284
DINERO JOVEN 288
DEJA DE LLORAR 291
PELÍCULAS PARA VER 295
BLOODS Y CRIPS 296
MATANDO A UN HOMBRE 300
PAGADO POR COMPLETO 301
COMO HACERTE INTELIGENTE EN 17 PASOS 305
PEONES EN EL JUEGO 306
TU SUBCONSCIENTE 309
LOS MAS GRANDES 311
DIAMANTES DE SANGRE 312
PELÍCULAS PARA VER 313
A QUIEN LE IMPORTA? 313
AL SER CONTINUADO 315
REVISO 316

AFTERWORD 317
APÉNDICE 319
SOBRE EL AUTOR 319
LECTURA RECOMENDADA (PARTE UNO) 320
COMO GANAR AMIGOS Y INFLUENCIAR A LA GENTE 322
COMO GANAR AMIGOS Y INFLUENCIAR A LA GENTE 322
LOS SIETE HÁBITOS DE GENTE MUY EFECTIVAS 323
ARTISTAS NO HACEN EL DINERO QUE PIENSAS 324
QUÉ HACER SI TE PARA LA POLICÍA 326
QUE HACER AHORA? 328
FESTEJA COMO UNA ESTRELLA 330
SI SE PUEDE 332

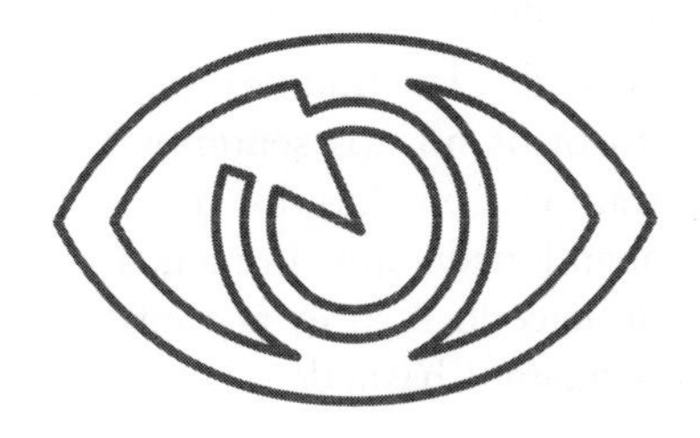

Introducción

LOS BASICOS ANTES DE EMPEZAR

"Cada vez que vez alguien mas exitoso que usted, ellos están haciendo algo que tu no estas haciendo." Malcolm X

GANANDO EL JUEGO

Como ha dicho el rapero Jim Jones, "O respetas mi mente, o respetas mi trabajo." En *La Brega* si planeas sobrevivir, tienes que o trabajar mas inteligente o mas duro. Al no ser así, pues como dice Control Machete, "Matate te te." Esto es un juego muy sucio y esta hecho para desgastarte hasta que no quede nada. Y si eso no es muerte, entonces, que es?

Vamos a ser claro. La palabra "sobrevivir" quiere decir salir, porque quedarse atrapado no es sobrevivir. Cuando hablo de la sobre vivencia, estoy hablando del éxito. Después de todo, no nos merecemos menos.

No hay razón por la cual al salir de ese infierno no estés mas fuerte, mas inteligente y mas exitoso. Pero la mayoría de los que tracalan no tienen esperanza de salirse. Es por eso que vivimos al momento, enfocados en la próxima elevación mientras viviendo los bajones de la ultima vez que nos fue mal. Mientras la gente al otro lado de la verja se comen la torta completa. Es como estar atrapados en un hoyo, esperando que nos caigan unas migas. Y como nos peleamos por nuestro canto al lado de esa verja. Tal vez es por ser todo lo que tenemos. Hay que darle fuerte para todo lo que necesitamos en esta vida y lo primero que necesita un hombre es su dignidad y respeto. Por eso matamos por orgullo, derramamos sangre por nuestro lado y somos los primeros en avanzar o morir.

En algún momento del proceso se nos olvido que la primera vez que alguien nos dijo que avance o muera fue en un barco de esclavos. Y que el primer lado fue el oeste...de África.

Hoy día las trampas están dondequiera y sin embargo algunos de nosotros no nos sentimos atrapados. Algunos hasta somos parte de la trampa...pero no los culpo. Hemos visto como el mundo nos ha abandonado...por lo menos así lo vemos...pensando que la única forma de hacerlo bien es por cualquier modo necesario. En ese proceso nos olvidamos hasta de nosotros mismos.

Pero no sabíamos que el mundo nos había olvidado. Es mas, la gente pobre del mundo estaba esperando que los alzaran. Todavía esperan que los alcen. Por eso el mundo sigue los avances del Hombre Negro. Si el Hombre Negro de América se levantara e insistiría por cambios, el mundo lo seguiría. Pero tendría que ser un gran hombre para tomar ese primer paso, porque son muchos los seguidores.

Si estas listo, preparate, que sera una jornada larga.

Es Este Libro para Ti?

Si estas leyendo esto y todavía no estas muy seguro si eres el tipo de persona que beneficiaria de el, te daré unos puntos sobre como saberlo. Este libro es para ti si:

- ❒ Siempre has sido inteligente, pero odiaba la escuela porque solo enseñan mierda.
- ❒ Vez las injusticias del mundo y te están volviendo loco.
- ❒ Quieres cambiar algo en el mundo o en ti, pero no has figurado como.
- ❒ Sabes que no eres solo otro tipo.
- ❒ Estas intentando cambiar tu vida pero no por medio de la iglesia o la militar.
- ❒ No estas esperando que Jesús vuelva a salvarte.
- ❒ Te preguntas porque la gente son unos seguidores e hipócritas.
- ❒ Sabes que en la vida hay mas de que se ve.
- ❒ SIEMPRE estas cuestionando todo.
- ❒ Eres capaz de tomar responsabilidad por las cosas que te pasan en la vida (sin culpar a los demás o al diablo).
- ❒ No tienes miedo afrontar las creencias de los demás.
- ❒ Quieres mejorarte, para ti, tu familia y tu gente.

Si respondiste que si a cualquiera de estas, hazte el favor de leer este libro de principio a fin. Si nada de eso te llego, entonces o ya lo sabes todo o estas muerto mentalmente.

Trate de hacer de este libro un todo para el celebro. Aquí hay cosas que pensaran son estúpidas, cosas cómicas, y cosas que te harán llorar o querer caerle encima a alguien. Al fin, mi meta es tratar de corregir como hemos sido destruidos.

Este libro es girado hacia muchachos jóvenes Negros perdidos en los barrios de América. No quiere decir que otra gente no lo puede leer y usarlo. Las lecciones e información aquí se puede aplicar a cualquiera...donde quiera. Después de todo, todos pasamos por lo mismo, aunque no lo sepamos.

Lo Que Este Libro No Es

Todos tenemos expectativas sobre lo que vamos a leer antes de leerlo. En la escuela yo asumí que todos los libros serian aburridos, así que yo no leí mucho. En el proceso perdí de leer muchos libros interesantes. Al mismo tiempo, nunca me toco un libro que me llegara y que tratara de lo que yo vivía. Por lo menos no en la escuela. Mas tarde en mi vida aprendí como saber si un libro seria bueno para leer.

Continuare ahorrándote problemas con decirte que no esperar de este libro:

☒ Este libro no es un libro de cuentos, como una novela. Si lo que te gusta es la ficción, aquí hay algunos cuentos buenos, así que quizás todavía puede ser que te guste el libro...pero los cuentos son verídicos de la vida de pandilleros, celebridades, revolucionarios, racistas, ladrones y algo por el estilo.

☒ Este libro no es panfleto de iglesia. Es verdad que tiene un mensaje, pero esta repleto de mal decir y actividades criminales. Si la vida fuera diferente yo escribiría diferente.

☒ Este libro no es Políticamente Correcto. Hay muchos tópicos e

Una Nota a Los Demás

Mucha de la gente que recogen este libro no serán muchachos jóvenes, sino padres, educadores, seres queridos y otra gente que de veraz le preocupa las vidas de los jóvenes en su vida. Si sabes cuan profundo son los problemas, no rechazara ni te asustara lo que digo en este libro...porque entiendes el porque lo estoy diciendo. Quiero que lea este libro para que sepas que esta verdaderamente pasando, pero, mas importante, quiero que le hagas llegar este libro a los hermanitos que mas lo necesitan.

Nuestros lideres comunitarios e intelectuales también beneficiarían por leer esto también, así quizás dejen de salir con teorías estúpidas y mal informadas que enseñan lo poco que saben de lo que realmente esta pasando.

Y para los blancos...diré esto: si eres blanco y estas leyendo este libro, o (1) sabes que este libro no es para ti, pero quieres encontrar algo para empezar problemas, o (2) sabes que este libro no es para ti pero tienes un concierne genuino sobre que los demás están pasando....y quieres ayudar. Si estas en el primer grupo, suelta el libro y vete a hacer yoga. Si estas en el segundo grupo, que bien. Solamente estés seguro que leas el libro completo (las dos partes). Y no te apagues por la forma en que digo las cosas. Yo pudiera decir, "La mayoría de las poblaciones étnicas han sido diezmadas por venturas capitalistas occidentales." Pero es mas efectivo para mi decir simplemente, "La gente blanca han jodido todo para casi todos nosotros."

ideas que son controversias en el. No tienes que estar de acuerdo. Solo quiero que puedas saber de cosas que no entraron a sus libros de texto de escuela.

☒ Finalmente, esto no es uno de esos libros de agarrar el poder, no importe el costo. Hemos perseguido el poder y el dinero hiriéndonos a nosotros mismos en el proceso. Cambia tu mente y tu cuerpo seguirá. Que parece una persona Negra siguiendo modelos de negocios que nos han explotado y hasta nos ha esclavizado?

☒ Este libro no es de ideas espirituales o filosóficas que no funcionan en la vida real. Este libro es la vida real, y todas sus partes, incluyendo partes que probablemente desconocías. Este libro no es solo de ganar dinero, poder o mente sana, es de como transformarte para que tengas todo esas cosas y mas.

Por Que Fue Escrito Este Libro

Ahora, vamos a entrar a el porque tu agarraste este libro. Es que ya te gusta leer y pensaste que este seria otro libro interesante...o quizás este sera el libro que te ponga a leer de nuevo.

Fui inspirado por Young Jeezy hablando sobre un libro que escribía, 'Thug Motivation' que iba acompañar el disco del mismo nombre. Jeezy siempre dice que el no es rapero, el es un orador de motivación. El ha comentado como la mayoría de los jóvenes Negros no leen porque no hay libros que les interese o le hable de cosas relevantes a ellos. Eso lo entendí. Pero espere el libro, y lo espere. Salio otro álbum del y todavía no había libro. Entonces acorde que los sabios no esperan que la comida caiga del cielo. Así que en vez de seguir esperando que otro escribiera un libro como este, lo escribí yo.

Quien soy yo? Soy tu. Antes y después. He pasado por casi todo lo que puedas estar pasando. Y lo digo con certeza porque he pasado por mucho. Salí de un infierno en cual nací ademas de el que yo mismo cree...y salí victorioso y no un victima. Desde que me cambie el nombre a Entendimiento Supremo Allah a los 15, he puesto mucho pensamiento y energía en tener un entendimiento supremo de las cosas. Mi primera experiencia con el Islam me enseño que el Islam quiere decir 'yo estudio la vida al mi alrededor'. Al estudiar, investigar, observar, y escuchar a otros mas sabios que yo, he atenido a las

12 joyas que todo ser humano persigue:

Conocimiento	Sabiduría	Comprensión
Libertad	Justicia	Igualdad
Alimento	Ropa	Refugio
Amor	Paz	Alegría

No pensé que llegaría a paz y alegría. Ahora que he llegado, me siento que aun hay mas para hacer. Estoy en las calles a diario, trabajando con la comunidad. Yo se que suena como algo noble, pero también quiere decir que cualquier día me puede pasar algo. Estoy bien con eso, pero no me puedo ir de este mundo sin primero compartir lo que he aprendido con las mas gente posible. A eso me he dedicado la vida. Así que este libro me va ayudar a mi tanto como espero los ayude a ustedes.

2 Partes – Para Que?

Aunque lo sepas o no, estas en la escuela todos los días, aprendiendo de la vida y resolviendo los problemas que se te presenten. Si te cuelgas en los exámenes, te dan otra oportunidad para aprender la lección. Si sigues fallando, terminas un cero. No terminas CON un cero. Eres el cero. O peor, te conviertes en algo negativo. Entonces eres otro problema para que otros resuelvan.

En muchas formas, este juego sucio es un juego de números. El rapero T.I., entendió esto cuando grabo "Se mejor que yo":

> Son las reglas mijo, aprenderlas joven/Cuando los que odian mencionan tu nombre se queman la lengua/Nunca estés avergonzado de como vives ni de donde eres/Amontonas un mil y verán cuan lejos a llegado/Sin revolver, tendrás algo que los haga resistirte/Eso es una mente millonaria, mientras ellos son morrones/Si se van a comportar mal, pero es que son jodones/Están fuera de vista, y fuera de tus pensamientos hasta que visitas el barrio/Sigue bregando y el dinero vendrá a diario/Al fin y al cabo, tienes que brillar no importa lo que seas/Estas calles son 40% mente, 5% esfuerzo/10% lucha, 10% tiempo y 35% lo que atrevas."

Es triste que tantos somos flojos en matemáticas. Estamos colgándonos en exámenes a diario y muchos de nosotros, ni cuenta nos damos que perdimos la lección.

No seria mejor si hubiera un libro con respuestas a esos exámenes? O si hubiera algún guiá o formulario que pudiéramos usar para escoger el mejor camino? Por lo menos si las lecciones de la vida fueran mas claras.

Si, puede ser así de simple. Este libro les dará las lecciones necesarias para sobrevivir. No pude meterle 120 lecciones a un libro y mantenerlo suficientemente corto para no asustarlos. Así que escribí 700 paginas de *La Brega* y lo corte por el medio.

Este libro esta organizado en capítulos basados en las nueve leyes naturales de la vida. La vida es gobernada por ciertas leyes que no se pueden romper. Tampoco se puede escapar de ellas. El universo y todo lo que contiene, puede describirse en términos matemáticos, las leyes en si son matemáticas. La matemática es un idioma de leyes universales, así que durante la historia culturas de todo el mundo han llegado a las mismas ideas. Mientras muchas civilizaciones han llegado a un set de leyes universales, las únicas escritas para la gente joven de la calle fueron por un hombre llamado Allah en Harlem durante los años 60s.

La Matemática Suprema se supone que sea fácil, para que cualquiera – aun un niño – pueda entenderlo. Los principios que esa matemática describe es lo suficiente para hacer que la cabeza de cualquier científico le de vueltas. Estos nueve conceptos cubren todo, desde el desarrollo del universo al desarrollo personal. No hay mejor manera de organizar lecciones para el auto-mejoramiento de un joven que por estos principios.

Los ensayos en los primeros cinco capítulos de la primera parte están agrupados basados en los primeros cinco principios de esas nueve leyes.

Las nueve leyes son:

1. **Mente sobre Materia:** Mantente enterado. Examina todo lo que sabes y como lo sabes. Conoce quien eres y hacia a donde vas.
2. **Manifestación:** Una vez sepas mejor, haz mejor, habla mejor, escoja mejor, viva mejor.
3. **Reconsiderar y Revaluar:** Busca entendimiento. Encuentre claridad, visión y perspectiva sobre ti mismo, tu vida y el mundo.
4. **Crea una Cultura de Éxito:** Transforma una visión fuerte a una vida fuerte y un agenda de largo plazo.
5. **Identifica tus Fuerzas:** Encuentra tu poder interno, en la vida y en el mundo...enfoca en desarrollarlo.
6. **Expansión y Distribución:** Amplié tus horizontes, extiende tu alcance, y encuentre un balance en todo lo que hagas.
7. **Rey de la Montaña o Peón del Juego:** Se tu, lidera tu mismo, y pon el peso de tu mundo sobre tus hombros.
8. **Matate Para Que Puedas Vivir:** Elimina las debilidades en ti y en el mundo a tu alrededor, mientras desarrollas la fuerza y disciplina que necesitas para hacerlo.
9. **Sella el Acuerdo:** Escoge los mejores caminos, imagina el futuro, asegure sobre vivencia y alcance al éxito.

El problema con los supuestos libros de auto-ayuda es que no son prácticos. Es bien difícil aplicar algunas de esas ideas filosóficas a la vida diaria, especialmente si la vida diaria es una lucha. Las leyes en si no te van a salvar la vida. Tienes que entender las lecciones de la vida que conlleva cada de estos nueve principios. Por eso es que este libro esta repleto de contenido.

Cada capitulo cubre una variedad de cuestiones (mujeres, dinero, crimen, etc.), pero las lecciones caerán bajo uno de los principios. Si puedes lograr usar estas leyes para guiar tu vida, estas destinado a ganar antes de empezar. La primera parte cubrirá los primeros cinco principios. La segunda parte, titulado "El Rap, La Raza y La Revolución: Respuestas a la Lucha", contiene los últimos principios.

Como Leer Este Libro

- Puedes empezar al principio y seguir hasta el final. También puedes encontrar temas que te estén interesante y brincar de ensayo a ensayo. Este libro se puede leer en cualquier orden.
- Si llegas a palabras que desconoces, trata de figurar la basado en la oración. Si no puedes, busca en el diccionario o ve a www.diccionarios.com.
- Lo mismo va para personas, lugares, eventos o ideas que son nuevos para ti. Busca. Sino quieres buscar en libros, puedes empezar en es.wikipedia.org.
- Llevalo contigo a todos lados. En vez de fumarte un cigarrillo o mandar textos cuando estés aburrido, lee.
- Encuentra una o dos personas que lo lean contigo. Cuando se encuentren, hablen sobre lo que han leído y que piensan sobre el. Esto desarrolla la hermandad, sus mentes y las habilidades de comunicación.
- No escondas el libro. Al menos que seas un cobarde, no debes tener problemas con ser visto con un libro.
- Toma notas. Subraya. Realce secciones importantes. Bueno, solo si es tu libro. Sino el dueño se enojara.
- Trabaja para entender todas las ideas discutidas en este libro. Si haces eso, te garantizo que sabrás mas que el estudiante universitario promedio.
- No lo hice demasiado fácil. Mientras mucho de este libro esta escrito en forma fácil de entender. Otras partes se suponen que estén mas difíciles. Si este libro no te desafiara, no estaría orgulloso de haberlo escrito. Era en serio lo de saber mas que el estudiante universitario promedio cuando termines.
- Finalmente, no hice que todo fuera obvio. Algunas lecciones en este libro han aparecido en tu vida muchas veces, pero no te distes cuenta. No te las pierdas aquí. Pueda que yo use la Mafia Negra o los Indios Pequot para explicar un punto, pero esas lecciones pueden aplicarse a muchas cosas diferentes. Mantén los ojos abiertos.

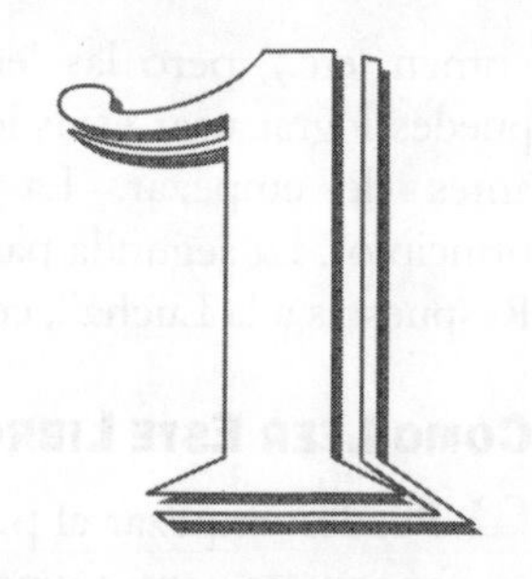

Quien Eres?

MENTE SOBRE MATERIA

"Lo que esta detrás y lo que esta por delante son pocas cosas comparados con lo que esta adentro.

Al menos que trates de hacer algo mas de lo que haz hecho, no crecerás."

Quien eres? En serio...piensa que alguien muy importante te hiciera esa pregunta. Alguien muy atractivo que se te acerque y te pregunte quien eres. Que le dirías?

"Yo, pues soy ______________________________

____

____"

Eso te fue fácil? Difícil? Que contestaste? Te describe tal como eres, o lo que ven los demás? Es basado en que haces, que tienes o quien eres?

Identificarse es algo difícil. La mayoría de nosotros no sabemos ni por donde empezar a establecer quienes somos. Algunos pensamos que lo sabemos, solo para encontrar que la verdad es que estamos siguiendo a otros. Por esa razón muchos no sabemos hacia donde vamos en la vida, ni como llegar allí. También tenemos dificultad con la pregunta "Por que?" Por que estamos aquí? Por que las cosas en nuestras vidas son como son? Por que hacemos las cosas que hacemos?

Así que todas las respuestas tienen que empezar con un examen de nosotros mismos. Quien mejor que estudiar que la persona en el espejo?

Examen 1: Identidad e Ideas

1. Cuando las cosas van mal, yo...

a. busco a alguien quien culpar.
b. hago oraciones para ayuda.
c. me siento miserable.
d. empiezo a mejorarlas.

2. Si estuviera perdido en un país extranjero, yo...

a. buscaría alguien que hable mi idioma y le pediría direcciones.
b. buscaría hacia el cielo por una señal.
c. estaría mas nervioso que el carajo.
d. encontraría un mapa y donde estaba.

3. Si estoy atrasado en mis cuentas, por lo general...

a. tengo a alguien que me preste dinero.
b. espero a que me entre algún dinero.
c. me encelo de gente con dinero.
d. encuentro la manera de hacer dinero.

4. Para mi el paraíso es...

a. para todos, no importa que.
b. regalo de Dios por serle fiel.
c. el único sitio donde encontrara la felicidad.
d. lo que lo haga.

5. El racismo es...

a. lo que no me deja ser exitoso.
b. prueba de Dios para los hispanos.
c. algo del pasado.
d. un mal que deberíamos seguir peleando.

6. Si pudiera volar yo...

a. me robaría todo lo que pudiera.
b. subiría hasta conocer a Dios.
c. mataría a todo aquel que me a hecho mal.
d. exploraría el mundo.

7. Conseguí este libro porque...

a. me dijeron que era un libro bueno.
b. necesito encontrar me a mi mismo.
c. me gusto como se veía la portada.
d. pensé que la información seria útil.

Explicación

Mira como contestaste las preguntas y cual letra escogiste mas que las otras. Antes de leer lo siguiente. Te voy a decir que aunque realmente no haya contesta correcta o incorrecta, tus contestaciones dicen mucho de ti como persona.

Quizás no te guste lo que encuentres, pero no lo tomes personal. Todos estamos jodidos de una forma u otra. La vida es un proceso hacia la perfección que requiere cambios y crecimiento. No puedes crecer hasta que no aprendas tus debilidades.

Muchas A: Los "Irresponsables" Estas contestaciones describen a alguien que no piensa con su propia mente. O buscan aprobación de otros, siguiendo a los demás, o culpan a otros por sus problemas. En otras palabras siempre niegan su responsabilidad y se pasan buscando ayuda de afuera.

Muchas B: Los "Creyentes" Estas contestaciones describen a alguien que es muy religioso. Ellos creen que la oración es la respuesta a todos sus problemas. Y casi siempre evitan trabajar para resolver sus propios problemas. Piensan de todo en términos religiosos y casi nunca usan el pensamiento critico o la lógica para entender lo que realmente este ocurriendo.

Muchas C: Los "Emocionales" Estas contestaciones describen a alguien que responde a las situaciones en términos emocionales. Quizás no se pasen llorando, pero si andan mas enojados, deprimidos e irracionales que uno que tenga control de sus emociones.

Muchas D: Los "Originales" Estas contestaciones describen a alguien que piensa por si mismo, resuelve sus propios problemas y evita las caídas de los tipos ya mencionados. Estas personas casi siempre son los mas exitosos en la vida porque saben como crear su propio éxito. Sin embargo, a veces estas personas pueden ser demasiado intelectuales.

Crees que es preciso? Quizás si, quizás no. Realmente uno no puede ser definido por siete preguntas, pero quiero que vayan aprendiendo sobre tipos de personalidad y las conductas que producen. Aun cuando algo no te aplique, debes aprender de el. Puede ser que estés andando con un chorro de "irresponsables" sin saberlo. Imaginate si te metes en un problema con uno de esos. Quien crees que te entregara?

El Primer Principio

"Mente sobre Materia" quiere decir, estar pendiente. Examina lo que sabes y como lo sabes. Saber quien eres y hacia donde vas.

Que Aprenderás

- ❑ Que sucio es el juego y como bregar para salirte.
- ❑ Como hacerte legal y hacerte rico.
- ❑ Que la escuela y el aprendizaje no es lo mismo y cual necesitas.
- ❑ Como evitar ser usado o que te cojan de pendejo.
- ❑ A quien podemos culpar cuando las cosas van mal.
- ❑ Donde se encuentran los nuevos lideres.
- ❑ Lo que cada hombre tiene que hacer para sobrevivir y hacerse exitoso.
- ❑ Cuando ser terco y cuando comprometerte.
- ❑ Como fue la esclavitud y porque importa.
- ❑ Que enfermedades los que te rodean puedan tener.
- ❑ Quien es negro y quien no y a quien le importa.

TRES KILOS DE COCAÍNA COLOMBIANA

Carlos y Rey habían mandado mensaje que unos vendedores de drogas llegaban a Kansas City, Missouri, y buscaban un comprador. Ellos no estaban interesados en entrar a negocios con pequeños, sino con bichotes que podrían comprar una cantidad grande rápidamente.

Después de un rato les llego el mensaje que tenían un comprador. Carlos y Rey fueron a Kansas City y alquilaron un cuarto de motel en las afueras para conducir el negocio. Carlos con su pelo hecho un moño y los dos en trajes de lino, parecían extranjeros. Cuando llegaron los de Kansas City, eran cuatro y los dos de atrás definitivamente andaban armados.

Rey, hablando con acento cubano, hizo de representante y tradujo para Carlos que solo hablaba español. Carlos parecía molesto y que en cualquier momento cancelaría el negocio. Los de Kansas City eran bichotes pero había una sequía de cocaína que los tenia aguantado hacia ya un tiempo. La sequía trabajo a favor de Carlos y Rey. Ellos pudieron pedir un precio exageradamente alto por los tres kilos de polvo que se supone trajeron de Colombia vía Cuba. Rey explico que los precios estaban altos por los costos de transportación durante este tiempo de vigilancia incrementada. Y porque unos cuantos de los botes que usaban para transportar habían sido interceptados, resultando en perdidas significantes. Los bichotes no estaban convencidos. Carlos aparentaba estar furioso. Empezó a gritarle a Ray en español y Rey trataba calmarlo sin mucho éxito.

Finalmente el bichote mayor intervino. “Esta bien, esta bien. Dile que se tranquilice. Dejanos probar esta mierda primero que nada. Entonces decidiremos. Si es buena entonces metemos mano."

Rey puso un ladrillo encima de una mesa y saco un pequeño cuchillo. Uno de los bichotes corto un agujero en el ladrillo y saco un poco con la punta del cuchillo y lo probo. Trato hecho. Los bichotes de Kansas City le dieron un bolso con 60,000 dolares y se fueron a tracalar.

Pero no iba haber mucho con que trabajar. Ellos se llevaron tres ladrillos de periódico con una onza de cocaína metido en uno de ellos. $60,000 para periódicos! Carlos y Rey se rieron por todo el camino.

La lección? Como el corredor que no escucha cuando dan el tiro de comenzar, aquellos que no ponen atención en la vida son los que pierden. A mi me dijeron que "sabiduría" quiere decir "mirar, escuchar, observar y respetar." También me enseñaron que la sabiduría es la fundación de todo en existencia.

Así que cuan observador eres?

"Un hombre solo puede ser engañado por sigo mismo."
Ralph Waldo Emerson (1805-1882)

Hubieron pistas que te dejaron saber lo que realmente estaba pasando? Mira de nuevo. Notaron que escribí el nombre de Rey diferente en un instante? Eso es pista que aquí hay algo que no esta completamente bien. Por supuesto que su nombre no era Rey ni Ray y tampoco Carlos se llamaba Carlos. Ni tan siquiera eran Cubanos. Solo dos morenos que sabían suficiente español para hacer el papel. "Carlos" solo decía cualquieras palabras en español bien rápido. Los bichotes no tenían ni idea.

También ellos permitieron que "Rey" fuera el que decidió donde meter el cuchillo. Si hubiesen usado "sabiduría", hubiesen chequeado la situación mas a fondo. La gente por lo usual no lo hacen. No cuentan el cambio para verificar, no leen contratos antes de firmar, tan siquiera investigan los efectos secundarios de las medicinas antes de tomarlas. Carajo, la gente se meten 'ecstasy' y no saben que puede contener heroína o crack. Así que antes que te defraudes a ti mismo, empieza con sabiduría.

Inspecciona e investigue. Siempre esta en tu mejor interés.

JAY-Z Y EMINEM: TEMES SER TU MISMO?

Quiérelos o no, Jay-Z y Eminem son dos de los mas poderosos en el hip hop de hoy. Ademas de ser artistas increíbles, también son negociantes exitosos. Pero hace unos 10 años atrás, cuando yo andaba en el circuito del 'underground hip hop', que escuche la música temprana de ellos. Era horrible. No solo horrible pero que nadie la estaba comprando.

Jay-Z es un rapero que a ganado un Grammy, ha sido presidente y CEO de Def Jam y Roc-A-Fella Records, es copropietario de 'The 40/40 Club' y también de los Nets de Nueva Jersey, es importador de Armandale Vodka, y co-fundador de Rocawear (la cual se vendió en 2007 por $204 millones). Tiene un valor neto de $340 millones. Eso es increíble, especialmente cuando consideras el hecho de que fue criado en los proyectos de Marcy, vendiendo crack y que nunca termino la secundaria.

La primera canción que escuche de Jay-Z fue una titulada "Can I Get Open?" por un grupo llamado 'Original Flavor' que contaba con el como miembro. Para ese tiempo lo caliente era el estilo de tirar lírica bien rápido como Das EFX o el joven Busta Rhymes. Jay-Z intento eso en par de canciones. Por supuesto que nunca la has escuchado, verdad?

Cuando Jay-Z decidió que eso andar de Speedy Gonzalez no iba con el, se reinvento para ser el mismo. En el '96 soltó 'Reasonable Doubt'. El flujo de Jay-Z agarro mucha atención. Parecía que te estuviera hablando, descubriéndose el alma sin disculpas. Y desde aquel entonces ha sido platino y oro en ventas de discos.

Del mismo modo, la mayoría de la gente nunca han escuchado el primer álbum de Eminem. El ha vendido 70 millones de álbumes, lo cual lo hace uno de los raperos de mas ventas de todos los tiempos. Pero su álbum del '96 titulado 'Infinite', donde sonaba muy diferente a su sonido corriente, ni tan siquiera llego a madera.

Lo Sabias?

Hiphop puede ser una "cosa negra" pero solamente si usted entiende que el "negro" incluye a gente hispánica supuesta también! Muchas de la escuela original de hiphop eran hispanico. Incluyen Disco Whiz Kid, Charlie Chase, Prince Whipper Whip, Crash, Crazy Legs y apenas sobre todos los del Rock Steady Crew.

Aquí lo que el dijo sobre eso, "Obviamente, era joven e influenciado por otros artistas. Me dijeron que sonaba a Nas o AZ. 'Infinite' era yo tratando de figurar como quería que fuera mi estilo. Como quería sonar en el micrófono y presentarme ante la audiencia. Era una época de crecimiento. Siento que 'Infinite' era un como un demo que se impreso."

"Si trato de ser como el, quien sera como yo?"
Proverbio Judio

Un año mas tarde Eminem soltó 'The Slim Shady EP'. Esta vez sonaba un poco como Jay-Z. Y de nuevo, lo mas seguro es que no has escuchado ese álbum tampoco.

En el '99, Eminem soltó 'The Slim Shady LP'. Finalmente, empezó a sonar como el Eminem que conocemos. Entre las referencias a la violencia, uso de drogas y episodios psicóticos (todos que le faltaban al 'Infinite'), Eminem empieza a enseñarnos quien es el realmente, con sus problemas de familia y todo. La diferencia...como 5 millones unidades vendidas.

Lo Sabias?

Una de las actrices más bien conocidas pero pasada por alto de las actrices Latinas tempranas era Rita Hayworth nacida Margaraita Cansino. Hayworth era una de los actores latinos originales quien doblaron a la presión de Hollywood y cambio el color de su cabello, su nombre, y aguanto el proceso electrolysis para parecer mas blanca. Ramon Estévez cambio su nombre a Martin Sheen por que exigía mejor recepción con un nombre Irlandés que un nombre hispánico. Sus hijos hicieron cambios divergentes: Carlos Irwin Estévez ahora es Charlie Sheen, mientras que su hermano Emilio Estévez no hizo cambio a su nombre. Adivina cual tuvo mejor carrera en Hollywood?

Que nos dice esto? Como aprenden los raperos en la película 'The Hip Hop Project', se ve estúpido que todos estén rapeando lo mismo y de la misma manera. Todos tenemos cuentos que merecen ser contados. Y eso aplica a la música igual que a la vida. No tiene sentido tratar de duplicar el cuento o el estilo de otro. Tratando de hacer como otro, o ser como otro, es algo que definitivamente terminara en fracaso. Sea rapeando o cortando pelo, lo mas seguro es que seas tu mismo y sea exitoso a eso primeramente.

Eminem no pudo ser Jay-Z y Jay-Z no pudo ser Busta Rhymes. Eminem llego a platino siendo Eminem. Jay-Z llego a platino siendo Jay-Z. Y Busta Rhymes se mantuvo tirando lírica rápida por 10 años hasta por fin llegar a platino siendo Busta Rhymes.

No puedes fracasar siendo tu mismo.

26 Razones Para Mantenerte Fuera del Juego

26. La caída. Lo único mas malo que tomar el autobús todos los días, es tener que tomarlo después de estar acostumbrado a viajar en carros lujosos. Acuérdate, no es lo que tienes, es lo que logras retener. Cuando pierdes, lo pierdes todo.

25. El IRS. Cuando empieces a hacer todo ese dinero y empieces a comprar artículos costosos y no puedes comprobar donde salio el dinero...o peor aun, no puedes comprobar que le diste una gran cantidad de ese dinero al gobierno, vas a encontrarte encarcelado por evasión de impuestos.

24. Acusaciones secretas. Sabes lo que es una 'acusación sellada'? Quiere decir que las autoridades te están acusando y tu no lo sabrás hasta que es muy tarde. Tendrán cada apodo que hayas usado, cada dirección que hayas vivido, y testimonio suficiente para encerrarte por largo rato. En lo que te enterrás, tienen tanta evidencia en tu contra que tus abogados tendrán que hacer magia para salvarte. Por que crees que los federales tienen un éxito de convicciones de 99%?

23. El ATF. Todo el mundo que conozco tiene un arma, a veces mas que uno. Si tienes par de armas ilegales, ya te están vigilando. Si tienes armas que no están inscritas, sera un gran problema si las encuentran.

22. RICO. No el Puerto, ni el suave de la canción. Sino el 'Racketeer Influenced and Corrupt Organizations Act'. Esta diseñado para aquellos que se creen que van a tener un imperio grande sin que el gobierno te atropelle.

21. Perros Bionicos. Estos perros policíacos pueden oler cualquier cosa. Y ahora pueden oler a través de mostaza, pimientos cayenne, y cualquier otra cosa que se usa para esconder el olor de drogas. Y tienen primos que te llevan el canto con un mordisco.

20. La DEA. Los federales no están jugando. Con los poderes adicionales que recibieron después del 9/11, pueden revisar mas mensajes de texto, monitorizar mas transacciones y escuchar mas llamadas que nunca.

19. Policías deshonesto. Te robaran el dinero, la droga, y se meterán contigo solo por ser de la calle. Te plantean las drogas si no te pueden agarrar haciendo lo que saben que estas haciendo. Le pagaran a ratas que les informe si no te pueden agarrar de otra manera. Y si nadie esta grabando, te caen a patadas o te dan un tiro.

18. El FBI. Aunque le dieron la mayoría de los casos de drogas a la DEA, el FBI no esta fuera de la escena. Si eres parte de una red lo suficientemente grande, te están vigilando.

17. Abogados de cinco dígitos. La mayoría de los jugadores no han ahorrado suficiente dinero para la primera semana de un juicio. Necesitas preguntarle a un abogado cuanto cobran por defender a alguien con cargos de distribución de drogas. Te garantizo que no es menos de $10,000, no importa a que idiota vayas. Ahora imaginate cuanto costara uno bueno que te logre liberar.

16. Fianzas de seis dígitos. Al menos que seas dueño de una o dos casas, lo mas seguro es que no tienes lo suficiente para cubrir la fianza completa. Si el seguro de fianza es de 10%, el 10% de 200,000 es cuanto? No lo tienes, pues siéntate y prepara tu fianza.

15. Pequeños bichotes. Estos muchachos no tienen respeto a las reglas que observaban las viejas cabezas. El juego hoy día es muy feroz, no se puede confiar en nadie. Te prometo que uno de tus amigos te entregara antes que un extraño.

14. Mujeres. Cualquier muchacha que conozcas bregando te va a traer problemas. O es una hija de puta que te va a usar y gastar todo tu dinero, mientras se tira a tus amigos. O es una nena decente que estará a tu lado y hasta carga con la mercancía...hasta que la agarren y se hace soplona.

"Me recuerdo cuando si eras un jugador eras un ganador.
Ahora es como barrer hojas en el invierno
y no esta nada bien perder unos veranos."
Li'l Wayne, "Don't Cry"

13. Demasiados cocineros. Al menos que encuentres un mercado que nadie mas a encontrado, o creas uno nuevo, no quedan muchos puntos. Hay mas tipos tratando de trabajar un punto, que hay mejicanos afuera de un Home Depot. Al menos que alguien te meta a la tracala tendrás que pelear para entrar. Y si te meten tienes que pagarle al que te metió.

12. El Pirámide. Solo hay espacio para unos pocos en la cima. Hay muchos nadies desechables en el fondo. Esos son los que vienen y van sin nadie darse cuenta. Esclavos de los bichotes que se ganan los millones. Adivina quien va preso primero? Y donde estas tu en la pirámide? Dejame adivinar.

11. Cámaras pequeñitas. Están en la azotea y en los semáforos de todas las ciudades grandes. Y pueden ver hasta los barros en tu nariz. Es mas, un ciudadano Americano es captado en cámaras de vigilancia mas de 200 veces al día. Hay mas de 30 millones de esas cámaras en los EU y los números van creciendo. Así que sonríe por que te están grabando.

10. Racismo en sentenciar. Vas a recibir una sentencia mas larga que un gringo rico recibiera por la misma mierda. Es garantizado.

9. Incitación. Informantes policíacos están vendiéndose mas que nunca. La policía y otras agencias también están reclutando agentes que parecen mas callejeros que uno. Al fin de cuentas, tu amigo puede ser policía.

8. Soplones. Ya conoces la rutina. Agarran a dos o tres de ustedes y les dicen que los otros ya hablaron para ver si lo crees y terminas soplando. Eso funciona casi todas las veces. Y si no es eso, alguien a quien les caes mal soplara cuando a ellos los agarran.

7. Consecuencias. Después que sales al cumplir tu sentencia, la escuela y los trabajos se te hacen mas difícil. Lo puedes lograr, pero no sera fácil. Las drogas se consideran un crimen de moral, lo que quiere decir que eres un sucio en los ojos de la sociedad. Ya sabias que no ibas poder ser maestro, ni doctor pero que coraje te dará cuando no te agarren ni en el UPS.

6. Miseria. Vender drogas es miserable. Si dices que no, estas mintiendo. Quien quiere estar al rededor de adictos todo el día? Esos cabrones son muertos ambulantes, y son muy depresivos. La peor parte es ver como sus niños sufren porque te están dando a ti todo su dinero.

5. Suicidio. No digo por estar deprimido. Estoy hablando del hecho que muchos vendedores empiezan a usar su propio producto. Siempre empieza con una cantidad mínima, pero conozco muchos vendedores que terminaron adictos. Preguntale a cualquier viejo que sea adicto a la heroína si alguna vez la vendía y veras por ti mismo.

4. Ningún plan de retiro. Cuantos jugadores viejos conoces? Todos muertos, encarcelados o adictos. Entonces hay aquellos que han salido de la cárcel y están trabajando como porteros ahora.

3. Los niños. Primeramente, estos niños están creciendo admirándote. Puedes ser el único ejemplo que tienen. Si no haces un cambio, solo seguirán tus pasos. Y si tienes hijos propios, va a ser una mierda tratando de ser padre desde atrás de unas rejas. Quizás ni te visiten, dependiendo de la mujer que has escogido. Si estuvo contigo por la plata que gastabas, pues ya se consiguió a otro que pague la vida que se acostumbraba.

2. Los alternativos. Si puedes vender drogas, puedes vender jabón. Y no quiero decir el que usan para coger de pendejo a los adictos cuando no tienen dinero para conseguir algo real para vender. Sino que si tienes el espíritu para tracalar, puedes tracalar cualquier cosa. Hay muchas tracalas legales que puedes empezar con un poco de dinero. No digas que no puedes salirte del juego. Si puedes tracalar en onzas, puedes tracalar en casas.

1. Eres un peón no un rey. Si estas ganando dinero, pero quien es que se lleva la mayoría? Y quien se queda con todo tu producto cuando te agarran? Entonces mira a quien le estas haciendo el mas daño. Y a quienes están metiendo preso. Y

Lo Sabias?

Promedio de meses que un prisionero blanco cumple por un crimen: 24 meses.
Promedio de meses que un prisionero negro cumple por el mismo crimen: 26 meses.
Promedio de meses que un prisionero blanco cumple por violación: 56 meses.
Promedio de meses que un prisionero negro cumple por violación: 70 meses.
Porcentaje de chóferes en la interestatal 95 que son negros: 20%.
Porcentaje de chóferes parados y registrados en la interestatal 95 que son negros: 70%.
Grupo que mas serán registradas o examinadas por rayos x por la aduana de E.U. cuando regresan de ultramar: mujeres negras.
Grupo que menos serán encontradas cargando drogas ilegales cuando regresando de ultramar: mujeres negras.

quienes están muriendo a consecuencia del producto? Después mira a quien esta controlando todo este negocio. Y luego mirate a ti. Donde estas tu en esa situación?

"Por tres métodos podemos aprender sabiduría. Primero, por reflectar, cual es la mas noble. Segundo, por imitación, cual es la mas fácil. Y tercero, por experiencia, cual es la mas agria."
Confucius

Con todo eso dicho, tu puedes decidir por ti mismo. Lees la información y aprendes así, o aprendes de la manera mas difícil, por la experiencia. Te puedo decir cual duele mas, pero como siempre, sera tu decisión.

Pueden aprender por escuchar o por caerte en el trasero. Pero la vida te enseña la lección después de fallar.

Limpiando Dinero Sucio

No me voy a cagar en ti solo porque estés vendiendo drogas. Personalmente estoy contra ello, pero seria hipócrita condenar algo que yo he hecho yo mismo. Y para ser exacto, solo estoy contra la venta de drogas que están literalmente matando la gente en nuestras comunidades. Después de todo, vender un poco de yerba no es un crimen contra la humanidad, especialmente para alguien que no tenga muchas otras opciones. Pero dejame ser claro, la tracala callejera debe ser tu ultimo recurso, y no tu primer idea. Como dijo Jay-Z, los que tracalan, tracalan por desesperación, y no por un interés perverso en hacer mierdas. Yo se lo que es luchar. Así que no puedo juzgar *La Brega.*

Eso si, que si vas a tracalar, lo necesitas tratar como el juego al azar que es. Ningún jugador entra al juego pensando que va a jugar por siempre. Juegan para salirse. Pero muchos que bregan no tienen esa visión. Como resultado muchos de ellos se quedan en la esquina hasta que tienen tantos delitos que cuando cumplen 45 años están trabajando en McDonald's.

Los listos son diferentes. Bregan y bregan fuerte. Mantienen un perfil bajo y ahorran su dinero. Observan las reglas del juego y no se meten en mierdas como hacen algunos. Después de unos años tienen suficiente dinero para empezar un pequeño negocio o meterse en bienes raíces. Y ya dejan la tracala.

Tu decides.

"Los de la tracala no se han cambiado en 4 días.
Esperando una llamada que le diga que llego el producto.
En vez de encontrar formas diferentes de hacer el dinero."
T.I., "Be Better Than Me"

No le voy a tirar a la tracala, por lo menos no muy duro. Después de todo, la tracala es como lo hacen en los EU. Los Kennedys subieron vendiendo alcohol ilegal. Y ni entrare en detalle sobre todas esas familias que son riquísimas porque sus ancestros tenían esclavos. Así que haz lo que haces, después que puedas vivir con tu conciencia. Pero por favor no te creas que te la vas a buscar así por siempre.

Esto es lo que el comentarista de hiphop Cedric Muhammad tuvo que decir sobre el tema en blackelectorate. com:

> "Creo que un punto de referencia en el Hip Hop seria escuchar la canción de KRS-One que se titula 'Drug Dealer'. En ella el habla de como en la historia de comunidades étnicas e inmigrantes agarran el dinero que ellos se han ganado ilegalmente y lo transfieren a organizaciones y negocios legales. Ha pasado con los Irlandeses, los Judíos, los Italianos. Puedo recorrer una lista de sistemas étnicas que estaban metidos en actividad ilegal, y que eventualmente tuvieron transición a lo que llamamos actividad legal. Esto no es nada nuevo. Economistas lo estudian todo el tiempo. Pueden ver un libro muy bueno llamado 'History, the Human Gamble' por Reuven Brenner. Tiene otro libro llamado 'Labyrinths of Prosperity' que tiene que ver con esos dinámicos y creo que es muy instructivo cuando mira a algunos que pudieron ser criminales convictos o empresarios de la calle que tomaron ese dinero y lo metieron a la industria de entretenimiento."

No se olviden que cuando eres un hombre Negro construyendo un imperio de negocios tendrás que considerar algunas de las cosas que considerarías con un imperio de drogas. Por ejemplo, como protegerte de cargos RICO y el hostigamiento legal que cualquier hombre Negro debe esperar.

Cedric Muhammad también ofrecía el siguiente consejo a los raperos que están pasando por ese tipo de drama:

> "Si eres un artista adinerado, entonces estas recibiendo tu dinero de un negocio legitimo, así que porque promover *La Brega* de la calle? De seguro que la mentalidad de la tracala vale la pena cuando viene al espíritu empresarial pero si tienes una linea de ropa, una barbería, una casa disquetera, por que sigues apuntando a tus hermanos y hermanas hacia la venta de crack?"

Creo que eso le aplica a cualquiera que esta tratando de ser legitimo. Si eres legitimo, necesitas jactarte de ser legitimo. Me encanta decirle a la gente que ya no tengo que bregar. Eso es una declaración de orgullo. No solo hay que proyectar el imagen correcto, pero tienes que involucrarte con la gente apropiada. Cualquier negocio que quiera sobrevivir un ataque de afuera tiene que estar firmemente arraigado a su comunidad y conectado a la gente e organizaciones correctas. Así que si se dice algo de tal compañía, todos miraran a los críticos como si fueran locos. Esto aplica a los individuos también. Es como la diferencia entre ir a juicio sin nadie que testifique de tu carácter o ir a juicio con cien personas disponible a testificar de lo honesto y decente que eres.

Si todavía no entiendes lo que digo, escucha el poema 'Basic Economics' por Tommy Bottoms en YouTube. Aquí esta parte de el:

> "...es un brinco corto entre vender drogas y el comercio de acciones. Es economía básica: compra barato, vende caro. Tu precio determina si la fuente cumple con la demanda. Muchos no queremos admitirlo ni escucharlo pero ser vendedor de drogas es el epitome de el espíritu empresarial. El capitalismo engendra capitalistas. Así que si hay demanda para un producto mejor que sepas que alguien la va a suplir. Tienen la idea correcta solo la tarea es incorrecta. La única forma de sobrevivir en esta sociedad es tener la mentalidad de alguien que brega. Mientras trabajes por tu dinero y tu dinero no trabaja por ti, seras un esclavo....Entiende que no todos pueden ser como el Doctor Huxtable. Así que no pares de tracaler solo cambia la tracala. América esta diseñada para hacerte rico. Hay un millón y una formas para hacerte rico y la mayoría son legítimos. Solo encuentra un mercado que quieres suplir y produce un servicio o producto para ese mercado. Y tus entradas contra tus gastos igualan a la ganancia. Es solo economía básica."

Suena lo suficientemente fácil...no? Todos sabemos que la vida es mas dura de lo que se ve en libros y películas. Pero cuando termines con este libro podrás tracaler sin problemas.

Si estas en un juego que no puedes ganar...transciende.

5 Cosas Que Puedes Hacer Para Ser Legitimo

Primero, lava el dinero. Yo te pudiera explicar mas, pero es mejor que encuentres alguien que ya lo ha hecho para que te enseñen el camino. Eso si, vas a tener que pagar impuestos. Sino los federales se pondrán sospechosos y empezaran a investigar.

Después que tu dinero este limpio puedes hacer mucho con el. Aquí tienes 5 cosas que puedes hacer para ser legitimo.

Empieza un negocio. Y no quiero decir una casa disquera. Los federales ya saben que la mayoría de esas casas disqueras nuevas son fronte para los que venden drogas. Estarías mejor abriendo una lavandería, un lote de carros usados, un servicio de preparar impuestos, un servicio de ama de llaves o una compañía de construcción. Si estas decidido en una casa disquera, al menos mantenga la limpia y fuera de la tracala.

Compra una franquicia. Solo cuesta como $45,000 para empezar un Dunkin Donuts. Y el Dunkin Donuts hace dinero. Garantizado. También hay otras franquicias, algunas que no son mucho mas caras (Burger King, Taco Bell, etc.) y algunas que son mucho mas baratas (Jani-King, Roto-Rooter, etc.).

Invierte en otros negocios. Asegura que son buenas decisiones. Encuentra gente que son profesionales y de confianza. Y que el plan del negocio sea uno de éxito. Sino te encontraras muy enojado.

Se coproductor de una película. Dije coproductor, lo que quiere decir que no eres el único aportando dinero. Tampoco dije que seas director, escritor o que actúes en ella. Deja eso para los profesionales. Esos títulos que son directo a DVD pueden hacer mucho dinero si son manejados bien.

Vendedoras automáticas. Se que suena tonto, pero funciona. Solo hay que comprar muchas de ellas. Compras las maquinas, el dulce (o lo que sea) y pones la ruta. Entonces pon gente para darle servicio a la ruta. Llevando producto al punto y recogiendo tu dinero. Suena familiar?

No es donde, ni como, empiezas, se trata de donde termina.

'Cash Money' y El Bambú

En el libro de Russell Simmons, 'Do You!', el cuenta como Baby y Slim, los jefes de Cash Money Records, obtuvieron su acuerdo de distribución multi-millonario. Básicamente ellos ya estaban bien vendiendo su música independientemente que no estaban impresionados cuando las casas disqueras le hicieron ofertas. Ellos rehusaron negociar en términos que no les convenían. Russell escribe:

> Cuando mucha gente de la industria conocieron al Baby por primera vez, asumían que no era el mejor negociante. El tiene un acento de Nuevo Orleans muy fuerte, tatuajes en la cara y mucho dinero colgando del cuello. No es exactamente el tipo que la gerencia de la industria se acostumbraba tratar. Pero Baby termino con un mejor contrato que ningún graduado de Harvard o Howard le hubiese conseguido. El acuerdo de distribución que el arreglo con Universal Records es una de las mejores que yo había visto. Se ha convertido en el estandarte a que todos en la industria aspiran. Cual fue su secreto? La contestación es que Baby no comprometió su visión.

Russell cuenta como la distribución independiente de Baby y Slim les fue tan bien que las casas disqueras trataron de firmarlos. Pero las casas querían ofrecerle el acuerdo estandarte de la industria, donde la casa disquera recibe la mayoría del dinero y se toma el riesgo mínimo. El Baby no quería bregar así. Hasta el mismo Russell trato de firmarlo a su compañía, Def Jam:

> Como paso fue tan cabrón, el (Baby) rehusaba conceder. Nos dijo, 'yo te pagare un poco por distribuir mi música, pero yo soy dueño de los 'masters'. También quiero que me prestes un dinero.' Era algo increíble. Alguien con un grado en negocios jamas se hubiese atrevido pedir esos términos. El Baby no sabia, ni le importaba, como funcionaba la industria. El tenia una visión y rehusaba comprometerla.

Finalmente, después de ver a los dos rechazar trato tras trato, la industria se convenció que Cash Money tenia una mano fuerte. Universal vino a ellos y le dieron el acuerdo que ellos buscaban.

En este escenario la persistencia y determinación de Baby y Slim salio adelante. Mientras rehusar comprometerse les funciono al Cash Money, esa misma actitud les hizo perder la mayoría de sus artistas. Infelices con sus tratos, y sin ver la posibilidad de un cambio, Juvenile, B.G., Young Turk, Mannie Fresh y otros rompieron con ellos. Hasta el Li'l Wayne considero irse, mirando ofertas significantes de Jay-Z y otros. Entonces fue que los encabezados de Cash Money se dieron cuenta que cuando bregas con otros ser humanos, tienes que saber cuando ser flexible. Negociaron con Wayne, le ofrecieron la presidencia de la casa disquera y se quedaron con su mejor artista.

La lección aquí es que la vida no siempre se trata de dinero, poder y negocios. Uno debe ser como un bambú. El bambú es una madera de la mas fuerte, pero es liviana. El fluyo constante del agua puede disolver hasta la piedra pero el bambú es lo suficiente fuerte para resistir la corriente de un rió porque se mantiene flexible.

Se fuerte pero flexible.

El Cuento de Akon: Esta En Ti

Antes de que Akon se convirtiera en una celebridad internacional, era mentor de un grupo de rap al que yo pertenecía que se llamaba 'Naciones Unidas'. Se llamaba así porque parecía ser las naciones unidas de hip hop. Había un muchacho Hispano, uno Vietnamita, el hermano de Akon que era de Senegal, un Blanco Americano y yo que era el Hindú. Cuando Akon venia por ahí, todos escuchaban sus consejos atentamente. Me acuerdo que una vez nos dijo que aunque eramos un grupo, aveces estaríamos solos. No lo entendí. Para ese entonces era un don nadie así que yo no le hacia mucho caso. Yo pensaba, "Quien eres tu? Como tu me vas a enseñar este juego y nadie sabe ni quien eres?" Eso hace ocho años y aprendí una lección muy importante: Nunca sabes con quien estas hablando. El vagabundo en la calle puede ser el hombre mas sabio que conozcas y el trabajador esclavizado puede un día ser el rey.

Desde entonces aprendí otra lección de Akon: Esta en ti. No hay nadie quien puedas culpar, y nadie es responsable de lo que te pase.

En el ano 2006, Akon se tiro toda la culpa por sus comentarios hacia tener mas de una esposa. Lo que enojo a mucha gente de alto mando en su país, ya que ellos también tenían mas de una esposa y ahora iban a empezar investigaciones. Akon aprendió a decir menos. Después de eso se encontró en problemas aun mas caliente.

Cuando Akon actuó en el club Zen en Abril del 2007, en Trinidad, le ofreció a las muchachas un viaje a África como premio para un concurso de baile. El viaje a África termino siendo un baile con Akon.

El baile fue de esos que son sexo con ropa y el video de ese baile corrió por el mundo vía Internet. Porque? Porque la muchacha con quien bailaba Akon tenia 14 años.

No parecía tener 14, y el club se supone que sea para mayores de 18, pero pronto los medios empezaron a llamar a Akon un violador. Aunque la muchacha obviamente estaba de acuerdo, ella dice que no sabia lo que estaba pasando. Aun mas importante fue el hecho que la niña era hija de un oficial del gobierno. Añádele a eso que Akon es un ex-vendedor de drogas, ex-ladrón de carros, y ex-convicto que ahora es millonario que hasta es dueño de una mina de diamantes en Sudáfrica.

Primero lo atacaron los medios. Entonces Verizon Wireless le quito los 'ringtones' y decidió no auspiciar su gira con Gwen Stefani. Como andaba por una gira no hablo de la situación por un tiempo. Cuando si respondió, lo hizo como un verdadero guerrero, en vez de echar culpas a otros o poner excusas, el se tiro la culpa encima. En su canción, "Sorry, Blame it on Me", el empieza:

> La vida sigue y voy aprendiendo mas y mas sobre responsabilidad. Y reconozco que todo lo que hago afecta a la gente que me rodea. Así que quería usar este momento para disculparme por las cosas que he hecho, las cosas que no han ocurrido todavía y aquellas cosas de que nadie quiera hacerse responsables.

En cuanto la situación con la joven canta:

> Disculpas por lo que le paso. Por la vergüenza que le dio. Solo una joven tratando de divertirse. A esa edad no la hubiesen dejado salir. Disculpas porque cerraron al club Zen. Espero que aprendan manejarse mejor. Como se supone que yo supiera su edad? En un club de supuestos mayores de edad. Porque nadie mas quiere disculparse. Verizon se salio, y desgracio a mi nombre. Solo soy un cantante tratando de entretener. Como amo a mi publico, yo me disculpo.

El coro final es el epitome de como un soldado enfrenta los errores: Aunque la culpa sea tuya, yo te la quito, y me puedes culpar a mi.

Como ha escrito David Wolf:

> Una vez entendemos que los cambios de la vida vienen de adentro hacia afuera y que es al convertirse en algo nuevo que uno hace algo nuevo, entonces decidimos tomar responsabilidad completa sobre nuestras vidas. El filosofo Earl Nightingale expreso este entendimiento cuando dijo: "Todos somos hechos por nosotros mismos, pero solo los exitosos lo admiten."
>
> Tendrás un progreso increíble en tu vida cuando aceptes el 100% de la responsabilidad de lo que te pase. Eres quien eres y estas donde estas porque por una persona, tu mismo.
>
> Tome toda la responsabilidad por todo lo que pase en tu vida. Como dicen: "Cuando apuntas a alguien tienes tres dedos apuntándote a ti." La gente culpan a los demás, de lo que son culpables ellos.
>
> Ganadores toman la responsabilidad por todo lo que les pasa, aun

cuando algo es remoto y no se le puede atribuir directamente a sus acciones. Tomando el 100% de la responsabilidad para todo en tu vida te transforma en un nuevo tipo de persona porque te esfuerza a investigar todos los efectos hasta su causa inicial. Entender las causas es la ciencia de la transformación de la vida.

Al final del dia, esta todo en ti.

Juego de la Culpa.

Mil: Ya hiciste aquello que te pedí?

Red: No he podido.

Mil: Como? Porque no?

Red: Mi novia, chico. Esta jodiendo. Me saco de la casa. Esta bien loca.

Mil: Y? Que tiene que ver con lo que te pedí?

Red: Me estas escuchando? Ni he dormido bien. Estoy durmiendo en el carro.

Mil: Y que tiene que ver? Tuviste dos semanas.

Red: Oye, chico, te acabo de decir lo que esta pasando.

Mil: Tu novia te saco hace dos semanas?

Red: Que? No, no....han pasado otras cosas también.

Mil: De veras?

Red: Si chico. No necesito estar dándote explicaciones.

Mil: Espera. Hay algo que tu no entiendes. Tu no pudiste hacer lo que yo te pedí. Eso me afecta a mi. Tu eres el responsable de eso. Si no entiendes como funciona, te lo puedo explicar. Yo necesito saber que te previene hacer tu trabajo.

Red: Perdoname chico. Es que estoy bajo mucho estrés. Mi abuela esta bien enferma.

Mil: Eso es triste. Pero no veo que tiene que ver con hacer lo que te pedí. Porque no me dijiste todo esto antes de agarrar el trabajo?

Red: Es que pensé que lo podía hacer.

Mil: Y cuando te distes cuenta que no ibas a poder?

Red: Que? Todavía lo puedo hacer...si lo puedo.

Mil: Obviamente, no puedes. Ya paso la fecha de tope. Solo quiero saber cuando empezó a pasar toda esta mierda y te distes cuenta que no ibas a terminar para esta fecha.

Red: No lo se.

Mil: Sera que fuiste tan estúpido que ni te distes cuenta que no ibas a poder hacerlo. O eres tan inconsiderado que no te importaba dejármelo saber?

Red: No es nada de eso! Vez...esto es parte del problema! Como esperas que yo te haga un trabajo cuando me hablas de esa manera? Esto no cae solo en mi. Esto se trata de ti también.

Mil: Oh, si? Y como afectan mis palabras ahora lo que se supone tu hubieses hecho durante estas ultimas dos semanas?

Red: Chico, estas mal. Sabes que estas mal. Mi abuela esta en su lecho de muerte.

Mil: En serio?

Red: Chico, si mi abuela estuviera bien y mi novia estuviera actuando bien, tu sabes que ya hubiera hecho aquello.

Mil: Y las otras veces que no hiciste lo que te pedí?

Red: Había otra mierda con que bregar. Chico, esta la cosa fuerte acá fuera. No se lo que es. Quizás estoy maldecido. Me siguen pasando cosas malas.

Mil: Ya veo. Pues, quien soy yo para esperar algo diferente, verdad?

Red: Como?

[POW!]

Nada te pasa. Todo lo que te sucede es porque lo permites o lo causaste.

Pescado feo

Creciendo, yo era uno de los mas chiquitos y flacos en mi vecindario. Por lo menos así lo sentía. Y estaba demasiado consciente de eso. Bote mucho tiempo sintiéndome muy mal de mi.

Cuando empece a correr con un grupo de delincuentes todo se trataba de la fuerza bruta. Yo no podía competir. Siempre alguien me recogía y me tiraba en algún lugar.

Así que al pasar el tiempo, aprendí usar mi estatura de ventaja. Eventualmente me podía salir de cualquier apretón o agarre y controlar la situación. Y aunque no era grande y fuerte, aprendí a ser rápido. Lo suficientemente rápido para agarrar una botella o un ladrillo para dejarte saber que no estaba jugando.

Luego aprendí a trepar cercas y paredes y a meterme por ventanas y aperturas que nadie mas podía. Al tiempo me hice muy útil. Cuando se necesitaba entrar en algún lugar, yo era el muchacho para el trabajo. Cuando asaltábamos a alguien, yo era el que me metía por los bolsillos antes de que se dieran cuenta de lo que pasaba.

Aunque dirán que fui un muchacho terrible, yo creo que hay lecciones en todo. La vida nos enseña cosas de las maneras mas locas. Así que vamos a convertir todo esto en un momento de aprendizaje:

- Primeramente, deben siempre asegurar que tus ventanas, puertas y cualquier entrada estén cerradas bien antes de salir de sus casas.
- Segundo, todo tiene un propósito. Todo puede ser una ventaja si aprendes el propósito.

> **Lo Sabias?**
> Robert Rodriguez no hizo las calificaciones suficientes para entrar en un programa de película en su universidad, pero él se encendió hacer la película de acción 'El Mariachi' en español. 'El Mariachi', que tenía un presupuesto de solamente $7.000 (dinero conseguido parcialmente por participando en estudios de investigación médica), se vino hacer una obra clásica premiada.

Eventualmente madure y la destreza se convirtió en ganancias mas grandes. Después de diez años ya no le robaba a nadie. En vez estaba en el juego de bienes raíces y me metía a los edificios para ver si valía la pena comprarlos.

ENCONTRANDO A NEMO

La tierra esta cubierta ¾ por agua. La mayoría de esa agua esta encontrada en los cinco océanos del mundo: el Atlántico, Pacifico, Indio, Arctico y Sureño. El océano es el hábitat mas grande. Hay organismos vivientes por toda su extensión. Desde sus orillas llanas hasta las trincheras mas ondas, seis millas debajo de la superficie.

Estoy seguro que todos sabemos sobre la ciencia del camuflaje, y como los animales (y la gente) se esconden en sus alrededores para poder cazar a otros o esconderse de cazadores. De seguro que conocen los insectos que parecen ramas, o los tigres con sus rayas para esconderse en la grama alta, y los peces que se parecen al coral en donde viven. Y cuando esta todo escuro y no hay nada que ver?

85% de la vida marina se encuentra en los primeros 3,300 pies de agua, donde hay alguna luz. El espacio debajo de este (3,300 a 36,100 pies) se conoce como la zona oscura. La zona oscura es fría (no hace sol), tiene presión fuerte y casi no hay comida ni nutrientes. Sin embargo los que viven allí, aunque feos, viven mucho tiempo. Parece que son feos con razón.

Estas criaturas tienen cuerpos llenos de líquidos, para que la presión no les sea un problema. Como alli abajo la comida es rara los depredadores se mueven muy lentos para no gastar energía. Tienen bocas grandes y feas con dientes muy poderosos. Y tienen diferentes formas de mantenerse vivos.

Un ejemplo es el pejesapo oscuro, que tiene un señuelo en la cabeza que parece una caña de pescar. Estos señuelos son iluminados por

bacterias luminosas, que ellos usan como cebo para atraer la presa a sus bocas gigantescas. Si, tienen una caña de pesca luminosa en su frente.

Se estima que un 90% de los animales en la zona oscura producen alguna forma de su propia luz.

Aunque la luz roja es invisible a la mayoría de los animales del mar profundo, el pez dragón produce un rayo de luz roja de su ojo para enfocar a su presa.

El pez hacha vive donde todavía hay un poco de luz de la superficie. Es mas presa que depredador así que tiene que evitar convertirse en la comida de otro. Como resultado su cuerpo es tan finito que casi no se ve de frente. Para mantener esa casi invisibilidad desde abajo, ellos manipulan la luz que emiten para simular la luz de la superficie. Lo que lo hace invisible de casi todos ángulos.

Finalmente, algunos camarones, calamares y gusanos tiran secreciones luminosas o sueltan pedazos de sus cuerpos luminosas para distraer a los depredadores que los persiguen. Eso es algo que impresiona.

Cual es el punto? Todo tiene su propósito. Aun lo mas feo. Así que mira a lo que no te guste de ti, de tu vida, del mundo, y averigua porque esta allí. Lo mas seguro es que este allí por alguna razón. Y una vez entiendas los 'porqués' puedes usar estas cosas para tu ventaja en vez de desventaja.

Por que una criatura viviendo a 4,000 pies de profundidad tendrá ojos gigantescos?

Que necesita un hombre viviendo en la profundidad del ghetto para sobrevivir?

Encuentras un libro viejo de promoción y mercadeo. Como lo puedes usar?

Todo tiene propósito.
Hasta las debilidades pueden ser fuerzas escondidas.

Eres Un 'Nigga' O No?

Uno de los problemas mas grande que tenemos cuando estamos creciendo es el de figurar quien somos. Se llama identidad y es muy importante. Piensa, si toda tu vida te dicen que eres feo y retardado, que te hará eso. Para aquellos que crecieron alrededor de blancos siendo negro o siendo blanco alrededor de negros, ya deben tener una idea. Te hace sentir que hay algo mal en ti. Y por supuesto creces con mucha ira.

También empiezas a creer las cosas negativas que dicen de ti.

"No es lo que nos llames, sino a que contestamos, lo que cuenta."
Proverbio Djuka

Al rato, no estas ni tratando de averiguar quien eres porque has dejado que otros te lo digan. No importa quien ni de donde eres, has experimentado esto de alguna forma. Piensa. Que ideas han tenido de ti, y tu ni tan siquiera habías abierto la boca? Que han dicho la gente de ti que eventualmente se convirtió en tu reputación? Que etiquetas te han puesto que definen lo que se supone que tu seas?

Como Americanos Negros, nos han puesto por debajo de otros todas nuestras vidas. Aunque algunos no nos hemos dado cuenta. Mira al tu alrededor. Puede que seas negro creciendo en un vecindario donde tienes que bregar con blancos, racistas y ricos, mientras otra gente negra se crean que estas viviendo bien. O quizás eres un Mejicano pasando malos ratos tratando de conseguir trabajo mientras la gente dicen que tu estas quitando les trabajos a ellos. Quizás eres Filipino queriendo saber porque los hispanos y negros no te quieren. O puedes ser Cherokee, preguntándote donde carajo se fue toda la tierra de tu gente.

"Antes de llamarme 'spic', me llamaron 'nigger'."
Miembro del Partido Young Lords, citado en 'Palante' por Michael Abramson

Negro, trigueño, rojo, amarillo...tenemos mucho en común. Y no es un accidente. Nuestras condiciones no son un error. Tenemos experiencias diferentes con la pobreza, pero todos somos pobres de alguna manera. Todos tenemos experiencias diferentes con el racismo, pero sabemos que existe. Todos somos conscientes de nuestros problemas pero la sabiduría verdadera empieza cuando eres consciente del cuadro grande.

"Un camello no se burla de la joroba de otro camello."
Proverbio Guineano

Te verías muy tonto burlándote de un Negro o un Chino. Porque? Porque no estamos sufriendo por la culpa de nosotros mismos. Date cuenta que a todos nos están oprimiendo...y por la misma gente. Oprimidos en el sentido de que nos dicen que somos menos que los Americanos Blancos, pero también oprimidos en el sentido bastante real de ser puestos en el fondo de la sociedad.

"Quien se invento a los niggas en el primer lugar?
Y quien dijo que América es el lugar original?
A quien le dan 10 a 20 años o hasta vida por su primer caso? A mis niggas."
Trick Daddy

Entiende esto, los Estados Unidos creo a los 'niggas'. Sin este país enfermo, no habría eso de 'nigger' o 'nigga'. Los dos son productos de este sistema corrupto. Como dijo Tupac, "Soy el hijo de la sociedad. Así es que me hicieron y ahora digo lo que me viene a la mente. Y a ellos no les gusta eso. Esto es lo que me hiciste Estados Unidos."

"A bregar con esta mierda de día a día
vender perico o fumarme un pitillo
me quieren meter en una prisión.
Llamándome animal en este sistema.
Quien es el animal que construyo esa prisión?
Quien es el animal que invento la vida baja?"
Ice Cube, "Why We Thugs"

Los gringos ricos creen que los Negros son animales estúpidos que solo sirven para trabajar, jugar deportes y entretenerlos. El viejo sistema de esclavitud cayo, así que nuevas formas surgieron. La primera es la prisión, hablaremos mas de eso luego. Todos sabemos quien termina allí. La nueva esclavitud es como trabajan a los inmigrantes sin tan siquiera pagarle lo mínimo y sin ninguna esperanza de recibir educación o una vida decente.

Que te deja dicho? Puedes verlo?

O crees lo que te dicen?

La verdad es que tu decides como tu te vez a ti mismo y como resultado eres el único que puedes decidir quien y como seras. Cuando permites que otros definan tu realidad eres sujeto a ser tan estúpido como ellos te digan que eres. Una de las cosas de que convencen a los estúpidos es que somos diferentes. Y al pensar así eso les permite decirnos que algunos somos mejores que otros. Como resultado aquí estamos, todos jodidos, odiándonos uno al otro en vez de odiar a los que nos tienen en estas situaciones.

Es como me dijo un "O.G.", "Todos somos niggas." Estaba usando la palabra "nigga" para describir las condiciones sociales que todos sufrimos bajo el sistema que creo el termino.

Hoy día, me he movido lejos de la degradación de ser un 'nigga' y nada mas. Yo digo que todos somos Negros. Todos con un poco de color tiene ese color porque sus antepasados eran Negros. Si tienes piel clara, solo quiere decir que alguna de tus antepasados fue violada por alguien Blanco. Eso es verdad seas Mexicano, Puerto Riqueño, de las Samoa o Vietnamita. Chequea tu historia. Todos eramos Negros. Así que hoy mientras seguimos sufriendo del mismo sistema...todos seguimos siendo Negros.

Lo Sabias?

La palabra "gringo" era originalmente dos palabras: "Green" y "Go". Cuando Americanos blancos se viajaban a Mexico y otros países en Latinoamérica, la gente local no aguantaban a sus presencias y como no pudieron comunicar con ellos por no saber el Ingles, les decian "Green" (como la luz de trafico) y Go (la palabra para "ir" en Ingles) queriéndoles decir que se vayan de allí.

**Se trata de ti...pero también es mas grande que eso.
Tu lucha es parte de una lucha global.**

Películas Para Ver

La Historia No Contada de Emmett Till

Si no sabes quien era Emmet Till, debes ser el tipo de persona que apaga la televisión cuando empiezan a enseñar algo de la historia de los Negros. La historia de Emmett Till es una que toda persona Negra debe saber, especialmente los que no entienden que es lo que realmente pasa en los Estados Unidos. Las partes mas frías de este cuento, aparte de los hechos de su tortura y muerte, es como su tío, ignorante, lo vendió y como su mama decidió verlo con ataúd abierto para que la gente vieran lo que le estaban haciendo a los niños Negros. Si no te da coraje después de ver esta película estas muerto.

Supremo el gilipollas en esa 'mierda de Negros'

Nunca he escuchado a un pandillero decirle a otro pandillero, "Ahí vas hablando esa mierda de pandilla de nuevo." O un hermano decirle a otro hermano, "Coño tu sigues hablando de esa mierda de hermanos." Pero si tuviera un peso por cada vez que he escuchado una persona Negra decir, "Ahí vienes con esa mierda de Negros tuya," estuviera rico.

Esa mierda de Negros? Que se supone que una persona Negra este bregando? Mierda de Blancos? Mierda de cavernicolas? Si alguien Negro te dice que te dejes de esa mierda de Negros haz una de dos cosas 1. preguntale...que tipo de mierda debo estar bregando? Si eso no funciona, mete le un puño en la cara. Una persona que dice una mierda así no merece tener conversación intelectual contigo.

El Imagen es Todo?

"(Soy Negro!) Enfocan en todo lo negativo.
Haz algo positivo, y nunca se menciona.
(Soy Negro!) Escucha es un hecho.
Hombre original que no lo cambiaría si pudiera."
Styles P, "I'm Black"

Después del huracán Katrina, la Prensa Asociada enseño fotos de gente cargando comida mientras caminaban en agua hasta el pecho. En el titulo de una foto de un joven Negro fue descrito como que estaba 'saqueando' una tienda. En otro, una pareja Blanca es descrita como 'encontrando comida' en una tienda. Si le haces Google a "looting vs. finding" puedes ver las fotos. Hasta el Li'l Wayne hablo de esto en su canción "Georgia (Bush)":

Te dicen lo que quieren, te enseñan lo que quieren que veas. Pero no te dejan saber lo que en verdad esta pasando. Tal parece que hay muchos robando. Esos policías están matando. Nigga baleado en el medio de la calle. No soy ningún pillo, solo quiero comer. Hombre, que se joda la policía y el presidente (Geeeoorrgiaa) Bush.

Baloncesto es un deporte donde la mayoría de los jugadores son jóvenes Negros que aparentan ser de la calle. El hockey, por otro lado, es un deporte dominado por los Blancos. Es mas, los pocos Negros que han entrado a la Liga Nacional de Hockey han sido abusados y mal tratados por los jugadores Blancos.

En el baloncesto casi no se pelean a los puños, pero cuando pasa, los medios y algunos fanáticos les dicen 'animales' a los jugadores. También les dicen que les debe dar vergüenza. Suspenden a los jugadores y los multan fuertemente. Muchas veces hasta los tratan como criminales o pandilleros.

En el hockey hay peleas en casi todos los juegos. En algunos juegos, jugadores han usado sus palos intentando a matar a otros jugadores. Usualmente esos jugadores son puestos en una caja de penalidades por unos minutos y después vuelven al juego. A los fanáticos les encanta. Es considerado parte del juego y los jugadores son tratados como héroes. En Julio, Derek Booguard, jugador de al Liga Nacional de Hockey, conocido por su voluntad a pelear, abrió un campamento "Club de Pelea" en Canadá para enseñarle a los jugadores jóvenes como pelear mejor durante los juegos.

> **Lo Sabias?**
>
> De acuerdo al historiador Afro-Mexicano, Mario Salas, la Coalición del Arco Iris fue concebido por Fred Hampton (quien era el encargado de la Panteras Negras de Chicago). Esto fue años antes de que llegara Jesse Jackson. La premisa básica era para que los grupos se unieran alrededor de unos principios. Uno puede y debe tener orgullo cultural pero no al costo de faltarle el respeto o excluyendo a otros grupos.

Mantén esto en mente, la gente juzgaran todo lo que haces basado en lo que ellos ya piensan de ti. Como un hombre Negro, cualquier ignorancia que hagas, la van a ver como ignorancia Negra. Cualquier acto de violencia aun en defensa propia sera llamado "cosa de pandilleros".

Uno representa su gente dondequiera que va. Hay gente que ya piensan que eres ignorante, violento y una porquería. Y no solo hablo de los Americanos Blancos.

"El imagen de la comunidad Negra es horrenda en el mundo. El imagen del hombre Negro en particular es uno de bestias, maniáticos y un grupo de salvajes."
Louis Farrakhan

Alrededor del mundo, aun entre Negros en África, la gente saben lo que saben de gente Negra por lo que ven en la televisión. Y como solo ven a MTV, Noticias Americanas y programas como "I Love New York" (donde los Negros actúan como animales), eso es lo que creen de todos los Negros en América. Entonces lo que enseñan de los Negros en África es como si vivieran en la selva. Y pues, nosotros pensamos que ellos son los salvajes. Pero África no es así, yo he estado ahí, y no es como nos enseñan. Y conocí a muchos que tenían peores ideas de los Negros en América. La verdad es que así es que piensan en muchos sitios.

Piensa en este articulo del 'New York Times' del 16 de Noviembre del 2003, escrito por un Musulmán Negro Americano viajando por Egipto:

> Una noche, durante Ramadan, un flaco vestido en ropa Americana falsificada, se sentó a comer con nosotros. Era uno de esos de veinte y algo que andan por el centro de la ciudad de Cairo seduciendo a turistas. Después de la cena nos sentamos al frente de la tienda.
> "Conoces la historia de Tupac Shakur?" me pregunto. Yo cabecee y me sonreí; estaba intrigado y orgulloso que supiera algo del rap. "Lo mataron en el ghetto," continuo. "Quiero al rap, a todos los niggas."
> Se me calentó la cara. Le dije que el no debería usar esa palabra.
> "Por que no?" me pregunto "Todos los negros la usan. Todos los negros tienen sexo y venden drogas como Tupac y Jay-Z."
> No me había enojado tanto unas palabras desde la escuela primaria. "Mirame," yo le dije "Soy negro y no vendo drogas."
> "Por favor, no te enojes," dijo el joven, ofreciéndome su mano "Soy un nigga. Soy un tracalerocomo Tupac."

Mi hermano Wise tuvo la misma experiencia la misma cosa cuando fue a México y Francia. La mayoría de la gente que conocía, nunca antes habían visto a un hombre Negro inteligente y civilizado. Esperaban que el fuera un maleante estúpido y lo trataban como un rey cuando se daban cuenta que no lo era. Esto era el hombre Negro que esperaban. Sabían que existía, solo que no pensaban que lo conocerían.

Quizás no te des cuenta, pero las ideas que la gente tienen alrededor del mundo no son solamente la culpa de los raperos, o solo la culpa de los medios. Al menos que estés haciendo algo diferente, tu eres parte del problema. Imaginate si conocieras un Africano con falda de heno y un hueso en la nariz. Tu pensarías que el estereotipo era verdad.

De la misma manera cuando haces el papel de estúpido, aunque realmente seas inteligente, estas reforzando los estereotipos que usan para hacer que todos los hombres Negros se vean como ignorantes y salvajes. Haciendo el papel de pandillero o tracalero es parte del plan para representar a todos los jóvenes Negros como criminales estúpidos. Usando ese estereotipo, es mas fácil para encerrar hombres Negros "peligrosos" por mas tiempo que encerrarían un hombre Blanco. Es mas fácil parar a alguien por guiar siendo Negro. Es mas fácil negar un trabajo o una promoción, alegando que hay una persona Blanca mejor calificada. Es mas fácil pegarle, disparar le y matar a un hombre Negro sin ir a prisión.

La peor parte es que algunos somos tan brillantes y sensibles que tenemos que trabajar duro para actuar tan ignorante como actuamos. Nos estamos atontando...y a beneficio de quien?

Vamos a dejar de ponérsela fácil. Vamos a dejar de actuar como nos representan. El mundo esta esperando por nosotros. Vamos a enseñarles quienes somos verdaderamente.

Se tu, no lo que ellos quieran que seas.

Educación No Quiere Decir Escuela

"El ser humano mejor educado es aquel que entiende mas de la vida en la que se encuentra."
Helen Keller (1880-1968)

Elijah Poole era uno de trece hijos nacido a una familia de aparceros en Sandersville, Georgia en el 1897. Elijah casi no termino el tercer grado cuando se salio de la escuela para ayudar a su familia a trabajar en el campo. A los 16, se fue de la casa para encontrar algo mejor. En el 1931, viviendo con su familia en Detroit, Elijah visito el Templo de Islam para escuchar a un hombre llamado Maestro W. Fard Muhammad. Elijah fue cautivado por el mensaje del Islam que daba Fard, de la naturaleza divina del hombre y la mujer Negra.

Elijah se convirtió, convenció a toda la familia que se convirtieran y se se hizo activo y vocal en regar las enseñanzas nuevas. Al tiempo se hizo una parte integral del Templo del Islam y fue designado como "Ministro Supremo". Y se deshizo del nombre esclavo de Poole para cambiárselo a Elijah Muhammad. En los próximos tres años y medios fue enseñado personalmente por su maestro sin parar.

Cuando el Maestro W. Fard Muhammad se fue de Detroit en el 1934, le dio a Elijah Muhammad la responsabilidad de lidear la "Lost-Found Nation of Islam" y resucitar al hombre y a la mujer Negra en America. Como ultima tarea, Elijah Muhammad, con su educación de tercer grado, fue mandado a la Biblioteca del Congreso en Washington D.C., para encontrar y leer 104 libros que lo ayudaría a enseñarle a la nación

Negra.

En las próximas cuatro décadas de su liderazgo, la membresía en la Nación del Islam subió por miles, y se construyeron templos en casi todas las ciudades grandes. La Nación tenia periódicos, libros, escuelas, negocios y aun sus propios bancos y aviones. Para el principio de los 1960s la revista 'Reader's Digest' describió al Sr. Muhammad como "el hombre Negro mas poderoso en América."

Para mediados de los 1960s, hubieron mas de 60 ciudades y asentamientos en Ghana, Mexico, el Caribe, Europa y América Central donde habian llegado las enseñanzas del Honorable Elijah Muhammad. También había emergido el liderazgo de unos muy inteligentes y poderosos ministros, todos llamando al Sr. Muhammad como su maestro. De ellos dos nombres deben ser familiar: el Ministro Malcolm X y el Ministro Louis Farrakhan.

Que si Elijah Poole se hubiese decidido quedarse un aparcero sin educación?

Necesito Elijah Muhammad un grado colegial para lograr grandeza?

Cual es la diferencia entre ser nada y ser algo?

Que te aguanta de ser grande?

Nadie sube a expectativas bajas.

Mi Cuento

Yo por poco no salí de la escuela secundaria. Para el cuarto grado ya había empezado a protestar a mi mama, y diciéndole que me iba a salir de la escuela tan pronto tuviera edad. Odiaba la escuela. Era mucha mierda. Si puedes pensar pues entonces debe haber pensado lo mismo algunas veces en tu experiencia con la escuela.

Me botaron de la secundaria durante el décimo año. No pensaba regresar, pero no tenia un plan. Así que volví a la escuela donde mi consejero de ultimo año me dijo que debería empezar a buscar trabajo ya que yo no era materia colegial. Quizás yo era un malcriado, pero no era bruto. Yo corte clase y otras mierdas, pero estaba leyendo libros y discutiendo sobre información que la mayoría de mis maestros ignoraban.

Hoy a los 26, tengo un doctorado en educación, mientras muchos de mi edad están luchando para terminar el colegio. Seguí con la escuela y me ha sido ventajoso. Pero hay mucha gente que empezaron el colegio conmigo y no lo siguieron. La mitad de ellos no graduaron (igual que en la secundaria) y algunos de los que si terminaron están trabajando porquerías de trabajos años después.

Yo pienso que la educación y la escuela no son lo mismo. Uno puede vivir toda su vida sin atender una escuela, pero no sin educación. Pues aquí una pregunta: Que es la educación?

Es la educación conseguir un diploma de secundaria? Un grado colegial? Un certificado de reparar refrigeración?

Educación es lo que haces de ella y donde la encuentras. Puedes ir al colegio y aprender nada, o puedes saber mas que un abogado y estar en octavo grado. Depende de ti.

No importa si estas logrando un doctorado o un equivalente, hay unas claves para ser exitoso en el aprendizaje:

Sea lo que sea que aprendas en la vida (y aprender es algo de toda la vida), tienes que poder usarlo para tu ventaja. Tienes que: Aprender, Interpretar y Aplicar.

Aprender

El RZA, uno de los productores con mas influencia en la historia de hip hop, nació en una familia pobre de 11 niños en Brooklyn, Nueva York en el 1969. Mientras crack se apoderaba de Nueva York en los 80s, RZA empezó a desarrollar su arte en el hip hop. En 1987, uso dinero que había ganado vendiendo yerba para comprar una maquina de grabación de 4 canales.

El mismo se enseño a sampliar y a hacer pistas y descubrió el sonido que seria la que definiría al Wu Tang. Usando solo $10,000, RZA y los otro ocho integrantes del Wu Tang Clan grabaron en 1993 al "Enter the 36 Chambers".

Este álbum re-defino el hip hop y abrió el camino para muchos imitadores de su formula. Pero el RZA casi no llega. Par de meses antes de empezar a grabar, RZA estaba en un juicio por asesinato. Sin dinero para un abogado bueno, RZA tuvo que depender de el mismo. El hizo investigaciones y se ayudo a defenderse y asi logro convencer a un jurado que la muerte de la victima fue en defensa propia.

Cuando el Wu Tang iba en crecimiento, RZA investigo otros aspectos de la industria mas allá de los ritmos y las rimas. El propuso una forma ingenua para conseguir les a todos los miembros del Wu Tang buenos contratos mientras se mantuvieran como grupo. Con RZA negociando, cada miembro firmo con una casa diferente en una movida nunca antes visto en la industria.

En 1994, su grupo Gravediggaz fue ofrecido su primer contrato de grabación. En vez de que su abogado lo revisara, RZA leyó el documento el mismo, clarifico algunas definiciones, hizo unos cambios y lo entrego a la compañía.

En los 90s, RZA empezó a enseñarse como tocar instrumentos

musicales por medio de videos. Y así empezó a producir música para películas, tales como 'Kill Bill', 'Blade' y 'Ghost Dog'.

Interpretar

Una mujer Negra estaba encadenada a una cama peleando para ser libre. Era algo irónico porque era esclava y el niño al nacer era nada menos que Nat Turner. La madre de Nat había matado a todos sus niños al nacer para evitar que sufrieran la esclavitud. Ahora no podía hacerlo, pero su dueño Samuel Turner no sabia lo que estaba haciendo.

Nat Turner creció a ser mas inteligente que su compañeros. A una edad temprana, aprendió como leer y escribir y se pasaba leyendo la biblia, unos de los pocos libros que le permitían a los esclavos. Mientras los dueños de esclavos esperaban que el cristianismo hiciera de los esclavos mas obedientes y pasivos, Nat Turner leía la biblia de una manera muy diferente.

Al final de sus 20s, su forma de predicar le había ganado el apodo de 'El Profeta' y empezó a tener visiones de grandes cambios. Un día en los campos, el leer la biblia lo convenció que el debería seguir la pelea que empezó Jesús contra la serpiente. La serpiente para Nat era los blancos dueños como Samuel Turner.

En Agosto 13, 1831, hubo un eclipse solar en la cual el sol apareció un azul verde. Nat lo tomo como señala y una semana después empezó su revolución. Empezando con un grupo de solo 5, pero creciendo a mas de 50, marcharon de caza en caza. Usaron armas calladas como cuchillos y hachas, en vez de pistolas y mataron familias enteras de dueños.

Dos meses mas tarde, Nat Turner fue capturado y ejecutado en Jerusalem, Virginia por la matanza de 57 blancos. Su cuerpo fue desollado, decapitado y mutilado. Varias partes de su cuerpo fueron repartidos entre los blancos para recuerdos. Como predicho llovió después de su ejecución.

La mera idea de Nat Turner hacia temblar a los blancos por años. Después se hizo ilegal el discutir la maldad de la esclavitud y las leyes contra enseñarles a leer a los esclavos

Lo Sabias?

De acuerdo a Mario Salas y muchos otros historiadores Afro-Mexicanos, el líder legendario Pancho Villa era mitad Negro y comandaba un ejército Negro. Hasta había soldados Buffalo que dejaron su posición en el ejército Estadounidense para pelear con Pancho Villa. También hubo un ejército de mujeres Africanas conocido en México.

se pusieron mas fuertes, ya que la idea de rebelarse vino de un libro.

Aplicar

Frederick Douglas nació esclavo, pero aprendió a leer. También desarrollo la fuerza y determinación para resistir la esclavitud. Fue conocido como uno difícil de controlar. Así que fue mandado a un 'rompedor de esclavos' que se llamaba Covey, a quien se conocía por brutalmente domesticar a los esclavos. Un dia Frederick se canso de las pelas de Covey y le dio una pela a el. Después de esa pela Covey nunca volvió a meterse con el joven de 16 años.

Tiempo después, Frederick se escapo y se hizo libre. Pero aun como un hombre libre, el no podía ver como ayudar a los esclavizados, hasta que empezó a leer. Frederick leyó tanto que fue conocido como uno de los hombres Negros mas inteligente de su localidad. Uso su sabiduría para hablar contra la maldad de la esclavitud. Su talento como orador y su compromiso a la causa lo llevo por todo el país, y hasta Europa, donde partidarios pagaron para su regreso seguro a América.

El radical Blanco John Brown le pidió a Frederick que se juntara a su ataque de "Harper's Ferry", el único asalto militar contra la esclavitud liderado por Blancos. Frederick le dijo que sus habilidades no eran de pelear con pistolas, eran de usar su celebro. Frederick Douglass no solo poseía gran sabiduría y inteligencia, sino que la aplicaba.

Resumen

Cual es el bien de saber algo si nunca lo usas?

Cual es el uso de ser inteligente si nunca buscas la sabiduría?

Si usar tus puños contra una pared no la tumba, porque no usar tu cabeza? Y no quiero decir darle a la pared con ella.

Si la escuela no es para ti, como te estas educando?

Que te has enseñado y que sigues aprendiendo?

Uno solo aprende lo que uno se enseña.

Estupido Es Como Estupido Hace

Habían tres idiotas que caminaban por la calle cuando se encontraron con lo que parecía una pila de mierda. El primer idiota le puso el ojo y dijo, "Parece a mierda." El próximo le puso la nariz y dijo, "Huele a mierda." El ultimo le puso la lengua y dijo, "Sabe a mierda." Se miraron los tres y dijeron, "Suerte que no la pisamos!"

"Es mejor andar solo que mal acompañado."
Proverbio Sengalese

Cuando recibí ese chiste decía 'retardados' en vez de 'idiotas'. Lo cambie porque pensé que ofendería algunas personas. Pues en el próximo cuento usare 'retardado' muchas veces. Pero dejame ser claro: no estoy hablando de gente con incapacidades mentales. Estoy hablando de la definición original de la palabra 'retardado', cual quiere decir 'atrasado en desarrollo'. Y de los que te voy a contar están tan atrasado que ni da gracia.

Las otras noches estaba viendo un programa llamado 'Los Primeros 48' en A&E, y me hizo pensar. El programa se trata de que la mayoría de los crímenes son resueltos en la primera 48 horas, así que policías y detectives tienen que trabajar rápidamente para resolver los detalles en ese tiempo o menos. El programa sigue policías locales después de crímenes serios, y enseñan los arrestos ademas de las interrogaciones que la siguen.

Un episodio en particular me llego. En ello una niña negra de 15 años es asesinada y quemada en un carro porque era testigo de otro asesinato y estaba pensando hablarle a la policía. Acuérdate 'chotear' es un código criminal, cual no aplica a niñas, viejas y miembros de la comunidad que estén preocupados. Pero este chico no iba a caer por el asesinato así que la asesino a ella también.

Primero la policía encontró a 'Cheeseburger', que no tenia coartada, y de inmediato empezó a llorar y chotear en el cuarto de interrogar. El los llevo a 'Lil Red', que tampoco tenia coartada, excepto al decir, "Yo no hice nada" una y otra vez. Ahora estos tipos tenían 20 y 21 años de edad y lo mejor que podían era decir "Yo no hice nada." No eran ni lo suficientemente inteligente para pedir abogados.

"Un enemigo inteligente es mejor que un amigo estúpido."
Proverbio Sengalese

'Cheeseburger' sintió que la policía le iban a cargar con el asesinato así que choteo a su amigo DeAndre. Cuando la policía fue por DeAndre, el corrió y tiro su pistola, pero lo agarraron. No se puede correr del SWAT con pulmones llenos de humo y pantalones caídos. Una vez DeAndre se encontró en la sala de interrogar, sabes cual fue su coartada?

"No hice nada! No hice nada! No hice nada!" Era como un disco pegado.

Frente a cargos por asesinato y ni una célula en su cerebro funcionando. Y la pistola que tiro? Era el arma que se uso en el asesinato. Es verdad, se quedo con el arma de asesinato. Cuando la policía lo enfrento con la evidencia, los testigos y el hecho de que los demás lo habían choteado, sabes lo que dijo?

"Ustedes están mal!" seguido por mas "No hice nada!"

Obviamente, lo frieron.

Este episodio me hizo pensar lo estúpidos que nos estamos volviendo.

Es como que llevamos el "Que se joda" al nivel incorrecto. Me preocupa que algunos de nosotros no nos importa ser inteligentes ni tan siquiera sensibles. Digo, quien es tan estúpido para cargar con un arma usado en un asesinato? Quien es tan estúpido que mata una niña frente testigos y no se va del área? A quien le cargan con asesinato y no es lo suficientemente inteligente para explicarse? Ese tipo DeAndre era tan estúpido que básicamente termino choteándose el mismo.

Aquí lo mas cómico del cuento:

Cheeseburger y Lil Red eran bastante cooperativo. Dijeron la verdad, aunque fuese para salvarse ellos, pero todavía fueron cargados con cómplice al asesinato de primer grado lo cual es tan malo como un cargo de asesinato. No mataron a nadie pero los van a freír también, por andar con DeAndre. En otro episodio, un blanco hizo casi lo mismo (ayudar a salir del cuerpo), y solo fue cargado con manipular evidencia.

Olvidemos lo de blanco y negro por ahora. Vamos hablar de normal y retardado. Cuando se puso a la moda ser retardado? Cuando miro al Myspace parece que todos los hacen. No pueden escribir la palabra dinero pero quieren hablar de cuanto dinero tienen, y como lo hacen. Estos tipos de veras están en el Internet hablando de vender drogas como si no supieran de evidencia electrónica. Retardados.

Lo que es mas estúpido es la manera que Cheeseburger y Lil Red terminaron sus vidas. Después de todo, sus vidas se han acabado. Nadie los visitara ni le pondran dinero en el comisario, y lo mas seguro es que nunca saldrán de allí. Estos dos eran doblemente estúpidos. Eran suficientemente estúpidos por si solos, pero mas estúpidos por su afiliación con DeAndre.

"El amigo de el tonto es un tonto. El amigo del sabio es otro sabio."
Proverbio Husia

Y situaciones como esta no son raras. Cada día docenas de gente caen preso o muertos por sus amistades retardadas.

Así que mi consejo es este: Si no eres retardado, alejate de ellos. Si eres retardado...pues no estarás leyendo este libro, así que a quien le importa?

Una persona estúpida no se ayuda ni a si mismo.

El Negro es Bello

"Naci Negro, vivo Negro y me morirá Negro, probablemente porque algún blanco que sabe que soy Negro – mejor que tu nigga, me va poner una bala en la cabeza."
"The Spook Who Sat by the Door"

Aquí tengo una actividad para ti. Mira las siguientes fotos y figura quien es negro y quien no. Las contestaciones están al final, y también de quien son las fotos.

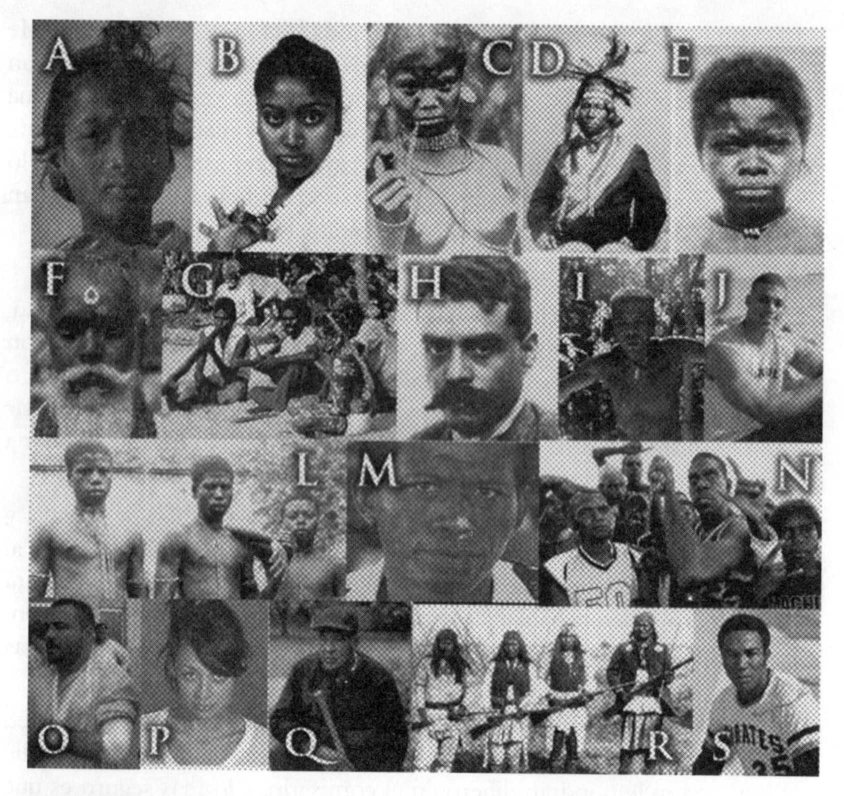

Contestaciones

A. Muchacha de India del sur
B. Cantante popular de Bangladesh
C. Mujer de la tribu Moi de Vietnam
D. Hombre Nativo Americano
E. Mujer de la tribu Aeta de las Filipinas
F. Hombre santo indio
G. Aborígenes de Australia
H. Emiliano Zapata, un líder Mexicano
I. Hombre filipino
J. Hombre brasileño
K. Hombre invisible
L. Isleños andamanese (Asia suroriental)
M. Hombre mexicano
N. Pandilleros australianos
O. Hombre iraquí
P. Nicole Richie
Q. Carlos Santiago, jugador puertorriqueño de las ligas del negro
R. Geronimo y otros apaches
S. Jugador de béisbol de Panamá

Ahora, quien es negro? Todos son Negros. Algunos no pensaran que son Negros. Nicole Ritchie y Condoleeza Rice, por ejemplo, no representan muy bien a los Negros.

Que miraste para decidir si alguien era Negro? Color de piel, textura de pelo, nariz, labios?

Si entiendes que la gente Negra eran los primeros en el planeta, y que la gente Negra empezaron las primeras civilizaciones, puedes entender que los Asiáticos, Sur Americanos, y aun los Inuitos (Esquimales)

Lo Sabias?

El tsunami que mato a millones de personas en el sureste de Asia pudo haber sido causado por los E.U. probando una arma nuclear en el océano? En la destrucción, la gente de las Islas Andaman casi se extinguieron. Eran las tribus negras mas viejas de Asia. Los Andamaneses eran descendientes directos del grupo de gente negra que llego a Asia mas de 50,000 años atrás. Se parecían a ti. (vea 'Negro es Bello)

empezaron como gente morena. Ya debes saber lo que hacían la gente Blanca al regarse por el planeta. Después de tantos siglos de violación, mas y mas gente mezclada fueron naciendo. La gente se van poniendo mas y mas clara y se van olvidando de sus orígenes. Se olvidaron de la gente original. Gente como los Aetas de las Filipinas, las primeras dinastías en China, y hasta los primeros aborígenes de las Américas. Hay grandes historiadores y autores que han hecho el trabajo por nosotros. La serie de libros "African Presence" no es tan difícil conseguir, y te dice la historia de la presencia Africana en Europa, las Américas y en Asia.

Debes saber que toda la gente Negra no tiene el mismo tipo de pelo. Muchos Negros de Asia tienen pelo lacio y ondulado, estos también se encuentran en África.

Ahora, aquí mi pregunta: Cual es la diferencia entre nosotros? Quiero decir todos nosotros. Toda gente Negra tienen algunas cosas importantes en común. Y cuando digo Negro, quiero decir todo tipo de gente Negra. Piensa en toda esos grupos de gente Negra en el mundo, gente diferente, bella y glorioso.

Ahora, piensa que le paso a todos ellos. Ademas de ser conquistados, explotados y convertidos a una gente nueva por la violación y el asesinato...a toda esa gente le enseñaron que ser Negro es algo malo.

Que te deja dicho eso?

La próxima pregunta: Que tiene de mal ser Negro? De la misma manera que es difícil decirle a una persona China que son Negro, aun uno del vecindario, es difícil hacer que algunos "Afro-americanos" sean "Negros y orgullosos". Es 2008 y mucho Negros son avergonzados de ser Negro.

En algunas partes de India le ponían aceite de sésamo a sus bebes para que se pusieran mas oscuro, porque el Negro era considerado bello (en el pasado). Ahora la gente de India – aun los bien negros – creen que piel oscura es fea. Ahora, aun en África, la gente usan crema de blanquear y tinte de pelo rubio para verse mas claros y rubios. Aquí en las Américas hacen la misma mierda, si no eso estamos persiguiendo gente mas claro que nosotros.

Que te deja dicho eso? Despierta y huele en café (negro).

Mierda Pandillera

Vamos a discutir algo que ha pasado ya por un rato. Aunque los negros y han sido oprimidos y explotado por los blancos, no siempre nos hamos juntado y en tiempos recientes se ha llevado a guerra entre los dos grupos.

Si usted no lo supo ya, Los Angeles es el hogar a muchos grupos de pandillas, la mayoria siendo compuestas de negros y hispanicos. Durante los últimos años, las tensiones entre los negros y los marrónes se han calentado en las calles como resultado de las pandillas hispánicas que cometan la violencia y asesinatos contra los negros, sin importar si son parte de pandillas o no. Pero por qué asesinar a los negros considerando que los dos grupos han recibido ataques physicos y discriminación por los blancos en el pasado?

La respuesta viene de las prisiones.

En el sistema penal de California, las pandillas se segregan por raza y como tienen un poder que se extienda a las calles, muchos de sus decretos y percepciones políticas aparecen en las calles. En estos últimos años, La Eme (la mafia mexicana) una pandilla notoria de la prisión ha publicado un decreto en las calles para despejar las vecindades de negros donde tienen fuerte su presencia sin importar si ellos tienen relación pandillera o no. Como la organizacion controla muchas de las pandillas Surenas con el miedo y impuestos del vento de las drogas, siguen sus ordenes sin hacer preguntas. Muchos tiempos, la lealtad a la mafia parece venir antes de lo demás.

Tome la historia de Frank Limon por ejemplo, que le disparo a Eric Green, un joven negro de su bloque que él había conocido toda su vida. Green y un amigo andaban parados en una muestra de parar en la esquina de la calle 11 y Pomona, en Pomona, y Limón no mas se acerco a el y le dio un tiro en su cabeza, hiriéndolo seriamente. Green esta paralizado parcialmente, ha desarrollado desordenes cognoscitivos, y camina lentamente porque la bala esta aloja en su cerebro y no so lo pueden quitar..

Limón creció al lado de familias negras en la vecindad. Él y el Green se conocían y no tenían ningun problema personal entre ellos mismos. De hecho, Limón iba a las fiestas de cumpleaños de Green cuando eran niños. Pero una semana después de que Limón fue saltado en la pandilla de la calle de Pomona 12, él comenzó a dispararle a los niños negros porque la mafia mexicana ordenaron que le disparen a todos los negros en la vecindad. Y cuando usted se connecta para arriba con una pandilla que es leal a la mafia mexicana, la mafia mexicana viene antes de dios, de su familia, y de sus amigos que van hacia atrás al niñez. Cuando le dicen que hagan algo, lo hacen o los marcan para la muerte tambien. Además, saben que la mayoría de los pandilleros terminarán en la prisión eventualmente donde la mafia mexicana tiene control total.Pero uno se pregunta, POR QUÉ? Por qué los mexicanos, que a través de historia de los E.E.U.U. han sido explotado y humillados contra como los negros comienzan de nada a matar a negros?

Volvemos otra vez a la mafia mexicana. Aunque, segreguen a las pandillas de la prisión en California sobre todo a través de la raza, existe una alianza floja entre las varias pandillas. La mafia mexicana se alía sobre todo con la fraternidad Aryan, una pandilla del partidario de la supremacía blanca que controle una red grande de las drogas que fluye por dentro de la prision y afuere en las calles. La fraternidad Aryan tiene una rivalidad con la familia negra guerrillera, una pandilla de la prisión que fue fundada para proteger a negros y para suprimir el racismo en las prisiones. Una razón grande de la mafia mexicana que se aliaba con la fraternidad Aryan era lograr el acceso a la red de las drogas que controlaron. Puesto que la mafia mexicana se había establecido enotras prisiones cuando fueron enviadas por una tentativa inútil de interrumpir a la pandilla en parte del estado, esta alianza presentó una oportunidad grande para la pandilla para que aumenten su presencia en la prision y para establecer un flujo de liquidez enorme. La persona que ayudó a aliar las pandillas era el último padrino mexicano Joe "pierna de clavija" Morgan que sí mismo era de familia croata no mexicano. Este arreglo estaba sobre todo para establecer conexiones de la droga y como que Morgan era un individuo blanco, el proceso fue bien liso. Uno pensaría que las opiniones raciales de la fraternidad Aryan habrían pegado en la mafia mexicana, pero en realidad sin embargo, la verdad es mucho mas profunda que éso.

La mafia mexicana cree en la solidaridad del La Raza. Consiguen la inspiración y el orgullo étnico de este concepto. La mafia mexicana deriva la inspiración y el orgullo étnico de esto, así como del movimiento de Aztlan de los Aztecas. Como Tony Rafael dice en su libro, La Mafia Mexicana.

"Esto vuelve a los orígenes de la pandilla Había un patron en la mafia en los años 70 llamado Rodolpho Cheyenne Cardena, y antes de que matarian a manos de miembros de una pandilla mexicana rival en 1978 o 1977, Cardena vio a la mafia mexicana en la misma manera qye George Jackson [miembro prominente del partido original de la pantera negra que fundó a la familia guerillera negra] vio el movimiento negro de la prisión. Él quiso cambiar a la mafia mexicana en un movimiento político y social activo, y qué lo que utilizó para la inspiración era la cultura azteca. Él se enseñó al náhuatl [la lengua antigua de los Aztecas], y comenzo a enseñarle a el resto de sus homies. Integraron la herencia azteca como parte de su inspiración filosófica, y allí no hay ningunas personas negras en la cultura azteca. La Raza viene primero a estos individuos. Se ven como raza a sí mismos, y realmente no hay demasiado campo para cualquier otra cosa…"

Pero es más profundo que éso, porque Tony Rafael no tenía razón cuando él dijo que " no hay personas negras en el cultura Azteca." Usted ve, la gente que promovió el orgullo del La Raza respondían al racismo de la supremacía blanca, pero respondieron usando la misma ideología del purismo racial. En verdad, la cultura azteca es parte negro como toda la cultura hispánica… si usted mira nuestras raíces. Incluso antes de que vino Columbus, había negros aquí. Nomas buscen a Lucía, el nombre que le dieron a uno de los cráneos indios más viejos encontrados. "Definitivamente negroide" dijeron, y por supuesto, no nos olvidemos a los idios Olmecs. Usted puede ver unas buenas photos de lo que hablo en http://ipoaa.com/africans_in_americas.htm

Déjenos ser real, la conexión de la prisión estaba sobre las drogas, el dinero, y el poder. Y como el líder del KKK apoyó a Elijah Mohamed de la nación del Islam porque ambos promovieron la separación de las razas, muchos hispanico pensaron que encontraron a aliados en la fraternidad Aryan y otro grupos similares. Y más que los negros e hispanico crecieron separados (a veces debido a los conflictos creados por blancos), más que peleaban. Lo mas que peleaban, lo mas que pensaban en separarse. Y ésto es cómo comenzó el

Lo Sabias?

Identificar soluciones al conflicto entre los Negros y los Hispanos solo puede ser efectivo cuando se identifica la raíz del problema, de acuerdo a Oscar de la Torre, quien corre el Centro de Familia, Jóvenes y Gente. "Cuál es el papel de la gente Blanca en las tensiones entre Negros e Hispanos?" le pregunto en una cumbre de pandillas de California, tratando el tema de tensiones entre pandillas Negras e Hispanas, en 2005. "Es fácil mirar los síntomas y no la raíz del problema." De la Torre desarrolló un currículo que enseña la historia y la lucha común de los Hispanos y Negros. "Encontré que tenemos más en común de lo que nos distingue, cuando se habla de trabajar por la justicia social. Tenemos que establecer unidad y enseñarles a la juventud que tenemos una agenda y una lucha social en común," compartió, describiendo la presencia de Afro-Mestizos en México, y la historia de un esclavo rebelde, Yanga, que peleó contra los Españoles para la independencia Mexicana. "Cada vez que hubo opresión, nuestra gente han trabajado juntos para pelear contra esa opresión – el imperialismo y colonialismo sigue hoy," el dijo, usando como ejemplo el que "hemos necesitado agencias para protegernos de la policía." El también cree que el problema viene de "un sistema educativo que es incapaz de enseñarle a nuestra gente" y "la estrategia de dividir y conquistar en el sistema de prisiones que han utilizado por tantos años."

ciclo. Ademas las peleas sobre el territorio de la droga llevaron a los Aryans a usar a los mexicanos como su brazo de la aplicación. Cuándo usted ha oído de blancos disparar encima de una vecindad negra o que iban a la guerra con una pandilla negra de la prisión? No lo necesitan hacer! Te mandan a hacerlo TU! Y pronto, cada negro fue marcado por muerte sean, soldado o civil. En respuesta a las matanzas de negros inocentes, las pandillas negras han tomado represalias y están cometiendo asesinatos contra hispanicos también. Pensemos por un minuto. Ya cuando los negros y los marrones han acabado de matarse quien creen que se van a quedar parados sobre todo? Correcto, los blancos.

La realidad es que el mexicano no es una raza, pero una gente y una gente pueden ser abarcadas de las varias razas que comparten una cultura similar. Si uno estudia el fisiológico que compone la gente de México, uno descubre la gente en gran parte son mezcladas con las líneas de sangre del nativo americano, europeas y africanas según lo indicado previamente...

La verdad es, la gente blanca no quisiera que unamos y que nos alzáramos. Heche una ojeada a los alborotos de Los Angeles después del incidente envolviendo a Rodney King. La gente blanca no quieren ver esa mierda otra vez. Y mientras que las pandillas mexicanas se están aliando con la gente blanca, otros grupos tales como el KKK han indicado abiertamente su odio para los mexicanos y como de costumbre, culpan todas sus insuficiencias e inhabilidades de hacer las cosas en inmigrantes y tienen la audacia para decir que los inmigrantes no son deportados sino permanecen algo aquí y roban trabajos y consiguen ayuda pública de programas de la asistencia social. Esto repite atrás hasta a la Gran Depresión y a la Segunda Guerra Mundial donde los blancos estaban otra vez, culpando a inmigrantes mexicanos porque supuesto tomaban los trabajos por menos dinero cuando en realidad rueron discriminados del trabajo y a menudo fueron forzados para tomar trabajos con los salarios abajo del nivel de probreza y eran relegados a vivir en viejo edificios que suban para sus hogares.

Si la mayoría de la gente que creen el KKK fuera realmente gente inteligente, ellos sabrían que los inmigrantes ilegales no califican para la mayoría de los trabajos a menos que tengan visas del trabajo y un número de la Seguridad Social. También, es demasiado estúpido decir que alguien se está robando un trabajo. Qué chingados hacen? Se esconden en los arbustos hasta que pase un americano cerca y lo saltan para su trabajo? Eso suena estupido. Un ciudadano naturalizado puede recibir los beneficios igualmente como un ciudadano nacido natural en el pais. También los inmigrantes ilegales no califican para la Seguridad

Social o ningun otros beneficios sociales públicos. Otra vez, suena estupido. La verdad es que los blancos quieren difamar a los inmigrantes y puesto que las masas piensan automáticamente "ilegal" cuando oyen la palabra "inmigrante". Asi los grupos del odio pueden mejor expandir su propaganda. Saben por muy bien que las masas no se incomodan a distinguir entre los inmigrantes naturalizados y los inmigrantes ilegales así que cualquier odio para los inmigrantes hispánicos ILEGALES se convierte en odio para TODOS los inmigrantes hispánicos.

Saber quien eres es clave en saber quien seras.
Empieza por tener orgullo en tu Negrura.

Bregadores Pueden Ser Brillantes

Jeff Fort nació en Mississippi en 1947. Cuando se mudo a un vecindario pobre en Chicago, se salio de la escuela después del 4to grado, un analfabeto funcional. A los 13 se involucro en una pandilla que empezó peleando contra los muchachos racistas en su comunidad. Fort llego a ser el líder de la pandilla y bajo su liderazgo adoptaron influencia musulmana y se cambiaron el nombre a 'Black P. Stone Nation'.

Ya para el 1965, Fort controlaba una coalición de 21 grupos que había unido bajo su bandera. Luego, el pudo asegurar una beca federal para su Nación de un millón de dolares, para un programa de aprendizaje muy organizado. En el 1969 hasta el Presidente Nixon se refirió a los Black P. Stone Nation como un grupo comunitario, y invito a Fort a la inauguración.

Por supuesto que los Black P. Stone Nation no era todo buenas obras. Es mas, ellos controlaban mucho del negocio de las drogas en el área de Chicago. En 1972, Fort fue mandado a prisión donde se unió a "Moorish Science Temple of America". Mientras en prision, Fort re-nombro la pandilla El Rukns y la reinvento como un movimiento religioso. Esto permitió que Fort siguiera mandando desde la prisión, tener reuniones con lideres de la pandilla haciendo pasar por servicios religiosos, y así mandar ordenes y mensajes sin vigilancia. Desde la prisión, Fort siguió controlando sus operaciones de boca a boca y usando claves por teléfono. Una vez puesto en libertad condicional, Fort compro grandes cantos de la ciudad, expandió su imperio y avanzo sus lazos políticos.

Pero en 1982, Fort fue mandado de nuevo a la prisión, sentenciado a 13 años por participar en una conspiración de drogas. Impávido, Fort uso sus conexiones Musulmanas para comunicarse con el presidente de Libia, Moammar Gadhafi...desde la prisión.

El antes analfabeto Fort ahora hablaba en Árabe con oficiales extranjeros en el teléfono. Fort fue acusado de hacer planes con Gadhafi de atacar a los E.U. en nombre de Libia. Bajo las ordenes de Fort, unos cuantos miembros de El Rukn fueron llevados a Libia para tener entrenamiento terrorista. También Fort estaba negociando para comprar un lanzacohetes. Docenas de miembros de El Rukn fueron convictos en la conspiración, aunque ningunos actos terroristas fueron cometidos. Fort fue sentenciado a unos 80 años adicionales, para asegurar que no lo soltaran de nuevo.

Fue mandado a la prisión Supemax ADX Florence, donde sigue hoy día bajo supervisión estricta. Con miedo que el muy brillante Fort busque alguna forma para seguir controlando su pandilla aun bajo esas condiciones, las autoridades de la prisión lo pusieron bajo una orden de "no contacto humano".

Jeff Fort es solo un ejemplo de lo brillantes que pueden ser la gente Negra, no importa cuanta escuela atendieron, o cual sea su historial. Jeff Fort es un ejemplo de la inteligencia y habilidad usado de forma que le hizo daño a su gente, mientra Malcolm X representa la otra posibilidad.

Que hizo Fort tan inteligente...y peligroso?

Que pudo haber hecho si hubiese dedicado su inteligencia y habilidad a cambiar el vecindario a mejor?

Muchos tenemos potencial increíble...demasiados la botan.

Puedes Andar Solo?

> **Lo Sabias?**
> El ingreso generado de juegos de especulación es mas que el ingreso generado de películas, cruzadas, música grabada, parques de temas, y deportes espectadores combinados.

Tenia 15 años y era Marzo. No eran vacaciones de primavera pero tenia mucho tiempo libre. Hacia casi un mes que me había salido de la escuela. Después de la expulsión mi madre intento matricularme en casi toda las escuelas secundarias en el país. Dondequiera que llamaba, le decían que no. Yo estaba bien con eso.

Ya me quería salir de la escuela. Hasta había hecho planes. Después de haber parado de bregar, mi cerebro empezó a pensar en otras formas de buscármelas. Pensé en compra y ventas de computadoras, o zapatillas de deportes, o hasta helado. Trate de convencer a Cortez, quien había empezado a tracaler al mismo tiempo, que se uniera a mi para conseguir un carro de vender Hielos Italianos para el verano.

Mis palabras no le llegaron.

Cortez, quien hacia lo que fuera conmigo, que me dijo que hasta tomaría una bala por mi, no me podía seguir por ese camino. El se había resignado a su destino. No tenia intención de encontrar un camino para salir de nuestra pesadilla urbana. Como un hombre con cáncer, estaba cansado del dolor, pero también estaba muy cansado para pelear.

Tal parece que todos con lo que andaba eran así de débiles. Digo, me sentía fuerte cuando andábamos en un grupo de 10 por las calles asustando a los demás. Se sentía bien cuando estábamos juntos, bebiendo, fumando y hablando mierda como en familia.

Mientras mas pensaba en como mis amistades temían dejar sus esquinas para darse un viaje a Nueva York conmigo...mas pensaba en como parecían temer a las nuevas ideas...mas realizaba lo mucho que estábamos separados del mundo real...mas débil me sentía. Todos hablábamos de lo cansado que estábamos de amigos muriéndose o cayendo presos, de estar sin dinero a diario, y de nuestra frustración con la policía, el gobierno y la mierda sociedad en que vivíamos. Era un infierno, y lo sabíamos.

Sin embargo no solo estaba cansado de ese infierno, lo odiaba. Y estaba determinado hacer mejor. Aunque tuviera que dejar a todos atrás. Tenia que hacer lo que era correcto para mi.

“Me caen las lagrimas porque me dicen que sanaran.
A decir la verdad no se como sentir.
Te has sentido solo en un cuarto lleno de amigos?
Tienes planes grandes pero las mantiene contigo?”
Rick Ross, “Shot to the Heart”

Mi vida se mejoro mucho para esa temporada, aunque las semillas fueron sembradas mucho antes. Hubieron semillas de auto-destrucción, violencia, alcoholismo y dependencia. Pero también hubieron

semillas de fuerza y determinación. De esta lucha yo nací. Y por esa lucha yo me hice completo.

Aprendí que no era el único quien luchaba con querer ser aceptado... mientras tratar de ser mi propia persona. En su autobiografía ‘Makes Me Wanna Holler’, Nathan McCall recuerda:

> Cuando llegue al séptimo grado había aprendido que la vida de uno no tiene sentido si no estas acompañado. No tienes identidad si no andas con un grupo. Cuando al principios llegue a Waters, le preguntaba a mis compañeros sobre unos tipos interesantes que veía por ahí. Siempre lo identificaban por el grupo con que andaban. Dirían, “Ese es Li’l Blount. El se pasa con Kenny Banks y los muchachos de Taft Drive,” o “Ese es el Fat Man. Se pasa con Leon Bishop y los de la calle Henderson.” Para los doce años estaba tratando fuertemente para entrar algun grupo y sus estilos.

McCall sigue, describiéndonos como ser miembro de un grupo lo transformo:

> Pasandola con Chip, Cooder y los demás, me puse mas loco...En general, estando juntos hizo nuestra amistad mas fuerte. Dondequiera que íbamos andábamos en grupos de siete a quince muchachos...Por medio de esos muchachos, yo descubrí la fuerza de la camaradería . Me ayudo a obtener confianza, y fue apoyo para mi frágil autoestima. Solo andaba con miedo hacia el mundo y inseguro. Pero cuando andaba con los muchachos me sentía mas seguro e hinchado. Creo que todos nos sentíamos mas corajudos cuando andábamos juntos. Hacíamos cosas en grupos que nunca intentaríamos solos.
>
> El grupo también me daba un sentido de pertenecer que nunca había conocido antes. Con aquellos muchachos, yo me podía esconder en la multitud y sentirme como parte de lo aceptado y lo normal. No había sentido de sobresalir, sintiéndome vulnerable, exiliado y expuesto. Eso era una comodidad que ni mi familia pudo proveer.

Después de ese punto, el joven Nathan McCall pierde interés en la escuela, cayo en el crimen y por ultimo termino en la prisión. Estoy seguro que se imaginan que le paso a sus amistades. Sugiero que se lean el libro ustedes.

Mi pregunta aquí es: Tienes miedo andar solo? Necesitas un grupo para sentirte fuerte y seguro? O puedes ser tu propia persona?

Mantén esto en mente, una hiena no es nada sola. No puede cazar. Tiene que andar en grupo ni tan siquiera para comer, porque necesitan muchos para tumbar un antílope. Mientras tanto un leon puede cazar solo.

Los débiles y frágiles necesitan andar en grupos.

Lo Sabias?

México ha tenido una subida en estos últimos años en vigintalismo donde la gente común, quien se han cansado de las guerras de droga y la corrupción persiguen y matan a miembros del grupo narcotraficante Los Zetas. Este grupo, quien la gente han llamado los Mata-Zetas se han visto en varias videos en youtube donde a fuerzas hacen que los narcos confiesen sus maneras de operación, la gente envuelta, policía corrupta y las actividades de la venta de drogas. La gente no sabe de donde vienen ni quien los lleva pero muchos apoyan lo que hacen para limpiar el país de la corrupción.

Nacer Solo, Morir Solo

"La gente dice que esta persona o tal persona no se han encontrado. Pero uno no se encuentra uno se crea."
Thomas Szatz

Marcus Mosiah Garvey, Jr. nació en Jamaica un 17 de Agosto del 1887. Aunque eran once hermanos, todos murieron en su niñez excepto Marcus y su hermana Indiana. Su papa tenia una biblioteca grande y fue de el que Marcus heredo un amor fuerte hacia el aprendizaje. En el 1910, se fue de Jamaica para trabajar en Costa Rica y en Panamá. Del 1912 vivió en Londres, donde fue al colegio y empezó a trabajar para una publicación llamada 'African Times and Oriental Review', que trataba con cuestiones enfrentando a gente Negra de todos sitios.

Para este tiempo, Garvey se habia convencido que uniendo los Negros de todo el mundo era la unica forma para mejorar las condiciones de estas en todos lugares. El volvio a Jamaica y fundo a la 'Universal Negro Improvement Association' (UNIA) y 'African Communities League' (ACL), declarando que su meta como Presidente-General era "unir toda persona de ascendencia Africana del mundo a un gran cuerpo para establecer un país y un gobierno absoluto de ellos mismos."

En 1916, Garvey se mudo a Nueva York y continúo trabajando como impresor durante el día, pero pasaba sus noches hablando en las esquinas a todo que le escuchara. Realizando que la gente Negra no tenían lideres visibles, emprendió una gira de 38 estados.

Desafió a la gente que re-definan sus conceptos de si mismos, y que fueran orgullosos de ser Negros, algo que no se escuchaba para ese entonces. Le dijo a sus seguidores que Dios era Negro también, y que la gente Negra eran los escogidos de Dios. Para el 1919, la membresía de su organización llego a dos millones.

"Hombres Negros, una vez fueron grandes, y serán grandes de nuevo."
Marcus Garvey

Pero fuerzas de afuera habrían causado diferencias en su organización que engendro separación y luchas internas.

Despreocupado, Garvey se giro hacia crear una base económica para los Negros desarrollando comercio. Formo la 'Black Star Line' y pronto pudo adquirir su primer barco cual llamo el SS Frederick Douglas.

Sin embargo, la oficina del fiscal de Nueva York empezó a investigar al la UNIA. No pudieron encontrar nada malo, pero persistieron en su hostigamiento.

Garvey escribió un editorial de ello en su periódico, The Negro World, y fue encarcelado hasta imprimir una retracción.

Entonces, en Octubre del 1919, un asesino fue mandado por el gobierno para matar a Garvey. Garvey sobrevivió un balazo a su pierna y uno a su cabeza, y el asesino se suicido.

Eso no paro a Marcus Garvey. Para el 1920, la UNIA contaba con cuatro millones de miembros. En el primero de Agosto, la convención internacional de la UNIA fue dada y llegaron delegados de todo el mundo. Sobre 25,000 personas llenaron al Madison Square Garden para escuchar a Garvey hablar sobre el potencial infinito de gente Negra.

Garvey también empezó la 'Negro Factories Corporation'. Su plan era crear una infraestructura para manufacturar todo bien comerciable en cada centro industrial grande de los E.U., y también en Centro América, Las Antillas y en África. No solo eso, también tenía planes para una cadena de bodegas, restaurantes, casa editorial y unos negocios mas. (Me pregunto que habrá pasado.)

Pues, que paso? En el 1919, Garvey fue investigado por el FBI bajo J. Edgar Hoover, quien seria infame por enfocar sus energías en organizaciones Negras en el país. Para cumplir eso, la FBI contrato sus primeros cinco agentes Negros. Cuando no pudieron encontrar nada mas, decidieron enjuiciar a Garvey por fraude de correo. Fraude de correo!

Crearon un caso sin evidencia y con testigos que cometieron perjurio. Como quiera, en 1923, Garvey fue encontrado culpable y sentenciado a cinco años de prisión.

Cumpliendo su sentencia en la prisión federal de Atlanta, mando el "primer mensaje a los Negros del mundo desde la prisión en Atlanta," donde dijo:

> Buscame en la tormenta, buscame por todos lados, con gracia divina llegare y traerá a millones de esclavos negros que han muerto en América y Las Antillas y millones en África para ayudar en tu lucha por libertad y vida.

En 1927, Garvey fue deportado a Jamaica. Continuo su trabajo en Jamaica y Londres, pero la organización de millones UNIA había disminuido y se había desmantelado. Desde entonces no ha habido una organización o movimiento de ese tamaño trabajando para mejorar las vidas de gente Negra a nivel mundial.

Porque Garvey se hizo un líder en vez de esperar que llegara uno?

Que pudo evitar que Garvey siguiera su misión?

De que formas se paro Garvey solo?

Un hombre verdadero no teme pararse solo.

Lo Que No Se Cuenta de la Esclavitud

En la escuela todo que aprendí de la esclavitud fue que gente blanca trajeron una gente pobre negra (la mayoría desnudos y acabados de cazar tigres y leones) desde las junglas de África (donde hay mayormente gente desnuda y tigres) para hacer unos trabajos. Entonces Abraham Lincoln y la gente blanca en el norte decidieron que los esclavos deberían de estar libres. Así que hubo una guerra civil, y millones de gente valiente blancas murieron tratando de terminar con la esclavitud.

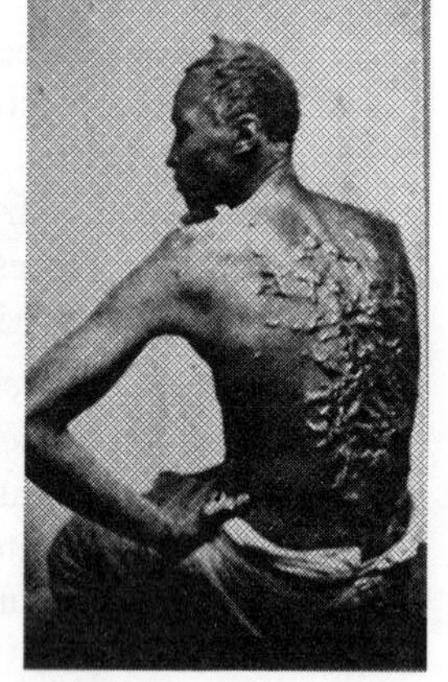

En algún momento, sentí que algunas cosas no tenían sentido. Así que decidí a buscar respuestas. Ahora se que el 90% de todo aquello fue mentira.

Quería darte la historia real, pero no quería hacer les todo el trabajo. Así que ajunte una lista de hechos, algunos que quizás no has escuchado antes. Son mayormente cortas oraciones que espero los inspire a buscar conocimiento. O sea, cuando veas algo que te intrigue y quieres saber mas...buscalo.

Espera. Antes de que me meta en cualquier información sobre esclavitud americana, déjeme compartir los orígenes de la esclavitud occidental con usted. Quisiera que usted entendiera cómo, como Hugo Chavez ha dicho antes, los negros y los hispánicos tienen una historia compartida en esta materia....y una lucha compartida. Lo que sigue es una cronología de la esclavitud, tirada a partir del uno de mis otros libros, 'Black Rebellion: Eyewitness Accounts of Major Slave Revolts' (solamente disponible en inglés en este tiempo):

1441	El comienzo del comercio de esclavos europeo en África. Los capitanes portugués Antão Gonçalves y Nuno Tristão capturan a 12 africanos en Cabo Branco (Mauritania moderna) y los llevan a Portugal como esclavos. Los africanos trabajan como criados pero también se utilizan para suministrar la información estratégica sobre África.
1442	Esclavitud y cristianismo. Las autoridades de la iglesia enmarcan el decreto llamado Illius qui, que prometió a todo los que ensamblarían con los partidos ataque-esclavos la recompensa espiritual y la salvación eterna.
1444	Lançarote de Freitas, un colector de impuestos portugués, forma una compañía a negociar con África. Él adquiere 235 secuestrados y a los africanos esclavizados en Lagos, el primer grupo grande de esclavos africanos traídos a Europa
1452	Cuando los portugués hacen la búsqueda y la confirmación que pueden esclavizar a infieles agarrados en la cruzada, el papa responde con Dum Diversus, que permite que conquisten y que reduzcan a la "esclavitud perpetua" todos los "Saracens y pagans y otros infieles y enemigos de Cristo," en las Áfricas occidentales.
1454	Papa Nicholas V da el dicto Romanus Pontifex, un toro papal que concede al portugués un monopolio perpetuo en comercio con África. Sin embargo, los comerciantes españoles también comienzan a traer esclavos de África a España.
1476	Carlos de Valera de Castille en España trae detrás 400 esclavos de África. A pesar de la oposición papal, los comerciantes españoles

	comienzan a negociar en una gran cantidad de esclavos en los anos 1470s.
1492	Christopher Columbus se convierte el primer europeo desde la era de Vikingo para descubrir el nuevo mundo, fijando el pie en una isla no identificada que él nombró San Salvador (Las Bahamas modernas).
1493	En su segundo viaje, Columbus alcanza otra vez el nuevo mundo (Dominica moderno). En este viaje él inicia el primer viaje de esclavos transatlántico, un envío de varios cientos de gente Taino enviada de Hispaniola a España.
1496	Columbus vuelve de su segundo viaje, llevando alrededor 30 esclavos nativo americanos.
1499	Más de 200 esclavos tomados de la costa norteña de Suramérica por Amerigo Vespucci y Alonso de Hojeda se venden, al parecer sin problemas legales, en Cádiz, España.
1502	Esclavos africanos en el nuevo mundo. Juan de Córdoba de Sevilla se hace el primer comerciante que podemos identificar para enviar un esclavo africano al nuevo mundo.
1504	Traen un pequeño grupo de africanos - probablemente esclavos capturados de un recipiente portugués - a la corte de rey James IV de Escocia.
1509	El hijo de Columbus, Diego Cólon, se hace gobernador del nuevo imperio español en el Caribe, gobernando de Santo Domingo en Hispaniola, que ahora abarca Haití y la República Dominicana. Él pronto se queja de que los esclavos nativo americanos no trabajan duro.
1510	El comienzo del transporte sistemático de esclavos africanos al nuevo mundo: Rey Fernando de España autoriza un envío de 50 esclavos africanos para ser enviado a Santo Domingo.
1516	El gobernador de Cuba, Diego Velázquez, autoriza las expediciones de esclavo-ataque a America Central. Un grupo de esclavos a bordo de un caravel español rebelan y matan al equipo español antes navegar a sus hogares. - la primera rebelión de esclavos acertada registrada en el nuevo mundo.
1522	Rebelión de esclavidad. La primera sublevación de esclavos en grande en el hemisferio occidental ocurrio en la plantación de Diego el hijo de Christopher Columbus.
1526	Los primeros esclavos usados por europeos en los Estados Unidos actuales estában entre la tentativa de la colonización de Lucas Vásquez de Ayllón de Carolina del Sur actual. La tentativa era una falta, durando solamente un año; los esclavos rebelaron y huyeron en el yermo para vivir entre la gente de Cofitachiqui.
1530	Juan de la Barrera, un comerciante de Sevilla, comienza a transportar a africanos esclavizados directamente al nuevo mundo (antes de esto, los esclavos habían pasado normalmente a través de Europa primero). Sus acciones son seguido rápidamente por otros comerciantes de esclavos.

Seguimos:

Los primeros esclavos Negros fueron traídos a las Américas por un comerciante cristiano llamado John Hawkins en un barco llamado Jesús.

La reina Elizabeth, recompenso a John Hawkins haciéndolo un caballero. Hawkins escogió como su escudo la imagen de un hombre Negro encadenado.

La esclavitud de aquí empezó cuando comerciantes Europeos negociaban con caciques Africanos y le compraban los prisioneros de guerra.

Muchos caciques Africanos no sabían lo que le estaba pasando a los que vendían, porque el sistema de esclavitud de ellos no involucraba la crueldad y deshumanizad.

Cuando la demanda por esclavos subió, los Europeos instigaban mas guerra entre las tribus Africanas.

Cuando un cacique o rey no les vendía sus prisioneros, le vendían armas a los de otra tribu y los instigaba a que secuestraran los de la otra tribu.

Muchos Europeos eliminaban a los intermediarios y secuestraban miles de personas ellos mismos.

Mucha gente Negra fueron detenidas en calabazos (mazmorras) en la costa occidental de África, donde los que intentaban defenderse se tiraban juntos en una pequeña celda para morir. Mientras las mujeres que resistían fueron violadas hasta quedar sumisas.

Quiero parar por un minuto ya que estoy hablando de África. La África que ven en los televisores es un cuento de hadas. Primeramente, que África tiene millones de personas que viven allí. No es una jungla gigante lleno de animales con unas pocas gentes cazando con lanzas. Es mas, África de hoy día tiene ciudades con edificios altos, plazas de comercio, y si...aire acondicionado. Todo el mundo en África no esta enfermo ni hambriento. Seguro que esta mal comparado con los E.U. cuando se habla del desarrollo. Ese comercio de esclavos se llevo de ese continente muchos hombres y mujeres en edad de trabajo. Cuando te llevas todos los trabajadores, le hace daño a la economía y a el desarrollo de ciudades, construcción de edificios y caminos, y a la preservación de las tradiciones y la cultura. Este daño, que todavía África lucha por recubrir de el, nunca hacia pagado por los países que se enriquecieron de eso.

Seguimos:

Entre 25 a 50 millones de gente Negra murieron en el camino hacia acá. Sin contar lo que vinieron a morir en suelo Americano.

El periodo histórico de la esclavitud Americana se llama Maafa, o el holocausto Africano, por las mucha vidas que fueron robadas y perdidas (millones mas de los del holocausto Judío).

Muchos Negros se tiraban del barco o se mataban de hambre antes de ser esclavizados.

Las condiciones horrendas de los barcos muchas veces resultaba en que mas de la mitad de los esclavos murieran antes de llegar.

Tantos cuerpos fueron tirados al mar durante ese pasaje, que hoy día los tiburones siguen usando esa ruta cuando buscan comer.

Mujeres Negras, muchas veces mataban a sus bebes antes de verlos crecer como esclavos.

Antes de llegar a los E.U. llevaban a los esclavos a islas de domar como Jamaica donde se les quitaba su cultura y se les pegaba hasta domarlos.

La gente Negra resistieron la esclavitud ferozmente y los Blancos hacían ejemplos de muchos hombres y mujeres fuertes para asustar a los demás a ser sumisos.

Para hacer un ejemplo de un esclavo rebelde los Blancos le amarraban las piernas y los brazos a cuatro caballos distintos y les hacia que corrieran en direcciones distintas a la misma vez.

Otra forma de hacer un ejemplo del rebelde era tomar una mujer encinta, enganchar la al revés por los pies y cortar abierta la barriga mientras viva y pisar la cabeza del bebe para así matarlo.

Los Blancos también les enseño a los esclavos que se odiaran y que no confiaran en ellos mismos, para mantenerlos separados y sin poder rebelarse juntos.

El Cristianismo también se uso para mantener a los esclavos pasivos, mientras los esclavos musulmanes eran evitados porque esos peleaban o morían.

El Papa de la iglesia católica ordeno la esclavitud y uso la biblia y la religión cristiana para justificarlo.

Lo Sabias?

El Triangulo de las Bermudas, también conocido como el Triangulo del Diablo, ha tomado la vida de cientos de personas en botes, barcos, y aviones desaparecidas. No hay explicación para lo que pasa. El triangulo extiende desde el punto sur de Miami a Bermuda a Puerto Rico. Esto era un triangulo mayor del negocio de esclavos.

Mujeres y hombres Negros eran puesto a la vista, inspeccionados físicamente y subastados. Unos de los locales de subastas de esclavos mas grande se conoce hoy día como Wall Street.

A los Negros no solo le pegaban a latigazos, fueron torturados y humillados por la mas mínima ofensa.

Casi todas la ciudades, pueblos y edificios fueron hechos usando la labor de los esclavos. Muchas de las familias que son adineradas hicieron sus fortunas por labor de esclavos.

La guerra civil de los E.U. no se peleo porque el norte creía que la esclavitud era mal, pero porque las ciudades industriales del norte, estaban perdiendo dinero al sur que se enriquecía por la labor esclava.

La esclavitud termino en los E.U. en el 1865, menos de 150 años atrás, pero la esclavitud fue permitida para aquellos en prisión.

Coño, eso es mucho procesar, no? Puede que estés enfurecido después de leer todo eso. No rompan el libro por favor. Solo piensa en lo mucho que te perdiste en la escuela. Piensa en todo lo que uno se pierde haciéndole caso nada mas con escuchar solo lo que nos deciden decirlos. Recuerda que siempre hay mas al cuento. Los que están en el poder nos esconden ciertos conocimiento, pero no pueden evitar que lo busquemos. Toma deseo para ganar ese conocimiento, pero ese conocimiento es poderoso.

El conocimiento es poder. Por eso los que están encargados Conocen, mientras los impedidos creen lo que les dicen.

Películas Para Ver

Sankofa

No las visto? Se trata de la esclavitud, y es mejor que 'Roots'. Y si 'Sankofa' no te hizo querer meterle una bofetada a alguien, hazle Google a 'Goodbye, Uncle Tom'...esa si que te debe enfadar. También debes chequear a www.500yearslater.com

Tiroteos y Cadillacs

Que es Real?

Mientras Maurice Richards conducía, su hermano mayor, Irwin, tirotea a otro auto con su rifle automático. Mientras Maurice se escapo el otro auto se paro. El otro auto estaba cubierto de balazos, pero nadie había muerto. Maurice y su hermano fueron identificados y arrestados. Un año mas tarde fueron a juicio por el incidente. Aunque los dos tenían posibles penalidades fuertes, era el 2006, y Maurice tenia que promover su ultimo disco "Throw Some D's On It."

Se le estaba haciendo demasiado difícil balancear las presiones de tener cargos de homicidio mientras trataba de vivir la vida del próximo artista caliente. Tirando dinero en los clubes de noche y gastando dinero con abogado durante el día, esto no era la vida que el había esperado como rapero.

Al final del juicio, a Irwin, 29, le dieron 10 años por intento a homicidio. Como el solo iba conduciendo, y no había tenido ninguna convicción anterior, a Maurice, o Rich Boy, evito el intento a homicidio y fue dado una sentencia suspendida.

Todo esto ayudo a formar la filosofía del Rich Boy sobre que era ser rico. Es mas, su nombre se le fue dado por tios mayores que lo conocían como hijo de su padre, Rich, y le decían 'Rich boy'. No era por el dinero en ese entonces, pero ahora como rapero, era lo que se esperaba.

Rich Boy empezó haciendo pistas y solo un año antes de soltar el primer álbum, se convirtió en rapero. Uso su primer disco 'Throw Some D's" para lograr la atención del publico, conociendo que lo que es real no es siempre lo que es popular. Me recuerda a cuando David Banner solto el disco "Cadillac on 22's" que no tenia nada que ver con Cadillacs, ni 22's. El video se trata de Emmet Till y los linchamientos en Mississippi. Rich Boy dice que el usa los títulos populares para decir algo con contenido. Por ejemplo, 'Ghetto Rich' y 'Let's get this Paper' no son sobre tener dinero, sino de la lucha de vivir pobre y Negro.

En una entrevista en Junio del 2007 el explico:

> Como mi nombre es Rich Boy, siento que tengo que dejarle saber al mundo la definición del dinero. Y no en son de guille...Esta bien comprarse par de joyas o lo que sea, después que no sea la única cosa que quieras hacer con tu vida. Dondequiera que vaya, les dejo saber que un millón de dolares es clase media hoy en día...pero en el barrio eso es rico. Yo también pensaba que tener un millón era ser rico...La mierda material no tiene valor. Deben haber gente que han matado por un par de tenis Jordans que ahora se encuentran en la basura.

Apreciando la Prisión

Similarmente el rapero Blood Raw tenia posibilidades de una cadena perpetua acabando de firmar con la casa disquera Jeezy's Corporate Thugs Entertainment. Ahora un tercio del grupo USDA, los federales lo habían agarrado justo al llegar de una gira Europea. Blood Raw inmediatamente fue de viviendo la vida a peleando por ella. Los federales, quienes tienen un 98% de convicciones exitosas, estaban trabajando para darle la cadena perpetua si lo encontraban culpable.

Obviamente manejando un estrés serio, Blood Raw apreciaba el estar en la paz de una celda y saliendo del caos de la calle. Le dio oportunidad para analizar la vida y reflexionar sobre que verdaderamente importaba.

Blood Raw también tiene una explicación a su nombre. De acuerdo a el, Blood quiere decir la verdad con Raw queriendo decir una forma de expresarse que es crudo y sin censura.

Como dice su biografiá en su pagina Myspace:

> Se ha dicho que uno no puede ser artista verdadero sin primero haber experimentado el dolor. Si eso es preciso, Blood Raw ha luchado toda su vida para ser un Picasso del hip hop. Por eso mi música es tan

conmovedora. He tenido gente llorando cuando escuchan mi música porque yo solo escupo lo que he pasado.

En una entrevista el explico lo que quería decir con "crudo y verdades sin censura":

> No puedo olvidar la lucha. Antes de hablar sobre el dinero, joyas, y los carros, tengo que dejar que la gente sepan que de eso no se trata...de veraz.
>
> Todo lo que digo es esto: no quieren hablar de que su mujer o su mama estaba haciendo drogas, o que mi papa no estuvo allí, o que fui a prisión cuando era joven. Yo he hecho todo eso. He mantenido mi pecho inflado sin poner excusas. Me crié en Panama City. Es una ciudad muy infectada por las drogas. Nunca tuve un modelo a quien seguir que vino de allí. Todo lo que conocemos es la calle. Que otra opción tuve? Yo digo que yo soy un ejemplo.
>
> ...cuando la gente viene de los barrios, hacen todo lo posible para no volver a ellos. Si no estuviste allí, pues entonces no conoces las tribulaciones. Así que cuando entras al juego puedes hacerte el mas duro y haciendo estúpidas mierdas porque en verdad no sabes lo que es estar en las calles. Yo no estoy buscando volver.

"Mantenerlo Real"

El que presento al reggaeton a la audiencia del hip hop norteamericano, Noreaga, empezó su carrera como una mitad del grupo Capone N Noreaga. Los dos se nombraron como pandilleros famosos y su lírica era de las imágenes pandillera muy popular en el hip hop de los 90s. Pero no era de embuste.

En 1997, Capone fue mandado de regreso a la prisión por violar su libertad condicional. Mientras Capone estuvo preso, Noreaga hizo que lo arrestaran por un cargo mínimo para encontrarse con su mejor amigo. Noreaga entonces termino solo el álbum de debut de los dos, 'The War Report'.

A diferencia de otros raperos que se inventaban historias, estos eventos reales formaban la base para la lírica de CNN.

Desde entonces Noreaga ha tenido varios años para observar las ideas de otros de 'mantenerlo real'. En su diario en linea de www.hiphopgame.com el dice:

> 'Chacho, tuve la discusión mas larga y estúpida con un idiota de mi barrio anoche. La gente cae preso y se convierten en pandilleros y pierden su mente. La gente no se da cuenta que los hace ver débil. Si estuviste con una pandilla antes de caer preso y al entrar en la prisión sigue con tu ética pandillera, pues bien, eso es diferente. Pero cuando caes preso y luego te conviertes en pandillero te convierte en flojo porque no es quien eres ni quien eras antes de ser encarcelado. La gente se dejan llevar con esta mierda pandillera que no es ni de Nueva York. Esto es cosa de Los Angeles y cuando los de Nueva York caen en eso, hace que los de nuestra ciudad parezcan como copiones.

Lo que estoy diciendo es que nunca viva en los sueños de otro. Mantente real no quiere decir volver a tu bloque y venderle crack a los mismos adictos que le vendiste crack hace 10 años. Eso no es real, eso es estúpido. Mantenerte real es mudándote a una mansión y olvidando a pagar la cuenta del cable. Ser real es tener un 'penthouse' y lo único que hay de tomar es Kool-Aid. Ser real es estar en una reunión donde se esta hablando de millones y darte cuenta que se te olvido la yerba que llevas en el bolsillo que acaba de cambiar el olor en el cuarto sin encenderlo.
Siempre seré real porque es un estado mental y no basado en donde te encuentres. Yo no tengo que tirotear a alguien o vender drogas, jamas, y sigo siendo tan real como siempre. Entrando y saliendo de la cárcel no te hace real. Saliendo del barrio y seguir siendo la misma persona, eso te hace real.
Así que recuerda que quien eres es quien eres? Amate como hacerte la puñeta.

Quien lo Invento?

De acuerdo a Plies, quien le llama a sus joyas, de costo millonario, una muy mala inversión, quien finanza su propios videos para no tener que hacer lo que la casa disquera quiera. Tampoco graba con artistas grandes que mienten sobre vender drogas:

> El dicho 'mantenerlo real' nunca vino de uno que salio del barrio. Es el tipo que nunca salio que le dice al que salio 'mantente real.' Hay diferencia entre real y estúpido. Puedes cuidar de los que te rodean, si en tu corazón es lo correcto de hacer. Pero si me jodo mañana, voy a cumplir solo. Aquellos que han sido mantenidos, van a ir en búsqueda del próximo que lo ayude...(hablando de Mike Vick) Yo he escuchado, "Ese tipo es estúpido. Jodiendo con perros y todo ese dinero." Pero nunca he escuchado, "Que mal que lo chotearon." El no representar a algo es aceptado y yo me siento como que, aunque tengas dinero o no, el representar algo es importante. Siempre va a terminar con yo haciendo lo que me venga del corazón...(hablando de los que no han pasado por las calles) yo respeto a uno que nunca ha estado en las calles aun mas porque no se pasa tratando de convencer a otros. De veraz que no conozco a nadie que le guste estar en un tiroteo a diario. Nunca lo he conocido.

Lo que es 'real' aveces es lo que otros dicen debe ser.
Encuentra la realidad para ti mismo.

Dos Grandes Robos

El Tiroteo en North Hollywood

En Octubre de 1993, Larry Phillips y Emil Matasereanu, fueron arrestados cerca de Los Ángeles por exceso de velocidad. Al registrar su vehículo, encontraron 2 rifles semi-automático, 2 pistolas y mas de 1,600 cartuchos de municiones de 7.62mm, mas de 1,200 cartuchos para pistolas de calibre 9mm y .45, escanéres de radio, bombas de humo, dispositivos explosivos improvisados, chaquetas de protección corporal, y tres diferentes placas de auto. Sin embargo los dos estuvieron menos de 100 días en la cárcel, y solo recibieron 3 años de probatoria. Después que los soltaron, le devolvieron casi todas de sus pertenencias agarradas.

Después de unos cuantos robos de bancos, Phillips y Matasareanu pensaron en su robo mas ambicioso. Después de meses de preparación incluyendo vigilancia extensiva de su propuesto blanco. Cargaron su vehículo con casi una docena de rifles, pistolas y miles de rondas de municione y salieron para el banco. Habían ordenado material a prueba de balas para hacer armadura de cuerpo completo, incluyendo placas de metal para cubrir órganos vitales. También habían importado municiones de acero para sus rifles modificados ilegalmente y se tomaron phenobarbitols para calmar los nervios.

Después de entrar al Bank of America, pusieron las alarmas de sus relojes para 8 minutos, cual era el tiempo que ellos esperaban le tomaría a los policías para responder. Pero cuando entraban, un oficial los vio y noto su apariencia sospechosa. Así que llamo al cuartel con un posible asalto. Después de tirar 100 tiros para asustar a los empleados a que cooperaran, pudieron agarrar $300,000, ya que el dinero del día no había llegado.

Cuando salieron, se encontraron con docenas de policías. Empezaron un tiroteo, disparando a los autos policíacos alrededor del banco. Aunque los oficiales tenían pistolas y escopetas, la armadura de cuerpo que habían hecho era suficientemente fuerte para resistir. Hasta sus cascos y mascaras eran invulnerables.

Muchos policías fueron heridos a tiros. Las balas modificadas de la pareja estaban traspasando paredes y autos. Mientras tanto, las balas de los oficiales parecían no hacer ningún daño. Algunos oficiales respondieron consiguieron rifles de alta potencia de una armería que había cerca. Sin embargo, parecían imparables el dúo.

Dieciocho minutos después de empezar los tiros, llego un equipo de SWAT armados con armas automáticas. Los dos se separaron. Moviéndose lentamente, ya que su armadura corporal pesaba como 3 bolas de bolear, la pareja no pudo escapar.

Eventualmente, a Phillips le metieron un tiro por la mano y no pudo seguir tiroteando. Entonces lo tiroteo un francotirador que lo mato. Matasareanu solo fue parado cuando un oficial tiro por debajo de un vehículo a sus piernas y lo incapacito.

En lo que duro el tiroteo, la pareja había tirado 1,300 rondas, casi 300 oficiales de la ley habían respondido, a Phillips le dieron 11 veces, y a Matasareanu le dieron 29 y se murio de perdida de sangre.

El Robo de Joyería de Troy y Dino

Troy y Dino Smith eran hermanos que robaban para pagar un estilo de vida de fiesta y lujuria. Dondequiera que iban, iban duros, incluyendo invadiendo y robando a traficantes de cocaína.

Conocidos por ser lo suficientemente listos para ganar casos por detalles técnicos o escaparse de policías escondiendo llaves para esposas en sus calzoncillos, evitaron ser capturados por 20 años.

En las horas tempranas del día, Troy y Dino Smith, con la ayuda de dos mas, se metieron en un restaurante en San Francisco que estaba cerrado. Pero su blanco no era el restaurante, era al lado.

Entonces hicieron un roto en la pared conectando el restaurante y Lang Estate Jewelry Store cerca del Union Square de San Francisco. Los cuatro se escondieron en el baño esperando que llegaran los empleados para abrir el negocio.

Cuando llegaron los empleados Troy y Dino entraron en acción y los amarraron. Después de forzar que el gerente abriera la caja fuerte, empezaron a llenar sus bolsas de joyería.

Se escaparon con $6 millones en joyas – el robo mas grande en la historia de San Francisco.

Cual fue la diferencia entre estos dos casos?

Que no anticiparon los de North Hollywood?

Cual acercamiento fue mas exitoso: el de armadura fuerte, o el que fue mas suave?

Planea para problemas o tenlos.

Haz el Conocimiento

Murciélagos

Los murciélagos evitan obstáculos y agarran insectos emitiendo chirridos ultrasónicos e interpretando el echo que hace el sonido después de rebotar de los objetos en el ambiente. Este sonar biológico, llamado ecolocación, también es usado por delfines para navegar por aguas sucias.

Tiburones

Nunca juegues al escondite con un tiburón porque perderás. Tiburones tienes células especiales en sus cerebros que son sensitivos a los campos eléctricos que otras criaturas generan. Esta habilidad esta tan refinada en algunos tiburones que pueden encontrar un pescado escondiéndose bajo arena por las señales eléctricas sus músculos emiten.

Serpientes

Órganos que son sensitivos a temperatura, entre los ojos y narices de boas y víboras permiten que sientan el calor de cuerpo de su presa. Tienen uno en cada lado de su cabeza, así que pueden percibir profundidad y pueden atacar con precisión mortal hasta en la oscuridad completa.

Una serpiente chasqueando su lengua usualmente esta oliendo su ambiente. Una serpiente usa su lengua para coleccionar partículas en el aire. La lengua cubierta es metida a unos huecos especiales que tienen en el techo de la boca. Ahí los olores son procesados y traducidos a señales eléctricas que se mandan al cerebro.

Aves

Los ojos de insectos y aves son afinados a longitudes de ondas de luz fuera del alcance visual en la que vemos los humanos. Aves que aparecen grises y pálidos a nosotros muchas veces son radiantes en colores que ni hemos nombrados cuando se ven en luz casi ultravioleta.

Muchas aves, especialmente aquellos que migran, pueden usar el campo magnético de la Tierra para mantener su curso durante vuelos largos. Científicos creen que estas aves puedan tener un sentido que las permiten ver las lineas magnéticas del planeta como patrones de color o luz sobrepuesto en su ambiente visual.

Gatos

Los gatos tienen una membrana que es como espejo detrás de sus ojos que los permite cazar y moverse en oscuridad casi completa. Esa membrana refleja luz después que haya pasado por la retina, dándole a los ojos otra oportunidad de ver mientras los fotones hacen su segundo viaje por el ojo.

Humanos

Y los humanos, la criatura mas inteligente en la Tierra? Como niños nos enseñaron que teníamos 5 sentidos (ver, oír, oler, tocar y probar) pero esa lección esta incompleta. Tenemos varios otros sentidos, muchas que estamos acabando de reconocer. Tenemos sentidos que nos dicen sobre temperatura, balance, y de acuerdo a algunas personas, sentido del futuro, pensamientos de otros y otras habilidades conocidas como los sentidos sextos y septimos. Oh, y que no nos olvidemos del sentido de humor, sentido común y sentido callejero.

Así que cuantos sentidos tu usas?

Puedes sentir cuando alguien esta detrás de ti?

Puedes sentir cuando alguien miente?

Sabes que buscar para saber si una chica es tu tipo?

No botes tus sentidos quedándote ciego e inconsciente de la realidad.

Enfermedades Mentales en Nuestras Comunidades

Estas enfermo mentalmente? Quizás tu no, pero lo mas seguro alguien que conoces esta tratando unas situaciones serias...y ni lo saben. Lo siguiente cubre unos aspectos de la historia de la enfermedad mental en nuestra comunidad.

Mientras lea esto, piensa en ti y en la gente que conoces.

Negritud

Benjamin Rush era el racista conocido como el padre de la psiquiatría Estadounidense. Su cara todavía aparece en el sello de la 'American Psychiatric Association'. Rush acertó que el color de los negros vino de una enfermedad llamada 'negritud' que había derivado de la lepra. La evidencia de una cura seria cuando la piel se volviera blanca.

Drapetomania

Otro doctor, Samuel Cartwright, dijo haber descubierto dos enfermedades mentales particular a los negros, los cuales el pensaba justificaba la esclavitud. El primero, drapetomania, fue nombrado en honor a Drapetes, un esclavo escapado. Cartwright dijo que esta enfermedad causaba que los negros tuvieran un sentido incontrolable de escaparse de sus dueños. El tratamiento para esta enfermedad era azotarlos hasta sacarle el diablo.

Dysaesthesia aethiopis

Cartwright nombro una segunda enfermedad, dysaesthesia aethiopis. Esta enfermedad se suponía afectaba el cuerpo y la mente de los negros. Los síntomas incluían desobediencia, contestando y rehusando trabajar. Su cura era forzar a la persona a trabajo fuerte, lo que mandaría sangre revitalizada al cerebro dándole libertad a la mente.

En la era moderna, estas desordenes

Lo Sabias?

Los Españoles literalmente azotaban para sacarle el idioma a la gente indígena y los esforzaba a hablar el Español. Se les pegaba en las calles de Ciudad México y otras ciudades de Latino América hasta que hablaran Español. Esto era muy similar a lo que paso con los esclavos Africanos que trajeron a los EE.UU., que fueron azotados hasta dejar de hablar sus idiomas y hablaran ingles.

inventadas han sido reemplazadas con unas nuevas. Estas nuevas son tan populares entre doctores diagnosticando niños negros que los anteriores entre doctores de esclavos. Son el ADHD y el ODD, y en vez de azote y trabajos forzados, los nuevos tratamientos son medicamentos que mantienen a los niños como zombis complacientes. Y no nos olvidemos que no tenemos idea como saldrán estos niños en 20 años, ya que los tratamientos son tan nuevos.

"Todos los problemas del mundo se atienen al hecho que el hombre no se puede estar quieto en un cuarto."
Blaise Pascal (1623-1662)

ADHD, básicamente es que uno no se puede sentar quieto ni poner atención por mucho tiempo. Si te criaste con el televisor como tu niñera, y nunca aprendiste a sentarte solo y leer un libro por mas de una hora, eres candidato. El problema es que eso es como la mayoría de los muchachos se crían hoy día. No se preocupen, la Ritalina y otras drogas están aquí para atontar a uno y ayudar a uno "ser normal."

ODD, básicamente quiere decir problemas con la autoridad. Como he dicho en otros sitios, cualquier persona que sea miembro de la clase oprimida tendrá un espíritu de resentimiento y frustración hacia los encargados. Millones de personas, Negros, Rojos, Amarillos, y hasta algunos Blancos enfadados, nacen con este espíritu de resistencia, y pelearan hasta que una de estas tres cosas pasan:

Son domados como esclavo o caballo, y condicionado a ser un nene bueno.

Pelean hasta la auto-destrucción (muerte, cárcel, adicción, o loquera).

Aprenden cual es la razón porque tiene ese coraje y pelean la única pelea que vale la pena, la pelea por la libertad.

No importa en cual dirección vayas, ellos tienen una solución fácil para los niños rebeldes. O te mandan a una escuela alternativa o te meten drogas (medicamentos) hasta que te pongas pasivo, obediente, y preparado a hacer lo que ellos te digan.

Desorden Post-traumático de la Esclavitud

Una desorden post-traumático es un problema de salud mental que resulta de haber pasado una fuerte prueba de estrés, como ser violada o pelear en una guerra. A veces se manifiesta en depresión, enojo inexplicable y dificultad viviendo la vida diaria. No solo eso, pero usualmente no se diagnostica.

En su libro, "Lay My Burden Down...", los siquiatras veteranos Alvin Poussaint y Amy Alexander argumentan que los Negros en América continúan sufriendo una crisis de salud mental que resulto de la esclavitud. Mientras las cosas aparentan mejorar para los Negros financieramente, los autores están de acuerdo que las cosas van empeorando psicológicamente:

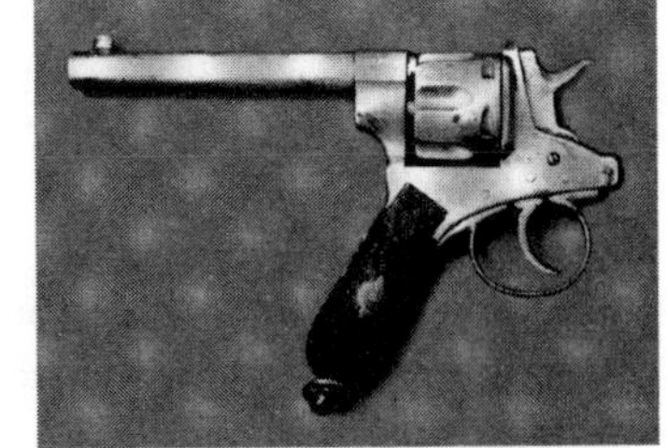

> Los efectos psicológicos de lo que le llaman síndrome de la esclavitud post-traumático que los Negros han podido mantener lejos por tanto tiempo, finalmente los van alcanzando ahora, 135 años después del final de la esclavitud. Añádele a eso el legado potente de deshumanizar, incluyendo estereotipos de negros como criaturas suaves, con falta de inteligencia y emocionalmente sencillos – expresado hoy día en programas en UPN y BET – y el crisis mental aparece inevitable.
>
> "Sin duda que una gran fuerza permitió que la gente Negra sobreviviera la esclavitud y la discriminación, pero la noción que los hombres y las mujeres negras pueden fácilmente con aquello que aplastaría a otra gente, ha sido exagerada," escriben los autores. "El precio emocional que han pagado para poder pasar ese estrés increíble, ha sido demasiado ignorado y disminuido, eso ha retrasado el desarrollo de servicios de salud mental para la comunidad Negra."

Y ya sabes quien la esta pasando peor:

> Y adivina quien tiene el nivel mas alto de encarcelamiento, uso de drogas y desempleo? Hombres jóvenes Negros, por supuesto, los soldados de la nación del hip hop, que entre las estadísticas preocupante, se les espera que sigan adelante los sueños y expectativas de la comunidad negra. La realidad es que demasiados de ellos fracasan al tratar de llenar las expectativas – o encuentran que aun el éxito material no les mitigue la desesperación – así que no es sorprendente que ellos son los que mas están sufriendo en la crisis de salud mental de hoy día.

El Sindrome de Willie Lynch

Si has visto la película 'Animal' con Ving Rhames, ya sabes algo del discurso de Willie Lynch. No se si de verdad había tal hombre con tal plan, pero si se que ese plan es verídico hoy día.

Te sugiero que leas el discurso tu mismo, solo para que entiendas lo profundo que es. La peor parte es que ha funcionado demasiado bien y continua funcionando. Nosotros lo mantenemos funcionando con la continuación de peleas y disgusto por pequeñas diferencias, y esas diferencias las notamos porque las traen a nuestra atención a propósito.

Piensa lo estúpido que es para la gente Negra tener disgustos entre ellos por el color de piel, mas cuando consideramos como llegamos a tener todas estas variedades.

"(Soy Negro!) Sea pobre o rico o rico o pobre, es la misma mierda.
(Soy Negro!) Aunque mi piel es un poco mas clara.
Solo quiere decir que mis antepasados fueron violados por un Blanco."
Styles P, "I'm Black"

Piensa en la brecha que esta creciendo entre Negros pobres y de la clase media. No confiamos el uno en el otro, no vemos como podemos trabajar juntos y sentimos que no tenemos nada en común. Y en las comunidades pobres, peleamos basado en cual es nuestro vecindario. No somos dueños de ni una calle o de ningún bloque, pero representamos zonas y distritos como si en verdad fueran nuestros. Carajo, en ciertas ciudades puedes morir solo por el hecho de que eres del vecindario equivocado. Pero todos somos Negros, y sufriendo por las mismas razones. Ahora dime que eso no es estar enfermo.

Retardados

De acuerdo a la definición de retardado, muchos lo somos. Retardado quiere decir lento o retrasado en desarrollo, o atrasado. Si tienes 30 años y todavía vives con tu mama, eres retardado. Si tienes cuatro hijos y rehusás quedarte en tu casa para criarlos, eres retardado. Si eres un adulto que necesitas trabajo y no sabes escribir un resume o como presupuestar tu dinero, eres retardado. Y si eres Negro y no sabes (o no te importa saber) algo de tu gente y tu historia, eres definitivamente retardado.

El Síndrome del Nene de Mama

En su libro "The Isis Papers", Dra. Frances Cress Welsing, propone unas cuantas teorías que hablan del simbolismo psicológico del racismo y supremacía blanca. Ella examina unos cuantos tópicos, tales como:

- ❒ El como la gente blanca le temen al ser destruido genéticamente por ligarse con otras razas, así que crean sistemas racistas para mantenerse encima de los demás.
- ❒ Como esas ideas racistas están profundamente arraigado en la psíquica blanca que se manifiesta de forma subconsciente y simbólica por todos lados.
- ❒ Como, por ejemplo, la forma de la pistola y misiles representa la fascinación del hombre blanco de usar el sexo como arma.
- ❒ Como el juego de billar representa la supremacía blanca.

Welsing explora muchos otros tópicos, pero de el que voy a hablar aquí es de los problemas psicológicos que afectan a nuestra comunidad. Ella explica que la palabra 'motherfucker' tiene unas raíces en nuestro subconsciente. Ella habla como los hombres negros están muy apegados a un estado de niñez, y aun cuando adultos quieren quedarse con sus mamas. Psicólogos lo llaman el complejo Oedipus, pero Welsing dice que de ahí sacamos la palabra 'motherfucker'. La película 'Baby Boy' es basada en esa idea.

Mentacida

"Mentacida" quieres decir matar al proceso de pensar normal, esencialmente matar a la mente de uno. Bobby E. Wright, en su libro 'The Psychopathic Racial Personality...', explica que somos "mentacidal" porque siempre estamos envueltos en actitudes y comportamiento psicológico de autodestrucción.

Por ejemplo, en 'Mentacide', Baruti escribe:

> Es mentacida creer que somos iguales (o merecedores de ser igual) simplemente porque hemos acumulado algunas baratijas. O porque nos caen migas de la mesa del dueño, o tenemos algunos hijos del dueño, quienes se benefician psicológicamente y materialmente de nuestra explotación (aunque ellos estén consciente de eso o no), quienes están dispuestos a jugar con nosotros.

Odio Propio

Odias mirar el hombre en el espejo? Todo sobre ti te molesta? Quisieras ser otra persona, cualquier persona? Pues tienes un serio caso de odio propio. Si no estas seguro, vea '10 Señales Que Te Odias'.

Síndrome de Stockholm

La razón mas profunda porque la gente de color aman tanto a los blancos se puede encontrar en dos libros: 'Wretched of the Earth' de Frantz Fanon y 'Pedagogy of the Oppressed' de Paolo Friere.

Se conoce como el síndrome de Stockholm. Es una reacción psicológica que a veces se ve en un rehén secuestrado, en la cual el rehén enseña signos de lealtad al secuestrador, no importa el peligro (o riesgo) que fuese puesto el rehén. El síndrome esta nombrado por un robo de banco en Stocholm, Suecia, en la cual los que robaban tomaron rehenes por seis días en 1973. En ese caso, las victimas se ataron emocionalmente a sus secuestradores, y hasta los defendieron después de ser librados.

La gente Negra fueron secuestrados por mucho mas que seis días, así que te puedes imaginar que los síntomas son mas intensos. Especialmente cuando consideras como somos constantemente recordados que ellos son mejores y nosotros somos inferiores. Después de 400 años, no solo te gusta tu victimario, y no solo queras ser como el, y no solo simpatizaras con el y compartir sus ideas, pero trataras de ser como el o peor.

Siendo oprimidos, eventualmente queremos identificarnos con el opresor como una forma de no sentirnos tan oprimidos. Pretendiendo a participar en su lado de la verja, terminamos nuestra miseria con la opresión (en nuestra imaginación). Eventualmente, de verdad participamos sutil y abiertamente en actos opresivos contra otros, contra los nuestros y hasta contra nosotros mismos.

"Un hombre que es de mente sanaes uno que mantiene el loco por dentro encerrado."
Paul Valery (1871-1945)

Esclavitud Sicologica

Na'im Akbar, en su libro 'Breaking the Chains of Psychological Slavery', habla de como la esclavitud nunca nos ha dejado. Ademas del sistema de cárceles, hay otra forma de esclavitud destruyendo nuestra gente. Después de que se nos quitaron las cadenas de las piernas y brazos, fueron puestas en nuestras mentes.

Hoy nos esclavisamos nosotros mismos.

Síndrome del Creyente Verdadero

El síndrome del creyente verdadero es una desorden cognitiva que la conocen la mayoría de los psicólogos como disonancia cognitiva. El termino se usa para la gente que siguen creyendo en psíquicos y lideres de cultos, aun después que les enseñan evidencia de que son fraudes.

Se ve mucho en las iglesias y organizaciones Negras que siguen creyendo en sus lideres aun después que son expuestos como pillos y charlatanes. Un ejemplo es el Bishop Weeks, el pastor que públicamente le pego a su mujer, la reverenda Juanita Bynum. Weeks todavía mantiene muchos seguidores, todos que creen su excusa de que estaba poseído por el diablo.

En un mundo diseñado para quitarnos la mente, no podemos ser locos.

Peliculas Para Ver

Baby Boy

Un cuento de un joven Negro que rehusá crecer y aceptar responsabilidades. Ya mencione esta película así que dejare que el estrella de la película te diga de que se trata. "Quien se pica, ajos come. En serio," dijo la estrella Tyrese Gibson. "Si no puedes relacionar con el, pues bien, pero conoces a alguien que es así. No mientas. No puedes decir que nunca has estado expuesto a alguien que vive ese tipo de vida."

Omar Gooding, co-estrella, dijo que es difícil hacer que los nenes de mama vean la realidad de sus situaciones.

"Llevé un grupo de amigos para ver la película y cuando se acabo estaban como, 'wow, ese era yo, de veras lo sentí,'" dijo Gooding. "Pero otros muchachos, les podia ver la mentalidad, no estaban como, 'ese era yo' (con cara de vergüenza) era mas como 'si! ese era yo!' (con cara de felicidad). Así que todavía tenían la mentalidad del nene de mama. Y yo estaba como, 'no entendiste?'

Encuentra los Escondites

Este es Sammy el tracalero trabajando. Aquí tienes una actividad. Puedes mirar el dibujo y figurar donde Sammy esconde su producto? Tienes 10 minutos.

Contestaciones

- ❒ No esta en su boca, ni en su persona. Eso seria estúpido.
- ❒ No esta en esa lata de pintura llena de ácido de batería, pero allí la puede tirar si viene el policía.

- ❒ Puede que este en una rama del árbol o en el hueco.
- ❒ Puede que este en una de esas ruedas viejas al lado de la verja.
- ❒ Puede que este en la banda de metal arriba de la ventana.
- ❒ Puede estar detrás de la cara del radio.
- ❒ Puede estar detrás de el ladrillo suelto que hay arriba de el.
- ❒ Puede estar debajo de la piedra al lado del árbol.
- ❒ Puede estar debajo de uno de los cantos rotos de la cera donde esta parado.
- ❒ Puede que este dentro de la tienda donde el hizo un arreglo con el dueño.
- ❒ Puede que este en el carro en el otro lado del bloque, y puede que este mandando un texto al asistente para que le traiga algo.

En realidad, no hay producto por ningún lado en este dibujo. Sammy se salio de la tracala hacen dos años. Ahora su brega es la de bienes raíces. Esta mandando un texto a un cliente sobre el canto vacante donde esta parado, lo va a vender por $26,000.

Mira mas allá de lo ordinario.
El hombre que no puede pensar fuera de la caja nunca sale de ella.

El Equipo Supremo

Lo mas seguro que has oído mencionar a Kenneth 'Supreme' McGriff, o has visto su episodio de 'American Gangster' en BET, o sabes de el por medio de el drama entre 50 Cent y Murder Inc., lo cual fue financiada por Supreme. Es mas, en la película y el libro de 50 Cent el representa a Supreme como el personaje de Majestic.

Supreme y su sobrino Gerald 'Prince' Miller, se alega, eran los jefes de el grupo Supreme Team, quien controlaban el narcotrafico en Jamaica, Queens en los 80s. Dicen que ellos eran 200 y que su estructura de organización era como la Mafia. Estoy seguro que has escuchado de ellos. Y si vieron el episodio en BET, quizás vistes algunas cosas que otros no vieron.

Por ejemplo, Supreme y Prince eran Five Percenters. Es mas, la mayoría de la gente al empezar el equipo lo eran. Pero los demás Five Percenters no aprobaban de lo que Supreme y su equipo se estaban metiendo al negocio de las drogas. Eso era contra lo que los Dioses y Tierras representaban. Pero Supreme quería hacer lo que quería, igual los otros.

Otra cosa que quizás notaste era que Supreme y muchos de los otros se criaron en un buen vecindario. Es mas, uno de los tenientes, Ronald 'Tuck' Tucker, dijo: "Si las drogas no estuvieran en la comunidad,

Jamaica, Queens pudo haber sido un sitio bello para vivir. Pero las drogas eran fácil de conseguir y se hacia dinero rápido. Como un muchacho de 17 años mis pensamientos eran: Para que ir para la escuela cuando estoy haciendo mas dinero que el presidente de la junta de educación?"

De nuevo, Tuck, igual que los demás, hizo lo que el quería hacer.

"Es el de la clase media tratando de vender drogas.
Lo agarran, se vuelve puta y chotea a los demás.
No eras pobre, no vivías en la trampa.
No tuviste que volverte chota no lo hacemos así."
David Banner, "B.A.N.(The Love Song)

No creo que sea mas claro que lo que dijo otro teniente del equipo, Waverly 'Teddy' Coleman, en una entrevista en Don Diva Magazine:

> Estando con el Supreme Team era cosa de estatus. Yo crecí en un buen hogar. Solo estuve demasiado atraído a ese estilo de vida, y era algo que quería hacer. Hacia mas dinero antes de juntarme al equipo. Pero era un movimiento a la cual quería pertenecer. A ellos le daban un respeto que intoxicaba.

El tipo se llamaba Waverly! Tu sabes que no viene del bario! Pero como el dijo, quería ser parte. Hoy día, Supreme, Prince y la mayoría de los tenientes (incluyendo a Tuck y Teddy) están cumpliendo sentencias de doble dígitos en cárceles federales. No recibieron lo que querían a largo plazo, lo que recibieron fueron unos beneficios de muy corto plazo. Y comoquiera la tendencia sigue hoy día.

Esa mierda me mata. Cada minuto hay un nuevo tracalero en la calle que no tiene nada que ver allí. En la casa tiene comida caliente esperándolo, un dormitorio grande, cable, y hasta dos padres decentes tratando de empujarlo por el buen camino. Pero a ese pendejo no le importa. El se cree pobre y sin esperanzas, así que se tira a la calle con gente que no tienen la mitad de lo que el tiene. Ellos lo miran como, "Tonto, vete a la escuela...puedes hacer mejor que esto!" Pero el no esta mirando sus necesidades, a el solo le importa sus deseos. Y por pendejo quiere ser parte de *La Brega.*

Y así es que buenos vecindarios Negros como Jamaica, Queens bajan hasta lo mas bajo. Pero a quien le importa, verdad? Haz lo que quieres, no?

Debes saber la diferencia entre tus deseos y tus necesidades, y vivir por tus necesidades.

Reviso

El principio para este capitulo era **La Mente Sobre lo Material:** Se consciente. Examina lo que sabes, y porque lo sabes. Se quien eres y hacia donde vas.

Aquí están los principios y lecciones que cubrimos en este capitulo:

Conocimiento
No botes tus sentidos estando ciego e inconsciente a la realidad.
Inspecciona e investigue. Siempre sera en tu mejor interés.
El conocimiento es poder. Por eso los que están en el poder Conocen, mientras los impedidos creen lo que les dicen.
Si estas en un juego que no puedes ganar...transciende.
Prevision
Planea para problemas o los tendra.
Identidad
Se tu, no lo que ellos quieran que seas.
Saber quien eres es clave en saber quien seras.
Empieza por tener orgullo en tu Negrura.
No puedes fracasar siendo tu mismo.
Independencia
Un hombre verdadero no teme pararse solo.
Los débiles y frágiles necesitan andar en grupos.
Aprendizaje
Uno solo aprende lo que uno mismo se enseña.
Pueden aprender por escuchar o por caerse en el trasero. Pero la vida te enseña la lección después de fallar.
Perspectiva
Se trata de ti...pero también es mas grande que eso. Tu lucha es parte de una lucha global.
Mira mas allá de lo ordinario. El hombre que no puede pensar fuera de la caja nunca sale de ella.
Lo que es 'real' a veces es lo que le han dicho otros. Encuentra la realidad por ti mismo.
Prioridades
Debes saber la diferencia entre tus deseos y tus necesidades, y vivir basado en tus necesidades.
Mantente fuerte pero flexible.
Proposito
Todo tiene propósito. Hasta las debilidades pueden ser fuerzas escondidas.
No es donde, ni como, empiezas, se trata de donde terminas.
Muchos tenemos un potencial increíble...demasiados la botan.
Responsabilidad
Al final del dia, esta todo en ti.
Nada te pasa. Todo lo que te sucede es porque lo permites o lo causaste.
Sensibilidad
Una persona estúpida no se ayuda ni a si mismo.
En un mundo diseñado a quitarnos las mentes, no es permitido ser loco.
Vision
Nadie sube a expectativas bajas.

Haz Lo Que Dices

MANIFESTACIÓN Y PRESENTACIÓN

"Tu carácter verdadero es revelado por la claridad de tus convicciones, lo que decides escoger y las promesas que mantienes. Agarrate fuerte a tus principios y rehusá seguir las corrientes de conveniencia. Lo que dices y haces define quien eres, y quien eres...lo eres para siempre."

Cuando fue la ultima vez que te dijeron algo que resulto ser mentira? Dependiendo de la seriedad de la situación, probablemente cambio como sentías hacia la persona, verdad? Después de un tiempo, quizás te olvidaste de la mentira. Que si te enterraste que te mintieron de nuevo? Ahora son mentirosos de acuerdo a ti, verdad?

Algunos vivimos mentiras. Algunos estamos tan lleno de falsedades que no sabemos donde termina lo real y empieza lo falso. Hay otros que no viven por si, o no viven hasta su potencial, así que somos falsos de otras maneras.

Mucho de esto tiene que ver con lo que piensa la gente de ti. La gente miente y se comportan de cierta forma para afectar como la gente los ve. La gente hacen las cosas a media porque no esperan de ellos mismos tanto como otros esperan de ellos. Como sea, no somos estúpidos. Lo estamos haciendo por una razón, aunque estemos consciente de ella o no. La pregunta es: Estas logrando lo que quieres? Tus palabras, tu forma, tus acciones...te traen los resultados que deseas?

Vamos a mirar lo que decimos, lo que hacemos, como nos comportamos, y como afecta nuestro diario vivir. Mientras creces gradualmente iras eliminando lo que no te hace bien.

Suena fácil, pero usualmente, el mentiroso ni sabe que es mentiroso.

EXAMEN 2: ENFOQUE DE LA VIDA Y SITUACIONES

1. Si le digo a alguien que los veo en diez minutos, yo...

a. probablemente llegaréue tarde.
b. quizás me envuelvo y me olvido de ellos.
c. aseguro salir temprano para no llegar tarde.
d. ya se que me tomara 15 minutos o mas.

2. Cuando le hablo a alguien que me gusta, yo...

a. dejo que ellos hablen.
b. empiezo hablar de sexo lo antes posible.
c. le digo lo que quiero decirle.
d. le digo lo que creo que quieren escuchar.

3. La gente se cree que yo soy...

a. un embrollo.
b. un loco de mierda.
c. una persona seria.
d. lo que yo quiero que crean.

4. Si yo haría mil dolares hoy, yo...

a. probablemente no sabría que hacer con el.
b. lo gastaría todo en joder.
c. lo guardaría o lo invertiría.
d. le diría a todos que era rico.

5. Si alguien me dice que estoy jodiéndome la vida, yo...

a. pienso que joderse no es tan malo.
b. les digo que se preocupen por ellos.
c. les escucho si tiene sentido.
d. me hago el que escucho y me río de ellos luego.

6. Cuando estoy alrededor de gente que respeto, yo...

a. espero que se fijen en mi.
b. me aseguro que yo sobresalga.
c. actúo como siempre lo hago.
d. trato de emularlos.

7. Mi dicho favorito (de estos aquí) es...

a. no lo sabia.
b. no me importa un carajo.
c. te escucho.
d. quiero hacer eso.

Explicación

Esta bien, diferentes preguntas, diferentes contestaciones...eso quiere decir diferentes resultados, por supuesto. De nuevo vas a mirar cual contestación escogiste mas que las otras. Este capitulo tiene que ver con comportamientos. Así que si no te gusta lo que encuentras, no es imposible cambiarlo.

Muchas As: Los "Incompetentes" Estas contestaciones describen a alguien que suele no hacer lo correcto. No quiere decir que solo hacen mala decisiones. Quiere decir que esta gente pasan mucho tiempo sin saber que hacer, y por eso escogen mal. A veces a estos individuos les caen buenas situaciones pero aun entonces no están seguros como llegaron a ellos ni como hacer que pase de nuevo.

Muchas Bs: Los "Ignorantes" Estas contestaciones describen a alguien que vive como si no le importara. Aunque cualquier ejercito necesita soldados así, un cañón suelto puede ser peligroso. A veces estos individuos también se les hace difícil figurar las cosas, pero actúan de manera descuidada e ignorante, así aparentan que no les importa. Aunque aparecen fuertes, sienten que tienen que actuar así porque la vida se les hace difícil.

Muchas Cs: Los "Intencionales" Estas contestaciones describen a alguien que usualmente tiene un proposito en las palabras, formas y acciones que escogen. Quizás no siempre sean las opciones mas populares, pero son diseñadas intencionalmente para traerles los resultados deseados. Estos individuos usualmente se encuentran en situaciones menos estúpidas que los demás.

Muchas Ds: Los "Impostores" Estas contestaciones describen a alguien que quiere aparentar ser de cierta manera, sea o no sea su manera de ser. Casi siempre se conciernen tanto con como los ve los demás que se les olvida quienes son o que en verdad quieren hacer. Estas personas no dicen lo que quieren decir ni quieren decir lo que dicen. Como resultado es difícil confiar en ellos.

No gastare mucho tiempo en cada capitulo explicando que pueden hacer con estos resultados. Si no te gusta lo que encontraste, mejorate. Si no estas de acuerdo con lo dicho, prueba que esta mal. Como sea, las paginas siguientes te ofrecerán revelaciones a que hacer con cualquiera de los dos.

El Segundo Principio

"Manifestación y Presentación" quiere decir: Una vez sepas mejor, haz mejor, habla mejor, escoge mejor y vive mejor.

Que Aprenderás

- ❒ Porque nuestra gente todavía se venden.
- ❒ Como mantenerte fuera de problemas sin tener que mentir.
- ❒ Que acciones te hacen ver mal, y cuales simplemente son malas para ti.
- ❒ Como comunicarse efectivamente para hacer cualquier brega exitosa.
- ❒ Que *realmente* quieren decir las palabras que usamos.
- ❒ Porque el gobierno le teme tanto a hombres Negros *verdaderos.*
- ❒ Como aprender de todos los errores de la vida.
- ❒ Cual es la diferencia entre bregadores y bobos, ganadores y perdedores, pandilleros y guerreros.
- ❒ Como sacarle lo máximo de la vida y sus experiencias.
- ❒ De que se trata ser un hombre.

Deja de Chotear

Hay mucha gente decente en nuestras comunidades que están enfadados con la campaña de "Deja de Soplar". Se creen que la comunidad urbana esta amenazando a todo en la comunidad a quedarse callados sobre los crímenes que están pasando. De eso no se trata, al menos que seas un idiota como Cam'ron (vea 'Deja de Mentir').

Hay algo que debes entender de soplones. Eso es, que el soplon mas común no es la vieja que teme salir de su casa por los narcos afuera de su casa. El soplon mas común es uno de esos narcos.

Entre los Triads de los Chinos, hay un juramento de sangre en la iniciación de nuevos miembros que dice: "Si soy arrestado después de cometer alguna ofensa, tengo que aceptar mi castigo y no implicar a mis hermanos. Si lo hago, me mataran 5 rayos." Si sabes algo de los Triads, te imaginas que son esos rayos.

En la Mafia Italiana, hay un código que se conoce como Omerta. Básicamente, quiere decir que te quedas callado cuando te agarran. Haces tu condena y sales con el respeto de no haber vendido a los de tu familia. Eso esta difícil conseguirlo en nuestras comunidades, no? A un ritmo alarmante, la gente están soplando. Quienes? No son los viejos preocupados ni los que velan por el vecindario, sino por sus supuestos camaradas.

Primeramente, los ancianos y grupos comunitarios necesitan estar preocupados por las condiciones que llevan a muchos de los jóvenes al crimen. En vez de estar juzgando y condenando los mientras el 911 los tienen en espera. Al menos deben estar hablando con esos jóvenes sin ponerlos abajo, quizás ofrecerles algún consejo o una mano para que vayan por buen camino. Aun mejor, pueden coger esa preocupación y usarla para pelear para cambiar las condiciones que llevan a gente como tu y yo a bajar por el mal camino. Como quiera que sea, no importa que hagan, ellos no son el problema.

El problema es que si yo te vendo una onza de marihuana y a ti te agarran, puedes soplar para salir libre, después que yo vaya preso. Es mas, puedes mentir y decir que yo te vendí marihuana aunque no lo hice. Después que yo caiga preso, tu puedes volver a la calle libre.

Todos sabemos que paso cuando a un supuesto pandillero lo agarran con todo tipo de armas y drogas y en par de meses anda suelto por ahí. Al poco tiempo, empiezan a caer todos sus viejos amigos y socios. Eso no es solo falta de honor, es despreciable...vil. Si eres un criminal, toma responsabilidad! No vendas al prójimo para que tu no tengas que sufrir!

Mira a la mayoría de los pandilleros Negros grandes que fueron agarrados por todo lo sucio que han hecho durante sus carreras de 20 – 30 años en el crimen organizado. Que hicieron? Soplaron! Y soplaron! Y soplaron! Y que ganaron con eso? Cinco, quizás diez años menos? Gran cosa.

Solo te enseña cuan egoísta puede ser alguna gente y la cantidad de fe que puedes tener en los que hacen lo sucio contigo. A donde empezó esto?

Si me preguntas a mi empezó desde la esclavitud (vea 'Vela a los Vendidos'). Cuantas revueltas de esclavos exitosas hubieron? Puedo pensar en dos. Nat Turner y Toussant L'Overtoure. Y aun esos dos, al final, fueron vendidos por los de ellos.

Hubieron cientos, sino miles, de revueltas de esclavos que fueron terminadas o aplastadas instantáneamente porque algún esclavo pendejo vendió a sus hermanos y hermanas. Esa gente brava y corajudos se alzaban a pelear contra sus amos por su libertad, pero casi siempre había algun esclavo traidor que le decía al amo lo que esos "esclavos intratables" se estaban tramando.

La peor parte es, que casi siempre era algún esclavo de campo, los que sufrían mas bajo la esclavitud. Atropellados, azotados, y trabajados hasta estar exhausto. Aun sus hijos trabajaban bajo el sol caliente. Pero estos soplones se creían que si vendían a sus compañeros, los amos le darían algún premio. Que le daban? Libertad? Mierda! Usualmente, no le daban mas que un toque en la cabeza y el alabo de ser un buen negro.

Hoy día nuestros hombres fuertes son vendidos por los que son débiles. Eso va con los que están haciendo buena plata, ademas de los que pelean por la verdad. Porque? Porque los dos tienen el poder de perturbar las cosas en esta sociedad. Si los que bregan se juntaran con los activistas, y pusieran de su dinero, sus soldados, y su sabiduría...ni puedo empezar a decir lo que pasaría.

Y por eso siguen existiendo los soplones.

Ten honor, no vendas a los tuyos.

Soplando Se Uno Mismo

Si no has escuchado de esta organización, probablemente no necesitas saber de ella, así que no voy a nombrar nombres. Los llamare ODD (Organización De Dinero). ODD era uno de los sindicatos de crimen Negros mas grande de nuestros tiempos. Los dos jefes de la organización lo hacían en grande, empezaron vendiendo 50 trozos de crack en la secundaria en los 80s, y llegaron a un imperio que cubría 11 estados en el 2006, ganando mas de $270 millones de la venta de cocaína.

El único problema, además de las drogas y matanzas, era que estos dos no podían mantener un perfil bajo. Los criminales blancos, haciendo lo mismo, tienen negocios modestos como restaurantes, que usan de frente y viven vidas discretas con sus familias, en simples, pero carras, subdivisiones. Tratan de evitar atención innecesaria. Pero estos dos no, tenían uno de sus jefes apareciendo en videos de música con mesas lleno de dinero, y también tenían carteleras anunciando su presencia.

Es como que se estaban soplando a ellos mismos. Dondequiera que iban enseñaban su dinero, gastando $50,000 por noche en cualquier club de striptease que visitaran. Manejando Ferraris y Lamborghinis, y viviendo en mansiones. De donde se suponía que saliera este dinero? ODD tenía dos frentes, una casa disquera que todavía no había sacado ningún disco exitoso y una concesión de autos exóticos que en verdad no era frente ya que estaban usando los autos para enviar drogas. De verdad, que esperaban estos tipos, poder gritar ODD mientras enseñaban joyería con valor de millones sin que unos de los policías alfabéticos (FBI, ATF, DEA) se diera cuenta?

Por supuesto paso lo inevitable. En Octubre del 2006, los dos jefes de ODD, juntos a siete miembros mas, fueron acusados y arrestados por traficar drogas. En Julio del 2007, 16 más fueron acusados. Hasta un socio mio fue enredado en el lió, solo por haber hablado por el teléfono con algunos miembros de la ODD.

"El gobierno esta un paso mas cerca a erradicar uno de las mas violentas y notorias organizaciones narcotraficantes hoy día," dijo un agente especial de la DEA. "(ODD) creo caos de costa a costa. Su imagen atrevida y reputación de cojonudos los llevo a los medios. Hoy estamos orgullosos de poner una nube negra sobre esa red criminal que una vez florecía."

"La Organización Dame Dinero una vez tenían carteleras... valientemente proclamando que el mundo era de ellos," dijo el Fiscal de los E.U.. "Este acuso es un rechazo a esa proclamación...El gobierno esta cerrando ese imperio de drogas."

Y desde que empezaron las acusaciones, casi todos los que gritaban ODD, cuando hacían que el dinero lloviera y abrían muchas botellas en los clubes...de pronto dejaron de gritar. Todos esos bocosos que gritaron ODD desde los techos, están tan callados, como el ratón, mientras sus lideres se sientan en su celdas esperando su destino.

No es siempre buena idea atraer atención hacia ti.

El Silencio es Dorado

Allah

El alcalde John Lindsay estaba caminando por las calles de Harlem con Allah, el líder de la Nación del 5% (vea parte 2). Los 5% era un grupo de jóvenes Negros y Hispanos que habían aceptado las enseñanzas de Allah que ellos se deberían ver como Dioses, y actuar así. Era un verano en los 60s y el movimiento de Allah estaba creciendo. El necesitaba la ayuda del alcalde para asegurar un edificio para sus jóvenes Dioses.

Mientras caminaban, Akim, uno de los jóvenes llego a donde Allah con un moto en la mano. Trato de pasárselo a Allah. Allah lo miro y después al moto. Le respondió, "Eso yo no lo hago."

Akim estaba confundido. Allah y el alcalde le habían pasado, pero el no se podía mover por lo que le había ocurrido. El sabia que Allah fumaba, es mas, el había fumado con el antes. Estaba Allah mintiendo? Estaba mintiendo porque estaba al frente del alcalde?

El pensó cuidadosamente. Era muy claro. Allah había dicho "Eso yo no lo hago." Y no lo hacia.

Fumar en una calle publica, especialmente al frente del alcalde? Cual persona inteligente haría semejante cosa?

Ahora Akim se sintió tonto. El paso el moto y se sentó a pensar como ser mas discreto.

Puedes ser honesto sin chismear se uno mismo.

Assata

Desde Mayo de 2005, la revolucionaria Assata Shakur ha sido clasificada como terrorista domestica por el FBI, quien ha ofrecido $1 millón de recompensa por ayudar a capturarla.

Assata Shakur, madrina de Tupac Shakur, era muy activa en el movimiento de Poder Negro durante los 1970s. Primero era miembro del Partido de Panteras Negras, y entonces fue de los más militantes Ejercito de Liberación Negra. Assata fue acusada con todos los crímenes que los fiscales pudieron hacer en su contra:

- acusada de robo a mano armado del Hotel Hilton en Nueva York, 1971 (caso despedido, 1977)
- acusada de robo de banco en Queens, 1971 (absuelta, 1976)
- acusada de robo de banco en el Bronx, 1972 (jurado dividido, 1973)
- acusada de secuestrar un vendedor de drogas, 1972 (absuelta, 1975)
- acusada de asesinato de un vendedor de drogas, 1973 (caso despedido, 1974)
- acusada de intento de asesinato de un policía, 1973 (caso despedido, 1974)

Ella le gano a todos esos casos de mierda. Finalmente, fue acusada con el asesinato de un policía estatal en 1973. La ironía es que a ella es la que planeaban a asesinar. Aunque había evidencia fuerte que ella fue tiroteada con sus manos en el aire, y que ella nunca disparo una pistola esa noche, fue convicta y condenada a vida mas 26 a 33 años, a ser servidos consecutivamente.

Por supuesto, Assata sufrió numerosos abusos mientras presa. Enferma y desnutrida, se hubiese muerto en prisión, pero en Noviembre 2, 1979, ella escapo. Assata fue rescatada de el 'Clinton Correctional Facility for Women', bajo circunstancias desconocidas. Lo poco que se sabe es que tres miembros del Ejercito de Liberación Negra entraron a la prisión armados y la sacaron.

Nadie, incluyendo a los guardias, fueron heridos durante el escape. Acusados de asistir en su escape fue su hermano, Mutulu Shakur, padrastro de Tupac Shakur. Dos más fueron acusados. Parcialmente por su papel en el escape, Mutulu Shakur fue añadido a la lista de los más buscados por el FBI, donde se mantuvo por cuatro años hasta que fue capturado en 1986.

Después de su escape, Assata vivió como fugitiva por unos años. El FBI puso carteles por todo el área de Nueva York/Nueva Jersey. Mientras tanto, sus partidarios pusieron carteles que decían 'Assata Shakur es bienvenida aquí.'

Para Julio de 1980, el director del FBI William Webster se quejo que la búsqueda de Shakur no les iba bien porque los residentes locales rehusaban cooperar. Aun los soplones y adictos no estaban hablando.

"El silencio también es discurso."

Proverbio Fulfukle

Con la ayuda de sus partidarios, Shakur evito ser capturada por el FBI por cinco años. En 1984, Cuba le dio asilo político y ella se salio de la jurisdicción de los E.U..

Las semillas para la actitud revolucionaria de Assata fueron sembradas en su temprana juventud. En su autobiografía, Assata, ella escribe:

> Se suponía que yo fuera cortes y respetuosa hacia adultos, pero cuando se trataba de gente blanca en el sur segregado, mi abuela me decía, 'No respetes a nadie que no te respete a ti, me escuchas?'

Assata usa la mayoría de su libro, cual escribió mientras vivía en Cuba, explicando su filosofía como revolucionaria Negra en Estados Unidos.

Una cosa que no explica es como funcionaba el Ejercito de Liberación Negra. Ella también dice muy poco de los crímenes de que fue acusada. Finalmente, ella dice nada de su escape de prisión. No cuenta quien estuvo envuelto, como fue hecho ni como evito ser capturada.

Usualmente, la gente cuenta todo en sus autobiografías. Y como Assata estaba a salvo en Cuba, donde el gobierno Cubano la quería y jamas la volviera a los E.U., porque no contar esa historia? No quisiera decirle a todos como escapaste de la prisión? Especialmente si no tienes que preocuparte por meterte en problemas.

Porque Assata no cuenta esos detalles? Porque la gente que estaban envueltas, y pudieron ser muchos, no merecen eso. Assata Shakur no esta sola. Su lucha esta entrelazada con las vidas de un sin numero de otros. Aunque ella esta casi libre (viviendo en exilio), muchos otros que la ayudaron son prisioneros políticos. Muchos todavía están de fugitivos. Y aun otros se desconocen.

Recuerda, tu vida no es un hilo individual, colgando solo. Es parte de una tela inmensa, tejido tan fuertemente que un hilo no se puede remover sin dañar la tela completa.

También recuerda, sea tu vida o la vida de los demás que este en juego, debes ser discreto.

A veces es mejor mantener la boca cerrada.

Que Me Suba Los Pantalones?

En casi la misma manera que la NBA puso reglas que no se puede usar ropa deportiva, gafas de sol, gorras, o cadenas expuestas en eventos patrocinados por ellos, hombres Negros una vez más están siendo hechos blancos por su ropa. Esta vez, unos oficiales de ciudad y líderes comunitarios están tratando de prohibir pantalones caídos en ciudades por toda la nación. En una ciudad de Louisiana, el estilo carga multa de $500 o una pena de seis meses. El reclamo es que jóvenes están exponiendo sus cuerpos. Yo nunca he visto un hombre enseñar sus nalgas por pantalones caídos. Pero las leyes están ganando apoyo. Esta vez no es gente blanca tirando a los negros. La mayoría de la gente empujando por estas leyes nuevas son Negros. Son Negros, son viejos, y creen que la juventud se puede salvar por medio de amarrarse los cinturones.

"Lo mantengo pandillero, y porque debo cambiarlo?
Jodete viejo cabrón tratando de cambiar el rap.
Pero no eres el mismo que se se quedo callado cuando volvió la cocaína?"
Ice Cube, "Gangsta Rap Made Me Do It"

Aquí una pregunta: Respetas tus ancianos? No es tan simple, verdad? El joven normal en las calles de hoy respeta los ancianos que han ganado su respeto, pero no se va bajar frente a cualquier viejo que le cruce el camino y le diga que se suba los pantalones. Por que? Porque cuando un anciano nos dice que suba los pantalones, nunca nos preguntan porque los dejamos caer en primer lugar.

Dicen que es un estilo de prisión. Dicen que los homosexuales exponían sus nalgas para dejar saber a otros presos su disponibilidad. Eso puede ser verdad, pero la teoría me parece ser demasiado. Yo lo que se es que cuando caes preso te quitan el cinturón y los cordones de zapato. Así que muchos que acaban de salir de la cárcel no tienen cinturones para prevenir que sus pantalones cuelguen de sus nalgas.

No importa. Esos ancianos que condenan a los jóvenes, sus estilos, sus gustos musicales, sus valores – esos ancianos no se ofrecen para entender esos jóvenes, para ayudar esos jóvenes hacer dinero legal, para ayudar esos jóvenes con los problemas bastante adultos que tienen....básicamente, estos ancianos no respetan a los jóvenes.

Yo se como se siente un joven en el bloque cuando le llega un tipo viejo, que parece pastor, a decirle que se suba los pantalones sin tan siquiera preguntarle como esta. Porque yo era ese joven en el bloque. Y ese viejo nunca hizo nada por mí. Sus valores no eran mis valores. Su vida no era mi vida. Y su mundo, su realidad, su entendimiento, no era el mio.

La verdad es que la mayoría no sabemos porque usamos los pantalones caídos. Algunos lo hacemos para encajar con los demás. Algunos nos pasamos para atraer atención. La mayoría lo hace porque es el estilo. Es un estilo que comunica como jóvenes pobres se sienten sobre este mundo en que se encuentran, este mundo que los a abandonado, este mundo a quien ellos no les importa.

Presentándose al mundo de una forma que es inapropiado e inaceptable – o 'ghetto' – es otra forma de decirle a este mundo, "Besa me el culo."

No que todos lo que exhiben esos comportamientos son consciente de que se sienten así sobre el mundo. Muchos tienen el sentido que el mundo se caga en ellos, pero no pueden explicar el porque se sienten así.

Si yo le digo algo a alguien sobre sus pantalones, el mejor consejo que tengo es este: No se ponga nada tan suelto o caído que no puedas correr al ser necesario. Punto.

Se tu, pero no te veas tan estúpido que la gente correcta no te respeten.

26 Señales Que Te Mueres Por Atención

"Donde no hay vergüenza, no hay honor."
Proverbio Etiopía

Aquí una lista de cosas que la gente hace en público para dejar saber que se mueren por que los vean y escuchen. Si esto suena a ti, quiere decir que (a) no te importa que otra gente piense de ti porque esta sociedad no te ha dado mierda, o (b) estas tratando fuertemente que la gente de esta sociedad se den cuenta de ti, y pareciendo bien tonto en el proceso. Como sea, necesitas mejorar tu juego porque estoy cansado de ver a los que se portan como payasos.

1. Tratas de hablarle a alguna muchacha, o la agarras para pararla y después le gritas cuando ella te rechaza.
2. Caminas por la calle con un grupo de ruidosos que se apoderan de la cera completa, asustando a los demás que caminan por allí.
3. Gritas el nombre de tu pandilla o corrillo en un sitio donde a nadie le importa, como en un centro comercial.
4. Vas a un sitio callado, como el cine o una tienda de libros, y hablas bien duro.
5. Hablas tan duro por tu teléfono que todo el mundo se enterrá del ultimo pleito estúpido en que te has metido.
6. Sales con una guera y la enseñas como si fuera un trofeo.
7. Tratas de ponerte guapo con alguien que tiene el poder de arrestarte o botarte del trabajo.
8. Incitas a tu niño que grite malas palabras o baile sucio para el entretenimiento de tus amigos.
9. Usas un permanente a lo James Brown, pelo rasta rubio, pelo de muchos colores o un 'fade' Boosie (y no eres Li'l Boosie).
10. Actúas demasiado 'calle', dependiendo quien te este viendo.
11. Incitas a tu novia que se vista como una puta, para estrenarla.
12. Siempre estas diciendo "Vean esto" o "Oigan esto".

13. Te acercas a una muchacha que esta en una relación, o peor, que anda con su pareja, y agresivamente tratas de conquistarla.
14. Chillas neumáticos o haces donas al frente de una muchedumbre que no te conocen ni les importa.
15. Actúas enojado con los policías cuando te arrestan por hacer alguna mierda ignorante que no se supone estuvieras haciendo (como el 14).
16. Te haces el que quieres pelear, pero entonces te haces como si alguien te estuviera deteniendo.
17. Actúas machote por que andas con un grupo de muchachos que sabes que pelearan por ti.
18. Sales vestido en uno de esos trajes que vistes en el DVD 'Pimps Up, Hoes Down.'
19. Llegas a lugares inapropiados, como el trabajo, la iglesia o la corte, oliendo a marihuana o a bebida.
20. Cantas o rapeas en voz alta en publico sin razón, especialmente si lo haces a música que nadie mas puede escuchar.
21. Bailas a música que solo tu escuchas en tus audífonos, o peor aun, en tu cabeza.
22. Haces llamadas de broma.
23. Te comportas como un pendejo cuando no eres el centro de atención.
24. Usas joyería grandes – verdaderas o no – y esperás que nadie te eclipse.
25. Le pones aros caros o un sistema de sonido fuerte a un auto porquería y te guillas por ello.
26. Botas dinero en tus amigos y estas atrasado en tus cuentas.

Solo un zambo enseña sus nalgas y se ríe de eso.

Las Comidas Equivocadas

"Estoy patinando como Christy Yamaguchi.
Me agarran en el Chevy comiendo 'blowfish sushi'.
Young Dro, "Rubberband Banks"

Si te comes la parte equivocada de un 'blowfish' Japones te puedes morir en cuestión de horas. Todos que se la comen lo saben, pero se lo comen comoquiera.

'Blowfish' contiene tetrodoxino, un potente neurotoxina que puede matar un humano en poco tiempo. Pero para muchos Japoneses, 'blowfish' (también conocido como 'pufferfish' o fugu en Japones), es una delicadeza cara para disfrutar en ocasiones especiales. Las responsabilidades atadas a preparar el fugu para comer son muy serias. Si lo preparan mal, el que se lo come muere en unas horas.

Un chef de fugu tiene que poder disecar el pescado, etiquetar las partes comestible y las venenosas y preparar la carne y pellejo en menos de 20 minutos sin errores, cada vez y eso es solo entrenamiento.

No es fácil. Los órganos mas venenosos del fugu parecen idéntico a otros órganos que se comen. Aun con todo el entrenamiento, cientos de gente mueren cada año consumiendo fugu que no se prepara bien. El veneno paraliza los músculos mientras la victima se mantiene consciente y eventualmente muere de asfixio. No hay antídoto.

Lo Sabias?

El Americano promedio come en McDonald mas de 1,800 veces en su vida. Alrededor del mundo mas gente pueden identificar los arcos de McDonald de los que pueden identificar un cruz cristiana.

Fugu, cual se traduce a "puerco del río" es parte veneno, parte placer. El pellejo es venenoso, el hígado es bien venenoso y otras partes son peligrosos a los humanos. Tiene hasta cantidades de veneno no letales que se quedan en la carne de pez preparado. Los que se la comen dicen que les deja una sensación de hormigueos en la lengua.

Eso me deja pensando: De veras es tan bueno? Digo, lo suficiente para morir? De acuerdo a muchos que la han comido es bastante desabrido y que sabe un poco a pollo. Son las salsas en que las bañan que le dan un buen sabor.

Gastarías entre $30 a $100 en un pequeño plato de fugu?

Comer fugu te parece estúpido? Por que?

Cual nivel de veneno o toxicidad es permisible para ti? 60%? 23%? 8%?

El que se muera comiendo algo que ellos saben es venenoso merece lo que le pase. Pero así vivimos no?

Quizás no comemos "puerco de rió", pero comemos "puercos de ciudad". Comemos comida que todos saben los matara, algunos que son tan malos que hasta la biblia dice que no las coma. Algunos nos metemos polvo por la nariz, pensando que un poco no nos hará daño. Así hay muchas cosas que nos metemos que no son muy buenas para nosotros. Poco a poco matamos nuestros cuerpos y cerebros. Con algunas cosas como el fugu, lo poco que es bueno no vale todo lo malo que contiene. Y eso va por todo lo que nos metemos. A veces no es bueno coger lo bueno con lo malo, especialmente cuando casi no hay bueno a encontrarse.

Un poco de bien no hace que algo malo valga la pena.

17 Venenos

Aquí hay unas cosas que estoy seguro han matado alguna parte de tu mente, tu cuerpo o tu comunidad:

1. Programas de televisión 'reality' que hacen celebridades de pendejos ignorantes, putas, y adictos de drogas que personifican los peores rasgos de la raza humana.
2. Programas diurnas de charlar que hacen que toda relación entre gente Negra parezca completamente disfuncional y como un circo.
3. Programas de juglar modernos, donde los actores Negros se avergüenzan a ellos mismos haciendo broma a como actúan los Negros de la calle, para entretenimiento.
4. Vacunas que actualmente te añaden el riesgo de contraer lo que se supone de que te este protegiendo.
5. Emociones destructivas como lujuria, codicia, envidia y el odio.
6. Carnes roja que contribuyen fuertemente a problemas de salud como el cáncer, enfermedades del corazón, y la presión alta.
7. Denominaciones religiosas que incitan a la gente pobre dar el poco dinero que tienen con la esperanza de ser recompensados de alguna forma.
8. Denominaciones religiosas que enseñan tolerancia y paciencia a gente que están sufriendo abusos.
9. Denominaciones religiosas que dicen cambiar el mundo pero las comunidades en que se encuentran están fastidiadas.
10. Comida o bebida que tienen alto contenido de químicos o que esten hechos de ingredientes que la persona normal no pueda pronunciar.
11. Hábitos de comer que envuelven comer comida rápida mas de una o dos veces a la semana.
12. Cualquier comida o producto de comida que envuelva el cerdo o

Lo Sabias?

Telemundo es poseído por la gente blanca (NBC), igualmente como BET (Viacom)? O y Univision también. El 27 de junio de 2006, Univision anunció que aceptó una oferta de $12.7 mil millones de un grupo de inversionistas de equidad privados llevados por el capital de TPG, L.P. y los socios de Thomas H. Lee. Todos siendo europeos. Después de poco tiempo, los accionistas de Univision se realizaron en el problema que se habían metido ellos. Archivaron los pleitos colectivos que demandaban que los miembros del consejo estructuraron el reparto para beneficiar solamente a los iniciados de la compañía y que la companía ni se vendio por la cantidad de su valor real. No sólo eso, pero la compra dejo a la compañía con un nivel de la deuda de doce por su flujo de liquidez anual, que era dos veces la norma en las compras de participaciones hechas durante los dos años anteriores.

algo hecho de cerdo (especialmente algo asqueroso como menudo o manteca).

13. Jugo azul (no hay nada en la naturaleza que puedes consumir que es de ese color).
14. Esquemas para hacerse rico rápido y programas que enfocan en prometer sueños a gente pobre que no tienen el sentido de negocios para saber mejor.
15. Licores de malta y alcoholes que son mercadeado directo a la comunidad Negra.
16. Cualquier droga que dañe tu mente o cuerpo permanentemente, incluyendo muchas drogas prescritas.
17. La marihuana con cualquier ingrediente 'especial' o desconocido.

Cuidado con lo que te metas. Todo lo que es bueno hacia ti, no es bueno para ti. Demasiado de cualquier cosa no es bueno.

Tu Palabra es Tu Garantía

Que constituye una mentira? Si le dices a tu madre que vas a graduar y sabes que no lo vas a hacer, eso es una mentira, verdad? Es una mentira cuando alguien te pregunta donde estabas y tu te inventas algo? Es mentira cuando prometes salir con alguien y después cambia de idea para salir con otra persona que te cae mejor?

"Una mentira daña mil verdades."
Proverbio Ashanti

Ponte en el lado del recipiente. Piensa como lo verías si tu fueras esa otra persona. En la mayoría de los casos así, tu has violado la confianza de alguien, y estas mintiendo.

Antes, una persona podía sacar a un amigo de la cárcel basado en la fuerza de su reputación. Su palabra era la garantía. Gente respetada podían hipotecar su reputación. Eso se conoce como ser soltado bajo tu propio reconocimiento. Cuantas personas conoces que han podido salir de la cárcel sin poner alguna fianza o hipotecando su casa o algo de valor como garantía?

Que le paso a la honestidad? Que le paso a la integridad? Nos han mentido tanto, que ya no valoramos la verdad? Algunos hasta mentimos cuando no tenemos necesidad de hacerlo. Otros no mantenemos nuestra palabra, aun cuando seria fácil hacerlo.

Decimos que llegaremos a las 3 de la tarde, y luego llegamos cuando nos da la gana.

Le decimos a alguien que no haremos algo, y comoquiera lo hacemos...a veces tan pronto que se vayan.

Hacemos algo y decimos que no lo hicimos...aun cuando es obvio que lo hicimos.

Nos agarran mintiendo...y seguimos insistiendo que no mentimos.

Nos critican por no mantener nuestra palabra....y ponemos excusas.

Todos lo hemos hecho. Yo se que yo si lo he hecho. Pero que piensa la gente de ti por esto? Cuanta gente te han sacado el cuerpo o ya no bregan contigo por esas mentiras?

Como dijo Tony Montana en 'Scarface', "Todo lo que tengo en este mundo son mis cojones y mi palabra, y no los rompo para nadie."

Piensa en lo que quiso decir Tony. Porque su palabra era tan importante?

Tu reputación es basada en cuan real eres. Si se te conoce por decir una cosa y hacer otra, no eres un tipo real. Puedes intentar a explicar pero la gente verán a través de tu mierda.

Un hombre que no tiene integridad, ni honor, es como una serpiente resbalosa, sobreviviendo escapando de una situación a otra por medio de ese resbalo...hasta que finalmente, encuentra su fin metiéndose en una trampa de la cual no se puede escapar.

"Cada violación de la verdad no es solo un tipo de suicidio en el mentiroso, pero una puñalada a la salud de la sociedad humana."
Ralph Waldo Emerson

El noveno mandamiento es "No darás falso testimonio contra tu prójimo." (Éxodo 20:16). Stephen Crotts se dirigió hacia este mandamiento con estas palabras:

> Escribo alabando palabras verdaderas/...votos matrimoniales honrados/ votos de membresía mantenidos/ citas donde llegan puntualmente/ descripciones justas/ la palabra de una persona siendo su garantía/ escribo alabando la honestidad/ una vida pura/todo siendo lo que aparenta/ un apretón de manos fuerte, ojos lleno de sinceridad/ conciencia clara y un buen dormir.

Como juzgarían otros tu integridad?

Cuan digno de confianza es tu palabra?

No vales mierda si tu palabra no vale mierda.

El Poder en las Palabras

"Un hombre sabio oye una palabra y entiende dos."
Proverbio Judio

En la tradición Islámica, Allah dice "Kun faya kun," cual quiere decir, "Se y lo es." En Juan 1:1 del Nuevo Testamento, la mayoría de las biblias dicen, "En el principio era la Palabra, y la Palabra era con Dios, y la Palabra era Dios." Mejores traducciones dicen que la Palabra era divina o que tenia el poder de un dios y no que fuese Dios mismo. Cual es el punto? Palabras tienen poder. Palabras tienen el poder para hacer que cosas verdaderas pasen...y aquellos que pueden aprovechar el poder de la palabra dicha tienen el poder para cambiar mentes, cambiar vidas y cambiar el mundo.

De eso hablaba el ministro Louis Farrakhan cuando hablo con Gil Noble sobre como el lenguaje se usa para cambiar las percepciones de la gente:

> Hable sobre como la palabra 'Negro' fue usada y lo limitado que era ese termino y como el honorable Elijah Muhammad usaba el termino 'Negro' de tal forma que desarrollo en nosotros un cuerpo y sistema nervioso que nos conectaba a nuestra gente por el mundo entero.
> Así que cuando paso algo en el Congo, años atrás, en el asesinato de Patrice Lamumba, hubo una protesta de gente Negra en las Naciones Unidas. Cuando asesinaron a Martin Luther King cienciudades fueron quemadas porque habíamos desarrollado un sistema nervioso que nos permitía sentir el dolor del uno al otro por el lenguaje que el honorable Elijah Muhammad uso.
> Así que el enemigo nos estudio mas a fondo. Quería saber porque era y quien era el líder que nos inicio a quemar cien ciudades cuando toda esa gente que quemaban las ciudades no eran seguidores de Martin Luther King Jr.
> Concluyeron que no era una persona especifica que estaba causando esto, era mas la forma en como se uso los medios. Nos dio como gente una actitud compartida hacia gente Blanca y hacia lo que llamábamos 'el establecimiento'.
> Estas actitudes se endurecieron como un sistema de creencia que todos compartíamos, no importaba donde estábamos en los E.U. - una creencia sobre los policías, sobre gobierno, sobre gente blanca – que era muy real. Esa actitud y creencia creció a ser ideología – una idea común – que todos compartíamos. Nos habíamos convertidos en una comunidad nacional, aunque estuviéramos en grupos diferentes, iglesias diferentes, mosques, etc, había algo que nos unía.
> Cuando el enemigo vio que el televisor había servido ese propósito y el nombre "Negro, Hermano y Hermana" había causado que nos viéramos como familia hacia toda gente de color del mundo, decidieron que después de los asesinatos de Malcom, Martin y la salida del honorable Elijah Muhammad, tenían que cambiar el lenguaje.
> Empezaron eso usando el termino 'minoría'. Una vez aceptamos la terminología, 'minoría', nos llego cierto modo de pensar.
> El hecho que eramos la 'mayoría' fue destruida. Entonces nos convertimos en 'desaventajados'. Entonces eramos 'la

Lo Sabias?

Había un sistema de casta en México (como en muchos países de Latino América) impuesto por los Españoles quien trajeron más de 300 mil esclavos Africanos y los forzaban a casarse para hacerlos más claros. Apellidos fueron otorgados para indicar que eran Africano o Indígenas. Nombres como Moreno y Grito son dos ejemplos.

minoría mas grande de los E.U.'. Luego 'afro-americanos' y ahí nos quedamos – 'minoría, desaventajados, afro-americanos'.

Entonces que nos paso al aceptar ese lenguaje? Mato al sistema nervioso que el lenguaje de la 'Negrura' había creado. Luego mataron a todo programa de televisión con Negro como adjetivo describiéndolo, como 'Noticias Negras' en Nueva York, 'Revista Negra', el programa 'Estrella Negra' en Baltimore. Así que 'Revista Negra' se convirtió en 'Revista de Tony', las 'Noticias Negras' la quitaron del aire. 'Estrella Negra' también se fue. Ahora no hay ningún programa en la televisión con el nombre 'Negro' al frente.

La sutileza del enemigo en engañarnos, era que el sabia el valor del lenguaje y que si cambias el lenguaje, cambias las percepciones. Lo que hizo fue crear la muerte del sistema nervioso que nos conectaba como familia. Entonces podíamos convertirnos en tribus y matarnos sin sentir el dolor de nuestros hermanos en el Caribe, nuestros hermanos en Brasil o nuestros hermanos en África.

Empezamos a ser menos y menos global y mas y mas estrechos en nuestro enfoque, hasta llegar a ser mas estrechos aun llegando a tribus y pandillas en términos de denominación y organización, y matarnos por todos estos Estados Unidos y no sentir el dolor.

"Una palabra puede cambiar una nacion."
Dicho de los 5%

En la película Malcolm X, vez que una de las primeras cosas que Malcolm realiza en su jornada es que toda definición de la palabra 'negro' era negativa o relacionada al mal, mientras toda definición para 'blanco' era relacionada a lo bueno y puro.

Lista Negra – Magia Negra – Oveja Negra – Gato Negro – Mercado Negro – Corazón Negro

Notando las cualidades negativas en esas palabras, decidí buscar en el diccionario la definición como lo hizo Malcolm X. Esto es lo que encontré en el '2006 Random House Unabridged Dictionary':

black

1. careciendo de color y brillo; absorbiendo la luz sin reflejar los rayos que la componen.
2. caracterizado por la ausencia de luz; envuelto en oscuridad: una noche negra.
3. a. perteneciendo a una de las varias poblaciones caracterizados por piel oscura, específicamente las de África, Oceanía y Australia.
   b. AFRICANO-AMERICANO.
4. ensuciado o manchado con sucio: Esa camisa estaba negra dentro de una hora
5. sombrío; pesimista; triste: un punto de vista negro.
6. deliberada; dañino; inexcusable: una mentira negra.
7. mal agüero; hosco o hostil; amenazante: palabras negras; miradas negras.

9. sin cualidad moral o bondad; malvado; perverso: Su corazón negro ha inventado otro hecho negro.
10. indicando censura, desgracia o responsabilidad a la pena: una mancha negra en el registro.
11. marcado por desastre o mala fortuna: áreas negras de sequía; Viernes Negro.
13. basado en lo grotesco, mórbido, o aspectos desagradables de la vida: comedia negra, humor negro.
14. (de una marca, bandera, etc.) hecho o escrito en negro para indicar, como en una lista, aquello que es indeseable, deficiente, potencialmente peligroso, etc: Pilotos ponen bandera negra al lado de los diez aeropuertos mas peligrosos.
15. ilegal o del bajo mundo: La economía negra no paga impuestos.
17. deliberadamente falso o intencionalmente engañosa: propaganda negra.
18. *BritánicoInglatera.* boicoteado, como determinados bienes o productos por un sindicato.

white

1. el color de la nieve pura, las marginas de esta pagina, etc.; reflejando casi todos los rayos de luz solar o cualquier luz semejante.
2. luz o relativamente ligeros en color.
3. (de seres humanos) marcada por la ligera pigmentación de la piel, como muchos de los caucásicos.
4. para, exclusivamente, o fundamentalmente compuesto por personas cuya herencia racial es de raza blanca: un club blanco; un vecindario blanco.
8. sin color; transparente.
9. (políticamente) ultra-conservativo.
10. en blanco, como un espacio vacío en el material impreso: Llene el espacio blanco abajo.
13. *jerga.* Decente, honorable, o confiable: *Eso es muy blanco de ti.*
14. auspicioso o afortunado.
15. moralmente puro; inocente.
16. sin malicia; inofensivo: magia blanca.

Esto nos afecta en el subconsciente: Negro es malo. Blanco es bueno. No hay forma de escapar de ese mensaje.

Este mensaje es parte fundamental de la sociedad Americana. Dondequiera que vayas, no lo puedes perder. Es parte básica de como y que se nos enseñan en la escuela. Como G. Kalim ha escrito en el periódico de los 5%:

> Yo se que a ustedes jóvenes no le gusta la escuela y se por que. Hubo un tiempo que a mi tampoco me gustaba la escuela, porque todo lo que hacían allí era hacer que todo lo blanco sea bueno y yo no soy blanco...Están inundados con un proceso educacional que promueve su blancura y degrada tu negrura. Lo mismo pasaba en mi tiempo, cual era la razón de mi rebeldía.

Mensajes así están dondequiera en nuestra sociedad, y nos afecta a diario. Piénsalo. En que piensas cuando escuchas la palabra 'McDonald's'? A muchos nos da hambre. A mi me dio hambre escribirla, y a mi ni me gusta 'McDonald's'!

Se llama programación subliminal. Al pasar los años, nos han programado a responder de cierta manera a las cosas que escuchamos. Durante la esclavitud y por mucho tiempo después, la gente blanca hicieron gran cosa de nunca llamar un hombre Negro un 'hombre', y siempre llamar a hombres como 'nene' o 'hijo'.

Que le hizo eso a los hombres Negros? Que les hacia sentir y pensar después de años escuchándolo?

Cual son los mensajes que escuchamos hoy?

De donde vienen, y cuales son sus propósitos?

Espera...y los mensajes que nos mandamos a nosotros mismos y el uno al otro?

Todo lo dicho tiene mas significado de lo que aparenta. Escoge tus palabras cuidadosamente, y escucha muy bien lo que oyes.

HABLANDO BLANCO

'Ebonics' es el nombre dado hacia la manera que mucha gente Negra hablan. Básicamente, quiere decir 'Ingles Negro'. Ingles Negro es un dialecto de Ingles Americano, igual que el Ingles Americano no es lo mismo que el Ingles Británico o Australiano. Pero como es Negro, no es aceptable en los Estados Unidos. Sin embargo, no toda gente Negra habla Ingles Negro. Es mas, siempre hay algunos niños en cualquier escuela Negra que son ridiculizados por 'hablar blanco'. Todos se dan cuenta que hablan diferentes, y suena a como la gente blanca habla por el televisor.

Usualmente estos niños se criaron en una casa que no permitía 'ese hablar de la calle', o los padres eran muy educados...o muy blancos. Pero los que hablaban blanco no solo hablaban diferentes. Su estilo completo era diferente. Y se notaba. Así que no nos confundamos. La gente que hablaban ingles propio no le faltaban el respeto solo por su hablar. Usualmente eran bastante mongos. Pero adivina que? Usualmente también eran muy exitosos.

Porque? Bueno, ellos aprendieron un principio básico sin saberlo. Si quieres ser exitoso en Francia, necesitas hablar Francés. He conocido toneladas de gente que dicen querer su propio negocio, pero no pueden hablar el ingles apropiado. A veces es difícil entenderlos si no eres del mismísimo vecindario de donde son.

No hay nada malo de hablar como se te haga cómodo cuando estas en tu casa. Confía en mi cuando te digo que cuando estoy alrededor de gente con quien me siento cómodo, hablo malo, uso jerga, hasta puede que use palabras que ni existen. Pero cuando estoy en la oficina, o un cuarto de presentación, yo se hablar el idioma del negocio.

Te contare de un socio mio que tenia $10,000 para invertir en un pequeño negocio. Yo solo te diré como paso y tu tratas de ponerte en los zapatos de el. Dos personas llegan con sus propuestas con la esperanza de que el les de dinero. Aquí es como paso.

Joshua Jones entra vestido en un traje, pero parece que sus pantalones se le caen. Por que carajo se le caen los pantalones de su traje? Su corvata no esta amarrada correctamente, así que parece un nudo feo. Te da su propuesta, te da un saludo de calle porque eres negro y el asume que eres chevere, y te dice:

> Anda hermano. Tenemos la conecta de un tipo por alla. Tirada directa. Tiene como un cincuentin de cajas de unos 'Ones', solo espera la palabra. El quiere treinta, yo le voy a dar el veinticinco y lo' soltamos a sesenta. Solo nos va' costar cinco mas cada uno pa' setiar porque los tipos los quieren. Di'me que no las traigo.

Próximamente, llega Henry Henderson con un simple traje, pero que le queda bien tallado. Y sabe amarrarse la corvata o alguien se la hizo. Te da un apretón de manos, y puedes ver que viene de los suburbios. El empieza:

> De acuerdo a un análisis de mercadeo, hay un gran interés en el mercado urbano para los 'Air Force Ones' de Nike. Conseguí un mayorista en China que esta disponible vendérmelos a un descuento de $30 por par. Si facturamos el costo de mercadeo y distribución, podemos venderlos a $60 al por menor para una ganancia de unos $20 por par, lo cual nos daría una devolución bruta de $15,000.

Con quien preferirías hacer negocios? Lo mas seguro confiarías en Henderson con tu dinero. Por que? El obviamente tiene un conocimiento del lenguaje de negocios, el lenguaje de dinero, y esta cómodo en ese mundo, no importa que haga fuera de la oficina.

Pero...si tienes un ojo listo para el negocio, y pudieras mirar mas allá de que dijo y como lo dijo (lo cual la mayoría no puede hacer), sabrías que Joshua Jones tenia mejor propuesta. Cuan mejor? Haz la matemática. Hubiese hecho casi $20,000 en vez de los $15,000 que prometía Henderson.

Es rara la gente que solo miran lo que dices; usualmente están mirando como lo dices.

Matón vs. Soldado

El matón, como el soldado, es respetado y temido. Cual es la diferencia entre un matón y un soldado (o guerrero)?

- Un soldado pelea por la gente. Un matón pelea en contra de la gente.
- Un soldado hace lo necesario para proteger su gente. Un matón hace lo necesario para protegerse a el nada mas.
- Un soldado cuida su mujer y sus hijos. Un matón evade su mujer y sus hijos.
- Un soldado planifica para mañana. Un matón vive por hoy.
- Un soldado respeta aquellos que tienen mas sabiduría y experiencia. Un matón solo respeta a los que el le teme.
- Un matón es una amenaza a la comunidad. Un soldado elimina las amenazas a la comunidad.

- Un soldado no se relaja durante tiempo de guerra. Un matón se coge mas tiempo libre que nadie.
- Un matón le encantan los placeres materiales. Un soldado quiere a la gente y los valores que lleva por dentro.
- Los que mandan en este mundo le temen a que suban soldados en la comunidad Negra. Los que mandan en este mundo están felices por los matones que destruyen la comunidad Negra.
- Un soldado pelea por una razón, y no es motivado por sus emociones. Un matón no tiene idea con quien debe estar peleando o el porque, asi que usualmente es guiado por solo sus emociones.
- Un soldado necesita guía de autoridades superiores, y peleara como lo dirigen. Un guerrero lleva la pelea por dentro y sigue peleando no

importa quien o que. Un matón no le hace caso a nadie, y sus acciones lo demuestran.

Cuando pelees, pelea por una razón.

Soldado Por Vida

COINTELPRO

El infamo programa de contra-inteligencia fue empezado por el gobierno de E.U. en 1956. El programa COINTELPRO se mantuvo secreta hasta 1971, cuando un grupo de radicales se metieron en las oficinas del FBI y robaron documentos y otras evidencias. Ese mismo año, el director del FBI, Hoover, anuncio que COINTELPRO había sido cerrado.

COINTELPRO se fundo para parar el crecimiento de cualquier persona, grupo o organización que el al gobierno de E.U. no le gustara, pero le dieron atención especial a las organizaciones Negras. De acuerdo a documentos oficiales del FBI, el programa fue diseñado para:

- prevenir la coalición de grupos nacionalistas militantes Negros
- prevenir violencia de parte de grupos nacionalistas Negros
- prevenir grupos nacionalistas militantes Negros y lideres de ganar respetabilidad
- prevenir el crecimiento de largo plazo de organizaciones nacionalistas militantes Negras, especialmente entre jóvenes
- prevenir subir algún mesías que pudiera unir y electrificar el movimiento nacionalista militante Negro.

> **Lo Sabias?**
>
> Habían sobre 40,000 documentos del FBI sobre Malcolm X? Hasta el día de hoy, solo la mitad han sido desclasificados para el conocimiento publico. También hay tres capítulos que se le sacaron a "La Autobiografía de Malcolm X." Estos capítulos están en una caja fuerte de un abogado de Detroit que los compro por $100,000, y muy poca gente han visto su contenido.

De acuerdo a Brian Glick en 'War at Home', COINTELPRO uso una amplia gama de métodos, incluyendo:

> Infiltración: Agentes e informantes no solo espiaban a los activistas políticos. Su propósito principal era desacreditar y perturbar las organizaciones. El FBI mandaban agentes quienes podían entrar a la organización solo para espiar y acoplar información, o causar caos y confusión entre los miembros. Mientras tanto, el FBI y la policía explotaba el temor de infiltracion para dañar el nombre de activistas genuinos.
>
> Guerra Psicológico desde afuera: El FBI y la policía usaban cientos de trucos sucios para socavar movimientos progresivos. Planteaba historias

falsas en los medios y publicaban folletos y otras publicaciones en nombre de grupos específicos. Falsificaban correspondencia, mandaban cartas anónimas y hacían llamadas anónimas. Regaban desinformación sobre reuniones y eventos, organizaban falsos grupos de movimientos encabezados por agentes del gobierno, y manipulaban o forzaban padres, empleadores, propietarios, oficiales de escuela y otros para causarle problemas a los activistas.

El Acaso a Través del Sistema Jurídico: El FBI y la policía abusaban el sistema jurídico para hostigar disidentes y hacerlos aparecer ser criminales. Oficiales de la ley dieron testimonio falso y presentaban evidencias fabricadas como pretexto para arrestos falsos y encarcelamiento injusto. Con discriminación esforzaban leyes de impuestos y otras regulaciones de gobierno y usaban vigilancia destacada, entrevistas 'investigadoras' y citaciones del gran jurado para intimidar activistas y callar a sus partidarios.

Fuerza extra-legal y Violencia: El FBI y la policía amenazaba, instigaba, y conducía robos, vandalismos, asaltos y palizas. La meta era asustar partidarios y perturbar sus movimientos. En el caso de activistas radicales Negros y Puerto Riqueños (y luego Aborígenes), estos ataques – incluyendo asesinatos políticos – eran tan extensivos, viciosos y calculados que se les puede considerar una forma de terrorismo oficial.

Lo Sabias?

Además de la larga historia entre los 'Black Panthers' y los 'Young Lords', hay también una historia entre los 'Black Panthers' y los 'Brown Berets' (quienes todavía están activos). Recientemente los Berets ayudaron a una comunidad Negra en conseguir una estación de radio comunitario. Los dos grupos podían trabajar juntos porque los Panthers no empleaban política cultural nacionalista. Los dos grupos tenían una filosofía que les permitía formar coaliciones.

El programa seguía un amplio espectro de grupos de derechos civiles; esos incluían a Martin Luther King, Malcolm X, Stokely Carmichael, Eldridge Cleaver, Leonard Peltier, Allah (Clarence 13X), y el partido de la Pantera Negra. Esta información se hizo publica en 1976. Sin embargo, ningún programa de gobierno intento arreglar el daño que se había hecho. Eso dejo a cientos de prisioneros políticos encarcelados, cientos físicamente y mentalmente heridos, y docenas viviendo en el exilio. Aunque se supone que se cerro COINTELPRO, mucha gente piensa que sigue existiendo bajo otro nombre.

Recientemente, muchos han aprendido de algo conocido como los policías del Hip Hop, un segmento muy real que especializa en jóvenes Negros, especialmente aquellos asociados con la cultura de hip hop. Raperos no son los únicos que se especifican para encarcelamiento y asesinatos. Jóvenes Negros de todo tipo están siendo atrapados por informantes y agentes que visten, hablan y actúan como si fueran de la calle.

Después que los asesinatos de Biggie y Pac (por todavía desconocidos asesinos) fallo en crear una guerra entre las costas (como esperaban algunos), operaciones intensificaron. Reportes recientes revelan que unos cuantos departamentos de policía tienen 'unidades especiales' dedicados a los nuevos activistas Negros para esta generación: Raperos.

"Coño...que falta me hace Pac.
Desde que se murió, to' los raperos han dejado
de hablar de las verdades, pero sino, los discos no venden.
Y los empieza a seguir los policías del hip hop."
David Banner, 'So Special'

He escuchado que hubo una transicion de COINTELPRO a RAPINTELPRO, ya que rap es la única voz para la generación de jóvenes Negros hoy día. Es mas, uno de los memos de COINTELPRO, con fecha de Marzo 4, 1968, dijo que ningún activista político o persona con ideología que fuera percibido como amenaza al establecimiento debería tener acceso a un medio de comunicación hacia las masas.

Aunque te guste o no, raperos son uno de los que hablan mas duro hoy. Por eso que la mayoría de los raperos que se promueven hoy día son joven, estúpidos y diciendo absolutamente nada. Los que mandan le temen al poder de la música.

Como dijo James Muhammad:

> Igual que tuvieron programas de contra-inteligencia para bregar con Malcolm X y Martin Luther King, Jr. años atrás, el FBI y la CIA tienen formas de bregar con los lideres de la generación de hip hop. Aveces te arrestan. Aveces crean ambientes que facilitan el asesinato. Y en algunos casos la meta es de robar el tiempo. Antes de que te des cuenta, te despiertas un dia con muy poco tiempo para hacer algo por tu gente.

Un numero de activistas del Hip Hop como Davey D y Troy Nkrumah lo han hecho claro que seguimos siendo objetivos. Nkrumah, de la Convención Política Nacional del Hip Hop, habla sobre un reporte del departamento de policías en Nueva York que nombraba unos artistas Negros que estaban bajo vigilancia:

> A muchos artistas populares los siguen, hacen reportajes y persiguen por razones políticas. Ese reporte cito la influencia que estos artistas tendrían si se convirtieran politicos y empezaran a hablar sobre cuestiones políticas. Estamos hablando de gente como Jay-z, P-diddy, Alicia Keys solo para nombrar unos pocos que fueron espiados por los policías del Rap. Otro reporte salio de Miami hace unos años enseñando vigilancia de otros raperos populares.

Esto esta pasando en todos lados, haciendo de el un problema sistemático. Un problema sistemático es uno que esta tan regado que no podría pararlo en un sitio a la vez. Es parte de un sistema mas grande que tiene que pararse de por todo. De Nueva York a Detroit a Miami a Atlanta a Los Ángeles a Texas, esta pasando.

Cedric Muhammad, de la 'Black Agenda Report' website reporto:

> En el año 2000, yo estuve presente en el congreso para las vistas sobre la investigación de Rap-A-Lot. El departamento de policía de Houston, el IRS, el DEA y el FBI, todos tenían a James Prince y el rapero Scarface y el verdaderamente el 5to distrito de Houston completo, bajo vigilancia, en las vistas. Yo estuve sentado allí. Me están dando papelería. Yo podía ver quien eran los agentes encubiertos. Ellos admiten que tenían casi 400 informantes adentro del 5to distrito que estaban relacionados con esa investigación. Creo que eventualmente arrestaron a Scarface por algún cargo de posesión de marihuana. Eso realmente justifica 400 informantes y el FBI, DEA y el IRS?

Pero porque aplastar el hip hop? Sera por el dinero que están haciendo gente Negra? No. Es mas profundo que eso. A ellos no le importa si haces un dineral estúpido y te quedas estúpido. A ellos les preocupa otra cosa.

Como dijo Bradley Gooding en 'Poor Righteous Teachers...', la razón por la cual el FBI y COINTELPRO no pudieron aplastar el crecimiento de los 5% era porque ellos sabían como destruir movimientos políticos, pero no movimientos culturales. Así que, desde el nacimiento de hip hop y especialmente el rap consciente de los 1980s, la gente en el poder han buscado destruir el movimiento cultural que es hip hop...porque es peligroso.

Cuando Public Enemy, KRS-One, y los Poor Righteous Teachers estaban haciendo que jóvenes Negros quisieran cambiar sus vidas, educarse y arreglar sus comunidades, se hizo aparente cuan peligroso era el hip hop. Por eso el rap pandillero llego para el mismo tiempo, con la ayuda de unos hombres poderosos como Jerry Heller. Y como mataron a Tupac, todo el mundo tiene demasiado miedo para decir nada.

Y cuando lo dicen, o están tiroteados o su música no vende. Por eso yo estuve triste pero no sorprendido cuando supe lo que le paso a Soulja Slim.

Soulja Slim

Soulja Slim nació en los proyectos Magnolia en Nueva Orleans en Septiembre 9, 1977. Después de cambiar su nombre de Magnolia Slim a Soulja Slim al ingresar a No Limit Records, el produjo unos éxitos con ellos hasta formar su propia etiqueta en 2002.

En Noviembre 26, 2003, a Slim lo tirotearon varias veces en la cara y el pecho al frente de la casa de su mama en el 7to distrito de Nueva Orleans. De acuerdo al libro de Nik Cohn 'Triksta: Life and Death and New Orleans Rap', algunos de los llamados 'amigos' de Slim le robaron el Rolex de su muñeca antes de hacer publica la noticia. Otros 'amigos' fueron a su estudio y le robaron su ropa, zapatos, y la computadora que contenía su próximo álbum. Slim fue enterrado en el traje de camuflaje de cuero que uso para la portada de su disco 'Give It 2 'Em Raw' del 1998, para simbolizar que el era un soldado por vida.

La policía y los medios regaron rumores que No Limit Records le habían puesto $10,000 pesos sobre su cabeza.

Garelle Smith, de 22 años, de los proyectos St. Bernard en el 7to distrito, fue nombrado como el posible asesino. Smith fue arrestado el 30 de Diciembre del 2003 y lo acusaron con el asesinato. La pistola que se uso para matar a Slim fue un Glock calibre .40 que se supone Smith había robado de la casa de un policía de Nuevo Orleans. Pruebas balísticas determinaron que la pistola fue la que se uso, pero por alguna razón los cargos contra Smith fueron dejados en Febrero del 2004. Todavía no se ha encontrado al asesino.

Así que...asesinato estilo ejecución? Un intento de culpar a una casa disquera rival? La pistola de un policía? El sospechoso soltado? No encuentran el asesino? Hmmm...quien mato a Soulja Slim y porque?

Por supuesto que los medios presentaron al asesinato como la culpa de el mismo, diciendo: "El asesinato de Noviembre 26 inquietamente pareció a una de sus canciones llena de profanidad, que hablaban de pandillas, drogas y tiroteos."

Su padrastro tenia otro lado de la historia. El decía que la envidia del crecimiento rápido de Slim pudo haber motivado el asesinato. El dijo que los temas oscuros del artista no eran para incitar la violencia, sino para exponer el caos del diario vivir en el ghetto para ayudar a curarlo. Para comprobar su punto sobre el carácter de su hijastro, añadió que Slim no rompió ninguna ley al terminar sus cuatro años de cárcel en el 2001. Pero el no solo intentaba 'corregir esta mierda' como rapiaba en su canción 'Vida Callejera'. El estaba diciendo cosas peligrosas.

"Hablamos mucho de Malcolm X y Martin Luther King, Jr.
pero es hora de ser como ellos, tan fuerte como ellos.
Ellos eran hombres mortales como nosotros y cada uno de nosotros puede ser como ellos.
No quiero ser un modelo para seguir. Solo quiero ser alguien que dice,
"Esto es quien soy, esto es lo que hago. Yo digo lo que llevo en la mente."
Tupac Shakur

Una de mis canciones favoritas de Soulja Slim es 'Soulja 4 Life', que fue soltada en el álbum de compilación de dead prez y los Outlawz, 'Can't Sell Dope Forever', como 'Soulja Life Mentality'. En ella Slim rapea:

> Dinero en el banco, los que odian no le gusta eso/Esto no es la esclavitud, nosotros vamos a pelear/Ustedes los blanquitos pueden escribirlo en sus revistas/Pon me en la tele y diré lo mismo/Me puedes llamar racista, hombre Negro en este mundo Blanco/Estoy enfermo ya de ver vendidos casados con esas gringas/Sabiendo que son el enemigo, nunca serán mis amigas/Dejo que me lo mamen, me les vengo en la

> boca de inmediato/...Hombre Negro mata hombre Negro, esta bien, eso les encanta/Hombre Negro mata hombre Blanco le dan la pena de muerte/Hombre Blanco mata hombre Negro, gritan defensa propia/Lo rebajan a homicidio involuntario aun con evidencia/Desde que llegue aquí, solo pecado aquí/Me salí del juego para mi carrera perseguir/Así que diré esto alto y claro, sea la madre del hombre Blanco/Ku Klux Klan hablan mierda pero no quieren empezar mierda

Hace mas sentido su asesinato ahora? Te imaginas lo peligroso que son esas ideas en el sur? La gente Negra en el sur, especialmente en Nueva Orleans, siempre han estado en son de pandilleros. La mentalidad que Soulja Slim había adoptado en sus últimos años tenia un potencial explosivo, especialmente si esas ideas se hubiesen implantado y regado como el fuego. Ahora, hazte la pregunta. Quien mato a Soulja Slim, y porque?

Le temen al levantamiento.
Ellos saben que un hombre puede cambiarlo todo.

Películas Para Ver

The Recruit; Spy Game; The Bourne Trilogy; The Good Shepard

La CIA corre muy profundo. Es lo unico que hay que decir.

50 Cent: Una Vida de Mentiras

50 cent nació pobre como Curtis James Jackson III en Queens, Nueva York el Julio 6, 1975. Hoy el es uno de los mas ricos y poderosos artistas Negros en el país.

No puedo mentir. 50 cent es listo. El parecerá un imbécil, pero no lo es. De acuerdo a la revista Forbes, el hizo $41 millones en 2005 (en ventas de disco, y tratos de marca que incluyeron una linea de ropa, linea de zapatillas, linea de libros de literatura callejera y un juego de video), clasificándolo numero 8 en la lista de las 100 celebridades mas poderosas. Recientemente, Coca – Cola compro VitaminWater por $4.1 billones, ganándole a Curtis Jackson como $100 millones ya que había comprado un porcentaje de la compañía en 2004. No se puede argumentar sobre si 50 es un buen hombre de negocios.

Definitivamente tiene un resume que impresiona: Este hombre fue desde vender crack a los doce años a tener un valor neto de por lo menos $200 millones y viviendo en la mansión que era de Mike Tyson (la cual compro en 2003 por $4 millones y ahora la vende por 20). Eso es tremendo hombre de negocios.

Pero sabemos que los hombres de negocios no se conocen por su integridad y honor. Ellos mienten. Hacen trampas. Roban. Y están continuamente buscando subir sus ganancias.

Curtis ha admitido que su audiencia escogida es jóvenes blancos de los suburbios, así que esa es nuestra primera pista que el no esta siendo completamente real con nosotros. Cuan de su personaje es realmente el, y cuan es parte de su plan de negocios? Sabemos lo que los jóvenes blancos de los suburbios quieren de los Negros: Peligrosos y enojados pandilleros que expresen sus frustraciones por ellos, en formas que ellos nunca podrían hacer en sus vidas calladas y privilegiadas.

Así que es 50 lo que aparenta? Sabemos que no tiene convicciones mayores, solo cumplió 8 meses en un campamento por una ofensa pequeña de drogas, de acuerdo a uno de sus viejos socios de negocios.

"Si 50 vendía drogas, pero 'Te voy a matar' y toda esa mierda...el no hace eso. El nunca a tiroteado a nadie, cortado o apuñalado a nadie...nada de eso. Ninguno de esos tipos (son así), desde Banks a Yayo," dijo el viejo amigo y socio de 50, Bang 'Em Smurf. Smurf reclama que el personaje de G-Unit como matones es un imagen y herramienta de mercadeo que los raperos de Queens han usado para llegar a la cima.

En su autobiografía, 'From Pieces to Weight', 50 admite, "La mayoría de estos tipos que hablan de pandillas y mierda de matón en sus raps no quieren ser parte de esas cosas que ponen en sus discos."

De veraz? Quizás el personaje completo de "50 Cent" es inventado, considerando que ese es el nombre de un matón de Brooklyn verdadero que le robaba a los raperos, para el tiempo que Curtis soltó su primer canción "Como Robarle a Un Tipo de la Industria" en el 2000. Hay hasta un DVD por ahí sobre 'The Real 50 Cent', Kelvin Martin.

Llega mas profundo. Acuerdo al articulo en Forbes que mencioné:

> 50 no fuma marihuana ni bebe alcohol – muchas veces llena botellas vacías de Hennessy con te para beber en la tarima – y nunca ha sentido la música como pasión. "Yo nunca estuve obsesionado con ella," el dijo. "Yo nunca me metí a esto por la música. Me metí a esto por el negocio."

Wow. Así que el se hace que esta bebiendo Hennessy y se hace que fuma marihuana, como dice en canciones como 'High All the Time'? Eso no es pandillero. Pero lo que hace 50 no se supone que sea verdaderamente pandillero. Es todo por el espectáculo. Y para quien es el espectáculo? Jóvenes blancos.

Pero espera...a el si le dispararon 9 veces, verdad?

No! Acuerdo a el reporte oficial de la policía, 50 no fue disparado 9 veces, ni 5, que lo hubiese puesto empatado con Tupac. Tupac si recibió

5 balazos y sobrevivió, y eso definitivamente lo ayudo recibir mas reconocimiento y respeto. Quizás en eso pensaba 50 cuando mintió. Acuerdo al reporte policíaco, la cual la puedes buscar en www.mediatakeout.com, la verdad es que solo recibió 3 balazos.

Que mentiroso, no? Y de soplon?

```
.CAR010C                NEW YORK CITY POLICE DEPARTMENT                    01/24/03
OCAR10M                    ABBREVIATED UF61 INQUIRY                        19:04
                       YEAR: 2000 / PCT: 113 / NUM: 005204
_ STAT: COMP: 005204  DAY: THU  FR DT: 05/24/00 FR TIME: 11:20 RPT DT: 05/24/00
       P.LAW: 12010    PDCODE: 109   OFFENSE: ASSAULT 1F              JURIS: 00
       ADDR1: 140AVE & 161 ST                  LOC: STORE UNCLASSIFIED
       ADDR2:                                 PREM: OTHER
_ VICT: NAME: JACKSON, CURTIS              SEX: M  RACE: BLACK            AGE:  24
  01/01 ADDR: 140-56  161 ST QUEENS , NY
        TEL#: ( 718 ) 528 - 1441        ACTN:
  VEHI:    #:              STATE:       YEAR:        MAKE:         MODEL:
        COLR:
  PROP:   MV:      CU:     JL:     CL:     WP:     OF:     TV:     HG:     CO:     MS:
_ WEAP: TYPE:                                  MODEL:              MAKE:
  01/01 DESC: SMALL BLK HAND GUN               COLOR: BLACK
  PERP: NAME:                          SEX:       RACE:                AGE:
         HGT:    '      WGT:        EYE COLOR:       HAIR LEN:            FAC HAIR:
_ DETL: 01/02    _WITN: 01/01
  REPORTER STATES THAT UNK TWO PERPS IN A BLUE OR BLACK VEHICLE DID BLOCK HIS
  CAR AS HE ATTEMPTED TO MAKE A U TURN.PASSANGER DID GET OUT OF THAT VEHICLE
  WALKED OVER TO THE FRONT OF THE COMP'S VEHICLE AND PULLED OUT SMALL BLK
  HANDGUN AND FIRED MULTIPLE SHOTS THREE SHOTS HIT THE VECTIM ON THE RIGHT
  F3 = EXIT / ENTER = PROCESS / 'X' TO EXPAND / 'N' FOR NEXT / PF11 = CLEAR
          INQUIRY WAS SUCCESSFUL ...
```

Bueno, estoy seguro que saben que el tumbo al imperio de Murder, Inc. que produjo a Ja Rule, el archi-enemigo de 50. Murder, Inc., fue revelado, era financiado por Kenneth 'Supreme' McGriff, un rey del narcotrafico con cual 50 estaba obsesionado. Cuando la relación que ellos tenían se amargo, se puso bien amarga. Como se vengo 50? Los siguió con un 'cartucho completamente cargado'?

No! El solo soltó una o dos canciones nombrando nombres y empezó una guerra de rap atacando a Ja Rule (por hacer rap medio cantado, cual el también empezó hacer justo después).

Cuando los federales lo entrevistaron sobre el asunto, el les dijo que escucharan la lírica para pistas. Después, cuando empezaron las investigaciones y la guerra escalo, G-Unit saco una orden de restricción contra Irv Gotti y los demás de Murder, Inc.

Y como si lo de soplon, mentiroso y pretender no era suficiente, 50 va aun mas lejos en ser un mono bailarín para la gente blanca adinerada. De acuerdo a un sitio del web que discutía a 50 y el G-Unit, 50 cambio el nombre de Guerilla Unit a Gorilla Unit "porque sintió que guerilla era muy militante."

"Doce monos en tarima, difícil saber cual es el gorila.
Te hubieses quedado vendiendo drogas."
Common, 'Start the Show'

Y cuando Kanye West fue lo suficientemente atrevido para decir "George Bush no le importa la gente Negra" cuando lo del huracán Katrina, adivina quien brinco a defender a Bush?

Curtis dijo, "El desastre de Nueva Orleans tuvo que pasar. Fue un acto de Dios. Yo pienso que gente respondieron de la mejor manera posible. Lo que decía Kanye West, no se de donde vino eso."

Lo único verdadero de este tipo es que es un verdadero esclavo.

Mientras mas sabes de el, mas parece que alguien le dice que decir y hacer. Piénsalo bien. Cuando gente Negra lo escucha, cual es la dirección que los lleva su música y su mensaje:

Guerilla Unit (movimiento de revolucionarios) o Gorilla Unit (chorro de jodidos monos)?

Como dice Kenneth 'Supreme' McGriff, quien fue recientemente condenado a vida en prisión, de el:

> El gringo lo esta puteando. El no es nada mas que un hijo de puta que hecho todo hacia atrás, unos 150 años. Lo próximo que lo verán haciendo es anuncios por macarrones con queso.

Cual es tu opinión de alguien que vive así? Porque?

Una mala reputación es una muerte en si.

EL REY DEL CRUNK

No puedes dejar de notar a Li'l Jon cuando aparece. Aunque este promocionando su bebida energética, Crunk Juice, o haciendo un cameo en un video, Li'l Jon es el indisputable rey del crunk en el sur. Se hizo famoso introduciendo el mundo a la música crunk, la cual se apodero de radio en 2001. Ha estado en todo, desde anuncios de Subway hasta el 'Chappelle Show', haciendo su rutina. Ya tu sabes cual es, su pelo en 'dreadlocks' brincando, dientes brillando, gritando "What?!" "Yeaaah!" y "Okaaay!" El es una de las caras mas conocidas en hip hop alrededor del mundo.

Pero lo que mucha gente no sabe es que no es nada como se ve en el televisor. Todo ese grito y actuando loco? Eso es su actuación.

En la vida real, Li'l Jon va para su casa a una vida callada con su esposa y sus hijos. Detrás de esas gafas de sol, sus ojos enseñan calma e inteligencia. Si inteligencia. Es mas, después que se graduó de Douglass High School en Atlanta en 1989, siguió a conseguir un bachillerato y una maestría. Pero como otros graduados del colegio en el hip hop (como Master P o David Banner) nunca lo sabría. Tengo unos amigos que estudiaron la secundaria con Li'l Jon. Era un DJ en ese entonces. Pero Jonathan Smith tambien era un nerd. Normalmente, la gente no se meterían con alguien como el, pero el tiraba las mejores fiestas. Y cuando sus padres no estaban, todo los jóvenes en Atlanta estaban de fiesta en su casa. Ahí fue que aprendió lo que se necesitaba para mantener a la muchedumbre disfrutando.

AHORA ENTONCES

Ahora ha tomado esa habilidad y lo ha vuelto en un imagen que la gente recordaran aun después que se ha ido. Pero esa imagen solo sale cuando es hora de actuar. Cuando se quita del cuello esa cadena de 12 libras y 73 quilates, es humilde, bien hablado y orientado a su familia. Alguna gente, sin embargo, no saben como apagarse. Son matones en la calle así que así son en las entrevistas de trabajo....y no le dan el trabajo. O son calmados e inteligentes, pero no saben enseñar otro lado cuando están rodeados de unos locos. Así es que los comen vivos. Es el hombre exitoso que sabe como usar la mascara ademas de cuando quitársela. También es un hombre honesto que revela, como lo hace Li'l Jon, que su imagen crunk no es quien es en la vida real.

Pon la cara correcta al tiempo correcto.

Películas para Ver

My Familia; Selena

My Family (Mi Familia) entra profundamente en la cultura latina, ocupándose de vida en California. Tanto como pienso que es cojo, la película de Selena es bastante buena y demuestra una buena comprensión de que como es crecer como un hispanico en América sin la tema de las pandillas. My Family es más profundo sin embargo.

PEGADO A LA ESQUINA

Era casi como si el grupo de muchachos que se pasaban par de bloques de mi casa me cogieron como un proyecto. Lo hicieron su misión enseñarle al joven Hindu las reglas de la calle. Como yo nunca he rehusado una oportunidad para aprender, no paso mucho antes que yo estuviera corriendo con los pandilleros, ellos en esas por necesidad y yo por aventura.

Tampoco paso mucho tiempo para que se pasara la novedad y todo en ese mundo se sintiera natural y lo fuera de ese mundo mas y mas extraño. Por supuesto, tampoco paso mucho para que yo estuviera corriendo de los policías diariamente. Hacíamos mucha mierda estúpida. Como correr por encima de autos estacionados, o amarrándonos los zapatos en el medio de la calle o jugando en casas abandonadas y brincando de ventanas y techos. Escalando salientes y escaleras de incendio de edificios altos y brincando de techo en techo suena bastante estúpido y peligroso, no?

Nos encantaba.

Tirando piedras y botellas vacías a la gente y los autos desde los techos de las casas suena cruel y trastornado, verdad?

Que diversión!

Insultando nuestras mamas hasta llegar al punto de pelear?

Puro entretenimiento.

Yo había empezado a beber cuando tenia 12 o 13, pero estas nuevas circunstancias me presentaron a un alcohol mas fuerte. Boone's Farm, Mad Dog 20/20, Thunderbird, básicamente todos los vinos baratillos. Eramos alcohólicos jóvenes, me supongo. Botellas de 40 onzas de St. Ides y Olde English 800 ensuciaban las escaleras de la iglesia donde nos pasábamos de noche. Ocasionalmente había una u otra de 32 onzas de Magnum, de las noches cuando solo tenias un peso para gastar. Y como se me puede olvidar la bebida mas fenomenal jamas inventado? Cisco, también conocido como el crack liquido.

Uno pensaría que algo llamado crack liquido no era bueno para consumir, y como se movía en la botella, como un aceite en vez de salpicar como un liquido normal, era claro que no lo era.

Pero de muchas maneras no eramos completamente humano. De una manera que aprendería luego, Frantz Fanon lo puso sucintamente, estábamos funcionando a un nivel sub-humano...y orgulloso del. Bebiendo todos los días, a veces solo para no tener que compartir mi licor o mis momentos de claridad, improvisando alrededor de una toca cintas, peleando con uña y diente por pendejeadas, fumando marihuana porquería y después comiendo mierda de la tienda en la esquina...así era mi vida hasta que salí de Nueva Jersey y era todo lo que habia a la vida. Para simplificar cosas, lo puse en una tabla fácil de entender:

Actividades	Comidas	Bebidas
Improvisando	Pollo Frito	Agua con sabor azul o roja
Boxeando/Luchando	Papas Fritas Grandes	Refresco de 50 centavos
Crímenes Impensados	Papitas Picantes	40 onzas De Cerveza barata
Bebiendo/Fumando	Productos de Cerdo	Vino Barato
Hablando Mierda	Semillas de Girasol	Licores Fuertes

Que he aprendido al mirar hacia atrás? Ademas del hecho que iba en camino hacia cirrosis del hígado, o una ulcera de todo esa mierda picante, realice que yo me había encerrado en una caja completamente. Habían ciertas cosas que no podías hacer o decir en el bario porque estaban fuera de esa caja.

Empece a tratar de convencer a mis socios que fueran a la ciudad de Nueva York conmigo. Era solo un viaje en el tren, y yo sabia que habían muchas nenas lindas para hablarles. Nunca quisieron. Así que intente a ver si irían hasta el mall. Estos chingados ni querían ir al mall. Por lo menos no mas de una vez al mes o menos. No hes como si tuviéramos gran cosa que hacer. Solo estábamos pegado a la esquina.

"La vida se encoje o expande de acuerdo al valor de uno."
Anais Nin (1903-1977)

Y no lo admitirían, pero tenían miedo tratar algo diferente. Cuando les había reportado que había conocido unas muchachas en uno de mis viajes solo a una ciudad cercana, y que estas muchachas querían conocerlos, hablaron mucha mierda de como íbamos hacer. Cuando llego el momento fumarse un blunt era mas importante que hacer el viaje.

Eventualmente, yo empece a tirarme para Manhattan solo. Me iba, tomaba mi alcohol, fumaba mis cigarrillos y me entretenía con las vistas. Coqueteaba con las muchachas, hablaba con extraños y me hice de amigos y enemigos. Y era vigorizador. Por fin me sentía vivo, como soltado de la jaula. Era esos primeros viajes fuera de Jersey City que me dieron el deseo y la confianza de dejar el norte del todo par mudarme al sur solo a los 16. Y la vida no ha sido la misma desde entonces.

Toma valor para dejar a tu esquina.

Peliculas Para Ver

Boyz in the Hood; Always Outnumbered, Always Outgunned; Gang Tapes

'Boyz in the Hood' es la clásica historia de adolescencia en el ghetto. El punto mas significante en la película, para mi, es el conocimiento que le da el papa Furious Styles a los jóvenes desde la loma con vistas del bario.

'Always Outnumbered' es basado en un libro por Walter Mosley, un autor Negro excelente. Es una historia clásica de un hombre Negro haciendo lo correcto en el bario, contra viento y marea.

'Gang Tapes' es sumamente interesante. Se supone que sea imágenes de una cámara de video que se robaron uno jóvenes pandilleros y usaron para grabar todo lo que pase en el bario. Si pones atención le sacaras el mensaje.

Los Años XXX

"El buen juicio viene de la experiencia, y la experiencia viene del mal juicio."
Barry LePatner

Esta es tu vida. De las edades 0-13, es todo desarrollo físico. Estas aprendiendo lo básico (así espero) de como funcionar en tu mundo, pero no estarás haciendo mucho todavía.

De los 13-17, es como preparar. Quizás pienses que lo estés haciendo en grande, pero apenas te estas mojando los pies.

De los 17-25, estos son unos de los años mas importantes de tu vida. Estos son los que yo llamo los años XXX. No porque serán como una película XXX (aunque pueda que lo sean), pero por las tres Xs: eXperiencia, eXperimentar y eXplorar.

Lo Sabias?

La pubertad cambia la estructura del cerebro? Por eso la adolescencia es tan emocionalmente desagradable. Hormonas como la testosterona influencian el desarrollo de neuronas en el cerebro, y los cambios a la estructura del cerebro tiene muchas consecuencias de comportamiento. Espere una inhabilidad emocional, una indiferencia y una inhabilidad de hacer decisiones mientras regiones en la parte frontal del cerebro maduren.

eXperiencia: Durante este tiempo, vas a aprender mucho sobre la vida...de manera difícil (vea 'La Vida, el Mejor Maestro). Después que sea lo suficientemente inteligente para evitar las trampas que te puedan matar o hacer que caiga en prisión, no debes temer a vivir la vida. Algunas de tus lecciones las aprenderás escuchando a gente que te pueden aconsejar (vea Cada Uno Enseña Uno), pero algunas las aprenderás por experiencias fuertes.

Lo Sabias?

Puedes aprender mucho de América de la encuesta de 10 años de actitudes de hombres negros hacia el empleo que hizo Harry Holzer. En 1979, cuando la baja en trabajos de fabrica empezó, investigadores le preguntaron a hombres negros si tenían mejor oportunidad hacer sus vidas legal o ilegalmente. El 60% preferían mantenerse legítimos. Cuando el equipo de Holzer pregunto la misma pregunta en 1989, ese numero cayo a 40%.

eXperimentar: Un experimento cualquiera empieza con una idea que es comprobado por pruebas y errores. La mayoría de los experimentos envuelven un poquito de conjeturas, muchas predicciones y una tonelada de decepciones. Esto puede ser el tiempo en tu vida cuando quieras tratar todo tipo de mierda nueva, a ver que es para ti y que no. Diviértete. Rompe el molde. Toma riesgos calculados. Haz lo que nadie mas a hecho. Así no tendrás lamentos cuando tengas 30 o 40. Pero no hagan paterias.

eXplorar: Mientras estés experimentando con la vida y la gente, porque no ver lo que te ofrece el mundo? Cuando tenia 18, empece a comprar taquillas de Greyhound y haciendo viajes para ver el país. Eso me inspiro a empezarle a coger ventaja al descuento de AirTran Airline's Xfares, cual permite gente joven viajar por bien barato. Sugiero que haga lo mismo. Sal de tu caja. Viaja. Conoce gente diferente. Ve a sitios que normalmente no irías. Puedes que descubras algo que te afectara profundamente tu vida entera.

Explora, Experiencia, Experimenta.

SER HOMBRE

"Tomo el tiempo para escribir esta misiva, para que puedas entender mejor, y así mejor soportar, el sufrimiento de convertirse en un hombre sin aprender que o quien eres en el régimen actual de las cosas."
Robert H. deCoy, The Nigger Bible

Ser hombre se trata de muchas cosas. El problema es que la mayoría nunca encontramos que son esas cosas. Así que jugamos a eso por 10, 20, 30, y hasta 40 años... nunca convirtiéndonos en hombres crecidos.

Yo iba a escribir un ensayo largo en que es convertirse en hombre. Yo iba a escribir sobre opciones, la independencia, la madurez, la paciencia y casi cien otras cosas.

Entonces me acorde de algo que aprendí en la escuela que haría el trabajo muy bien. Por casualidad tuve atento in literatura ingles en la secundaria cuando el profesor nos enseño el poema 'Si', de Rudyard Kipling. Quizás suene loco, pero este poema del 1895 pudiera ayudar a muchos de nosotros hoy. Y dice así:

> Si puedes mantener la cabeza cuando todos a tu alrededor
> Estén perdiendo las de ellos y culpándote a ti;
> Si puedes confiar en ti cuando los demás estén dudando,
> Pero haces concesión para sus dudas también;
> Si puedes esperar y no cansarte por espera,
> O, que mienten de ti, no bregar en mentiras,
> O, ser odiado, no darle paso al odio,
> Y no verte tan bien, ni hablar muy sabio;
>
> Si puedes soñar, y no hacer los sueños tu dueño;
> Si puedes pensar, y no hacer los pensamientos tu meta;
> Si puedes encontrarte con el triunfo y el desastre
> Y tratar a esos dos impostores igualmente;
> Si puedes soportar escuchar la verdad que has hablado
> Trastornado por bribones para hacer una trampa para tontos,
> O velar las cosas por que has dado la vida rotas,
> Y bajarte y construirlas con herramientas gastadas;
>
> Si puedes hacer un montón con todas tus ganancias
> Y arriesgarlas en un turno del juego,
> Y perder, y empezar de nuevo desde tus comienzos
> Y nunca respirar una palabra sobre tu perdida;
> Si puedes forzar tu corazón y nervio y tendón
> A servir tu turno mucho después que se han ido,
> Y así aguantarte cuando ya no hay nada en ti
> Excepto la voluntad que les dice: "Aguanta";
>
> Si puedes hablar con la muchedumbre y mantener tu virtud,
> O caminar con reyes – y no perder el toque común:
> Si ni enemigos ni amigos queridos te pueden lastimar;
> Si todos cuentan contigo pero ninguno demasiadamente;
> Si puedes llenar el minuto que no perdona
> Con sesenta segundos de corrida de distancia -
> Tuyo es la Tierra y todo lo que contiene,
> Y – lo que es mas – seras un Hombre, hijo mio!

Ser hombre no es fácil, pero la decisión consciente de verdaderamente hacerte un hombre es uno de los pasos mas importantes.

La Vida, El Mejo Maestro

Yo he tenido mas mujeres de lo que debo admitir. Afortunadamente, he sido suficientemente listo para no tener hijos por doquier ni enfermedades sexuales. Condones buenos pueden salvarte de muchas. En los últimos años he pasado por cada relación mala que te puedas imaginar. Parecía que seguía pasando el mismo drama una y otra vez. Tan pronto se iba un problema, me encontraba con nuevas situaciones con que bregar. Por un tiempo, culpaba a las mujeres que estaba conociendo. De pronto me di cuenta que un hombre solo se puede culparse el mismo por la mierda que pasa en su vida. Empece a buscar las verdaderas razones detrás de mis problemas.

Lo que vi fue que cada vez que no aprendía de una relación mala encontraría los mismos pleitos en la próxima ronda, como una clase en que me seguía colgando y tenia que repetirla. Una vez aprendí la lección, evitaba el problema de ahí en adelante. Me tomo años pero finalmente aprendí lo suficiente para poder estar en la mejor relación que jamas he tenido. Finalmente...no mas pleito. Inteligente, sensible, segura, y esta bien buena.

Pero aquí tiene un resumen de seis relaciones que pase antes de llegar a donde estoy hoy, menos los cuentos sucios y jodederas entre medio (incluiré alguno de esos cuentos en *Parte Dos*). He notado los problemas que tuve en cada relación, y las lecciones que aprendí:

Relación	Problemas Experimentados	Lecciones Aprendidas
Misha (1997 – 1998)	No comparte mis intereses. Es joven e inmadura. Todavía esta buscándose.	No estés con una persona muy joven para apreciarte.
Nia (1998 – 1999)	Me lleva 10 años y me regaña como mi mama. Es insegura y celosa. Es cabecidura e incomoda con el cambio.	No estés con alguien que pueda ser tu mama.
Princess (2001 – 2002)	No comparte mis intereses. No es de confianza. Esta acostumbrada a un tipo completamente diferente.	No estés con alguien que no comparte tus intereses.
Amber (2003 – 2004)	Todavía se esta buscando. No es de confianza. Esta acostumbrada a un tipo completamente diferente.	No estés con alguien que este contigo por tratar a algo diferente.
Anisah (2004 – 2005)	Es insegura y celosa. Es cabecidura e incomoda con el cambio. Quiere estar a cargo.	No estés con alguien que quiere estar a cargo.
Kay (2006 - 2007)	Todavía se esta buscando. Es cabecidura e incomoda con el cambio.	No estés con alguien que se cree muy inteligente o muy buena para cambiar y crecer.

Si te das cuenta, cada vez que aprendí la lección no tenia que repetir la experiencia. Si no la aprendía lo tenia que repetir hasta que lograra aprenderla. La vida es así, sea en el amor, negocios o cualquier otra área. Como dijo el filosofo George Santayana, "Aquellos que no aprenden de la historia están destinados a repetirla."

Tendrás que repetir la clase que no pasas.

Consejos Para Un Joven Jugador

Aquí tienen 15 consejos de como presentarte y de tu apariencia. En muchas situaciones la primera impresión es la ultima impresión. De igual manera que puedes fastidiar tus oportunidades con una mujer por acercarte de mal manera, puedes perder miles de oportunidades en la vida por tener una mala presentación tuya.

1. Para empezar, cortate esas malditas uñas. No estoy diciendo que te debes dar una manicura, pero me canso de sangrar cada vez que le de un fuerte apretón de manos a un tipo.
2. Chequea te el aliento a menudo. Nadie te quiere hablar y no sabes porque? La gente se te aleja cuando estas hablando? Es obvio. No hay nada peor que una boca de mierda. Mantén chicles y mentas en tu persona a todo momento. Puedes chequiar tu aliento corriendo tus dedos por la lengua o tosiendo en tu mano.
3. Deja de estar agarrándote (o a la novia). Agarrándote en publico, o a cualquier persona, no es aceptable en la sociedad de hoy. Te hace ver como un enfermo que necesita ser encerrado antes que viole alguna vieja.
4. Deja de escupir en publico. Especialmente si no puedes llegar mas lejos que la barbilla. Es lo suficiente asqueroso cuando dejas eso por donde camina la gente, pero aun peor cuando le cae encima a ti mismo. Por lo menos escupe discretamente en algún arbusto.
5. Ajusta tu caminar. No puedes llevar ese camino de pandillero a todos lados. No digo que camines como si tuvieras una barra metida por el culo. Estoy diciendo que lo ajustes un poco cuando andes donde no es lo normal, como en tu trabajo.
6. NO NECESITAS GRITAR PARA COMUNICAR! Deja todo esa gritería y hablar duro en sitios que se supone hables bajito. Se ve tan mal cuando vez a un joven del bario en un restaurante fino, por, probablemente la primera vez...y se hace ver como un tonto hablando tan duro que todo el mundo, desde el chef hasta el portador lo escuchan. Aun peor si no puede pronunciar lo que esta en el menú. Tampoco se ve bien cuando estas en un sitio publico hablando duro por el teléfono....especialmente si es personal. Aun peor si estas usando Bluetooth. Porque pareces un loco que esta hablando solo.

7. Pronuncia. Si, pro-nun-cia. Eso quiere decir que hables claro. Si estas con tu gente y todos hablan igual, eso es una cosa, pero nadie quiere llamar a Servicio al Cliente y escuchar a alguien que parece tener un guineo en la boca. De nuevo, debes saber cuando cambiar.
8. Aprende la etiqueta. Si estas en un lugar como un restaurante fino o una entrevista de trabajo, necesitas seguir la etiqueta correcta. No eres Chris Tucker ni Cantinflas, así que no es cómico cuando te inventas locuras y pareciendo ignorante. Si no sabes que hacer o como actuar, lee sobre ello o preguntale a alguien de antemano.
9. Observa el código de vestimenta. Si dice 'traje de negocio', viste así. No uses una camiseta blanca con una chaqueta encima. Y no importa donde estés, ni si trabajas en un lugar de comida rápida, no trates de llevar pantalones de vestir caídos.
10. Deja de soplar te a ti mismo. Deja de hacer transacciones de drogas por tu teléfono. Deja de usar camisetas que promueven uso de drogas mientras tengas drogas en tu persona. Deja de reportarte al trabajo o a tu oficial de probatoria borracho o embalado. Deja de decirle a la gente lo que le vas hacer antes de intentar hacerlo.
11. Lleva tus peleas afuera, preferiblemente hacia atrás por algún lado. Digo, si de veras quiere pelear. Peleando adentro se siente chevere si son cincuenta de ustedes y tres de ellos. Pero pelear adentro casi siempre quiere decir que algunos serán arrestados y acusados de asalto y destrucción de propiedad.
12. Cuatro palabras: Gotas para los ojos.
13. Consigue una correa. No estoy juzgando al que lleve los pantalones caídos. Estoy juzgando al tipo que hace tonteras y no se puede escapar porque sus pantalones se caen mientras el intenta correr.
14. Usa sentido común. No importa lo que hagas, si sabes que es algo que no debes hacer, se discreto. No promociones o anuncies tu mierda. Si estas con una chica y quiere mirarle el trasero a otra, hazlo cuando ella este distraída. No mientras estés tratando de conseguir el numero de la otra haciendo que es una prima que no has visto en mucho tiempo. De donde yo vengo, no miramos al trasero de nuestras primas.
15. Piensa adelantado. Hoy día te dan tres fallos con el sistema jurídico. No los gaste en mierdas estúpidas. Nadie respeta alguien con pena de vida por estupideces.

El imagen cuenta. Asegurate que la impresión que dejes con gente es la que quieras que tengan.

Atrapado

La 'trampa' es yerga sureña para un vecindario donde hay solo una entrada y una salida, lo que lo hace fácil para bregar abiertamente mientras evitando la policía. Vendedores ven la trampa agarrando adictos o agarrando tipos que no son del área. Algunos toman la idea de la trampa a otro nivel pensando que pueden atrapar a policías allí también.

Básicamente, los que bregan se ven como los que atrapan.

Pero hay algunos que vemos la trampa para lo que realmente es...y quienes son los atrapados.

Después de todo, quien vive en la trampa? Quien esta atrapado allí de 5pm hasta 5am? Quien no puede salir de la trampa porque los de la otra trampa les quieren hacer algo? Y finalmente, quien hizo la trampa en la que se quedan? Quien creo esas condiciones?

Hay una camiseta que dice: Prisión, Libertad Condicional y Probatoria son las TRAMPAS. Si no puedes ver como, este debe ser la primera pagina que lees en este libro.

Sabes cuanta gente condenados a muerte lo exoneran cuando el NDA prueba que nunca cometieron un crimen? Sabes cuantos de esos eran Negros? Sabes cuantos de esos fueron al corredor de la muerte porque sus alegados crímenes fueron contra una mujer blanca?

Sabes cuantos jóvenes los están juzgando como adultos y están siendo condenados a prisiones adultas? Sabes cuantos de esos jóvenes son Negros? Sabes la gran diferencia entre los castigos para gente Negra cometiendo ofensas de drogas y gente Blanca cometiendo las mismas ofensas? Sabes porque?

Nunca lo había escuchado mejor que como Charsee McIntyre lo puso:

> Yo pongo la practica de encarcelar Africano-Americanos, particularmente los hombres, en el diseño estructural de esta nación...Desde los principios de esta nació, nosotros, Africano-Americanos, han vivido (y viven) con el temor que si no caemos presos, o en alguna institución, alguien en nuestras familias lo hará. Reclamo que nuestros encarcelamientos ocurren no por criminalidad o accidentes de injusticia, sino por el diseño estructural de esta nación. Institucionalizar se hizo la solución fundamental en la que los Blancos resuelven el problema de tener Negros libres en este país.

Eso dicho, quiero que vuelvas a mirar este ensayo y considera esto: Estoy atrapado, o me estoy atrapando yo mismo? La forma mas simple de mirar esto es: los impotentes e ingenuos son atrapados fácilmente porque ellos entran a la trampa con muchos deseos, esperando que nada pueda pasar.

Por otro lado, los inteligentes y poderosos se atrapan rehusando hacer lo que ellos saben pueden y deben hacer.

Algunos de los hermanos con que yo bregaba en Jersey eran brillantes. Pudimos haber empezado negocios or mudarnos a Atlanta, donde habían trabajos (en aquel entonces). Pero fui el único quien lo hizo. Porque?

Algunos nos sentimos atrapados, cuando somos nosotros mismos que nos atrapamos.

Como Ir A La Cárcel

Si vas a la cárcel, que no sea por alguna estupidez como peleando con amigos soplones que te deleitaron o porque quieres cambiar a un mejor auto. No vayas a la cárcel porque sientes que alguien te falto el respeto. Y por favor, POR FAVOR, no vaya a la cárcel por una gringa. Si vas a ir a la cárcel, solo hay una razón que vale la pena: Y eso es peleando el sistema.

Ahora hay forma inteligente de hacer eso, y forma bruta.

Casi todos estamos enojados con el sistema o mal guiados. Así que escuchen. No piense que estas haciendo una declaración importante por ir preso por una mierda. Estoy cansado de escuchar "Libera Scott" y "Libera Junito" cuando esos tipos están cumpliendo 6 meses por pegarle a sus novias. Tampoco es listo ir preso por volverte loco contra el sistema como Brian Nichols...porque nadie va a saber por que carajos estabas peleando.

En vez...si le pones suficiente trabajo a la comunidad, trabajando de veraz para cambiar las mentes, y trabajando para cambiar a la comunidad en si...eso es suficiente para retener la atención del enemigo. Estarás en buena compañía, por ejemplo todos los lideres de los Derechos Civiles quien fueron encarcelados por lo que creían. O todos los Negros libres que fueron presos tratando de liberar a los esclavos. O los miles de prisioneros políticos en cárceles por todo los Estados Unidos. Aquí algunos nombres de prisioneros políticos que debes saber:

Jalil Muntaqeem
Albert Nuh Washington
Oscar López Rivera
Charles Sims Africa
Herman Bell
Lorenzo Stone Bey
Carlos Alberto Torrez
Mumia Abu-Jamal
Mutulu Shakur
Ojore Lutalo
Alvaro Luna Hernandez
Phil Africa
Richard Mafundi Lake
Sekou Kambui
Sundiata Acoli

Hasta puedes leer declaraciones de ellos en el sitio de Prison Activist (prisonactivist.org).

"Esto es dedicado a mis maestros, Mutulu Shakur, Geronimo Pratt, Mumia Abu Jamal, Sekou Odinga, y todos los OG's reales..."
Tupac, "White Man's World"

Hay una lista mas grande de prisioneros políticos en los E.U. en el apéndice. Allí también encontraras direcciones postales donde los puede conseguir y posiblemente sitios del web con mas información sobre ellos.

"Puedes encarcelar un Revolucionario, pero no puedes encarcelar la Revolución."
Huey P. Newton

Contacta uno o dos de ellos, si ya no estas escribiéndole a alguien en la cárcel. Les dejara saber que todavía hay jóvenes acá afuera que están interesados en aquello por lo cual ellos peleaban. También te dará la oportunidad de desarrollar tus habilidades de escritura si no están donde quisiera que estén. Ademas te dará una oportunidad de aprender mas de lo que esta pasando en este país nuestro.

Aunque caigas, cae por una buena razón.

La Campaña "Deja de Mentir"

Como un OG entrevistado por los productores del DVD 'Criminales Vueltos Locos' explica, el código 'deja de soplar' es para criminales, no para ciudadanos:

> Hay esto del soplar y quisiera entrarle a eso. Hace tiempo que vengo pensando en esto. Y se necesita un OG para hablar de ello. Cuando yo me criaba, aplicaba a mi y a mis muchachos. Si hacíamos un crimen juntos, y agarraban a uno, no soplamos a los demás. Y si alguien hacia algo a tu familia y no soplabas, quería decir que tu te ibas a encargar...tu no lo soplabas, no quería que lo agarrara la policía porque tu querías agarrarlo. No era que no soplabas porque no querías hablar. Soplar es para un criminal. Si no eres un criminal entonces esa mierda de no soplar no te aplica...
> Recientemente vi una entrevista con este tipo Cam'ron donde dijo que si se enterraba que vivía al lado de un asesino en serie, no se lo diría a los policías, solo se mudaría. Así que lo que dice es que no le importa un carajo ni tu ni yo. Ese asesino puede matar a tu mama, a mi mama y el no va a decir nada. Ese hijo de puta esta loco. Lo que hubiese dicho es, 'Si hubiera un asesino en serie viviendo al lado, voy a buscar mis muchachos y vamos a hacer algo con ese chingado.'
> Esta bien, yo entiendo que no quisieras llamar la policía, pero necesitas ir allá y bregar con eso. Porque ese chingon puede que mate alguien en tu familia. Tu no dejas que nadie entre a tu comunidad y se meta con tu familia o la familia de tus amigos y no haces algo al respeto. Mejor chotear o brega con la situación tu mismo. Si no haces algo, van a volver y hacerlo de nuevo. Van a pensar que esta bien venir a tu casa o a tu bloque y hacer lo que le de la gana, porque tu no vas a soplar ni hacer nada tampoco.

A la misma vez, Cam'ron es el mismo que apunto hacia Jay-Z cuando le dispararon en DC, así que su palabra no vale ni un canto de papel de inodoro usado. El punto es que si no estas cuidando tu vecindario y asegurando que la gente inocente se sientan seguros, esa gente inocente tienen derecho a buscar ayuda de afuera.

Pero muchos estamos pegados a un código que ni entendemos. Solo decimos lo que los demás dicen. Y vamos a perder con ese tipo de pensamiento ingenuo. Yo conozco un hermano que cumplió cinco años detrás de algo con que no tuvo nada que ver. Adivina porque pensaba que no debería aclarar su nombre? Y sabes que los que lo hicieron lo dejaron ahí para pudrirse. Piensa en todos los hermanos inocentes cayendo preso por agarrar la culpa por algo cual ellos no eran responsables. Adivina que? Eso es parte del plan. Si tu o tu organización se hace lo suficientemente poderoso, alguien llegara que hará algo para meterte en problemas. Y adivina que mas? Ellos no se tiraran la culpa, y esperaran que tu no los chismees.

Con eso dicho, ya he escuchado suficiente sobre la campaña 'Deja de Soplar'. Tengo algo mejor por que hacer campaña. Que creen de 'Deja de Mentir'? Como dijo Pimp C antes de morir, 'Deja de mentirle a los jovenes...Dile como es.'

Aquí los básicos de la campaña 'Deja de Mentir':

1. Deja de actuar como algo que no eres, porque lo van a saber algún día de alguna forma.
2. Deja de actuar como si alguna mierda es buena cuando no lo es. Por eso es que los jóvenes están jodidos, por seguir alguna mierda que no es buena.
3. Deja de convertirte en gente diferente dependiendo con quien andas.
4. Deja de decirle a un grupo una cosa y a otro grupo otra cosa.
5. Deja de hablar mierda de algo que no sabes, o actuar como experto en alguna mierda que casi no entiendes.
6. Deja de llamarte cosas que no eres. Por ejemplo, no eres bregador si tus bregas no te pagan. Y no estas pagado si no tienes mas dinero que hace un año. No eres pandillero si no hay una pandilla. Y no eres un padrote si no haces dinero vendiendo mujeres. Piénsalo así: no estas peleando si te están dando una pelea. A eso no le dicen pelear, a eso le dicen coger una pelea. Entiendes?
7. Deja de dar mal consejos, especialmente si es algo que no funciono para ti.
8. Deja de hacer pretexto por tus fracasos.

9. Deja de decirte que esta bien ser un jodido a mitad.
10. Deja de ser nada y pensar que eres algo.
11. Deja de ser lo que pienses que otros quieren que seas.
12. Si eres inteligente, deja de tratar de sonar bruto, y si eres bruto, deja de tratar de sonar inteligente.

Dilo como es y actúa como tu mismo.

Haciendo el Tonto

Se que estas pensando, "Coño, Supreme, no debe alguien bruto tratar de hacerse inteligente? Eso no es algo bueno?"

Si, es algo bueno tratar de hacerse inteligente. Eso no es lo mismo como tratar de sonar inteligente. Tratando de sonar inteligente usualmente ocurre en una de las siguientes cuatro situaciones:

1. Cuando te para la policía, y tratas de actuar como un estudiante universitario para que no te registren para marihuana.
2. Cuando estas en una entrevista de trabajo, y te estas haciendo.
3. Cuando estas tratando de atraer una chica que esta fuera de tu liga.
4. Después que has aprendido alguna mierda y sientes que tienes que decírselo a todos.

Dejame decirte ahora, en todas esas situaciones, eso de hacerte el listo no te va a funcionar.

Con el policía, ya el sabe si te va a registrar cuando te para.

Con el trabajo, o calificas o no.

Con la chica, ella te huele desde lejos...y apestas. Mejorate. Esa mierda no te va a conseguir nada.

Y en el ultimo caso, es una de dos posibilidades:

1. La gente a quien le hablas ya saben sobre la mierda que hablas, o
2. La gente a quien le hablas no lo saben pero no le gustan las palabrotas que estas usando. Se creen que estas tratando de guillarte, y los esta haciendo sentir brutos y pequeños.

Así que un consejo: Se tu mismo. No hay razón por tratar de usar palabrotas. La gente que te quieren te escucharan mas si les habla como acostumbran. No quiere decir que tienes que hacer las misma estupideces que hacías, solo que tienes que enseñarles que estas creciendo...un día a la vez. No puedes ir de ignorante a genio en 2.5 segundos.

Es mas, cuando yo tenia 15 años, explicaba la mayoría de las lecciones que aprendía comparando la vida a la drogas o sexo. Nadie pensaba que yo estaba tratando de sonar inteligente y todos – aun gente mayor – empezaron a venir donde mi para consejos.

Pero la verdad es que la mayoría de ustedes no son tontos. Muchos son jodidamente brillantes, solo que te has ido entorpeciendo todo este tiempo. De todos los que leen este libro, por lo menos 75% de ustedes eran los mas inteligentes en tu clase en el primer y segundo grado. En algún momento después del tercer grado, mucho de ustedes empezaron a cerrarse, no importándote nada y entorpeciendo. Probablemente tenias muchas razones diferentes, pero eso no es importante ahora. Estas aquí ahora. Ahora sabes. Sabes que eres mas inteligente que mucha de la gente con quien bregas, pero probablemente no sabes como salirte de esa caja en la cual te has metido.

No es tan difícil como pensarías. Tu tienes opciones. Te las pondré en orden de mas fácil a mas difícil:

1. Haz lo que hacen los demás, pero piensa lo que quieres.
2. Empieza a meter poco a poco lo que vas aprendiendo y esperar que algunos se interesen.
3. Empieza poco a poco a cambiar con quien te juntas, así podrás estar alrededor de gente que te entiendan y te aceptan como verdaderamente eres.
4. Despierta un día y decide ser tu mismo, como verdaderamente eres, y pelea con cualquiera que tenga problemas con eso.

No importa cual camino escojas, no cambies de la noche a la mañana porque tus ojos están abiertos. Siempre tendrás que hablar el idioma de la gente a quien le hablas. Y sobre todo, nadie quiere escucharte predicar, ni los religiosos. Ellos van a la iglesia por la música.

Finalmente, como dijo Malcolm X en su autobiografía:

> Tienes que tener cuidado, mucho cuidado, presentando la verdad al hombre Negro quien nunca antes había escuchado la verdad sobre el mismo, sobre su gente y sobre el hombre Blanco...El Hermano Negro esta tan lavado de cerebro que el hasta puede ser repelido cuando al principio escuche la verdad. Reginald aconsejo que la verdad sea repartido un poco a la vez. Y tenias que esperar que le entrara antes de seguir al próximo paso.

La Tierra no se hizo en un día (ni seis).
El cambio vendrá, pero dale tiempo.

La Realidad

No eres rico si no puedes comprar una casa sin préstamo...o si tienes un auto nítido, pero vives en un apartamento.	Eres rico si tienes el dinero para una casa, pero usas tu compañía para comprarla y no gastas nada.

No eres EL hombre cuando controlas un poco de coño o dinero.	Si eres EL hombre cuando controlas cosas mas grandes que coño o dinero.
No eres rico porque tienes zapatillas y ropa buena.	Si eres rico si la compañía que hace ese ropa y zapatillas te pagan por usarlas.
No eres gran cosa porque algunos muchachos y una gente pelada te respetan.	Si eres gran cosa si políticos y ejecutivos te respetan.
No eres real si te comportas como matón en las calles y como un nene bueno frente a tu mama.	Si eres real si te comportas como un nene bueno todo el tiempo.
No eres poderoso si tienes que gastar dinero para que la gente te quiera.	Si eres poderoso si la gente gasta dinero en ti, con la esperanza de que les gusten.
No eres un jugador principal si puedes morir mañana y nada cambie.	Si eres un jugador principal si mueres mañana y 10 personas suben a continuar tu trabajo.
No eres inteligente si te siguen agarrando aunque no seas convicto.	Si lo eres si cambias tu dinero a algo legitimo, para que no te tenga que preocupar por que te agarren.
No estas feliz si bebes, fumas, festejas y tienes sexo para olvidar tus problemas.	Si lo eres si sabes como resolver todos los problemas que tengas.

Se real contigo y con los demás. Puede que engañes a otros, pero el crimen mas grande es mentirte a ti mismo.

PENDEJOS Y BREGADORES

"Solo hay dos tipos de gente en este mundo, estafadores y a los que estafan... (a los que estafan) deja que sus cerebros torpes duerman es su mundo de pendejo. Mantén tu cerebro afilado en el mundo secreto del engaño."
Iceberg Slim

Iceberg Slim inspiro a mucha gente. No solo era la razón porque casi todo rapero desde Ice Cube a Ice-T puso 'ice' en su nombre, pero sus libros inspiro una legión de jóvenes tracaleros de igual forma que la película Scarface inspiro la mayoría de los bregadores de los 80s y 90s. La mayoría no le hacen caso a los finales trágicos y las malas verdades contenido en los libros de Slim como igual hicieron con Scarface, pero así es que 85% de la gente ve la vida, verdad?

Es mas, Slim escribio: "Pendejos prefieren una mentira linda a una verdad fea."

Y como dice Robert Greene, autor de 'The 48 Laws of Power', en su blog:

> El pendejo quiere creer ciertas cosas sobre la vida y así proyecta esos deseos sobre el mundo verdadero, viendo lo que quiere ver, no lo que

hay. Un bregador prospera de la realidad, fea o desagradable – encuentra su poesía en lo real. El ve la mesa completa y la juega tal como es.

Greene usa citas, como esa, de la novela 'Pimp', de Iceberg Slim, para ilustrar algunas de las cualidades que separa a los que bregan de los estafados. Aquí tienen siete mas:

"No tiene sentido afligirse por lo desconocido. Solo pendejos hacen eso."

Un bregador tiene que tomar en cuenta peligros y riesgo. Es parte del juego. No se puede controlar todo, ni lo quisieras hacer. Caos, factores desconocidos no son nada para tenerte ansioso. Representan oportunidades para nuevos ángulos, nuevas bregas. El pendejo no puede con lo desconocido, así que se jode por impaciente y ansioso, o se retira a un mundo falso, que le de seguridad.

"No dejes que tu mente este brinca y salta como la de un loco pendejo."

La mente de un pendejo se mueve por doquier, olvidando el orden de las cosas y creando caos donde no hay ninguno. Los que bregan tienen que mantenerse calmado y enfocado en la cadena de eventos como pasen, los ángulos que se están jugando con sus posibles reacciones. Un bregador nunca se olvida donde esta la bola numero 8 y como llegar a ella.

"Yo no me atraso en las cuentas como un pendejo."

Pendejos tienen una relación equivocada con el dinero. Tratan de guardar centavos aquí y allí, o o tratan de hacer el montón grande que tiene menos probabilidades de pasar. El dinero le saca todo los neurosis. Un bregador entiende el dinero. Es una herramienta para el poder, *La Brega*, y un recurso para el placer. Y siempre conoce las probabilidades.

"No dejen que te agarren la billetera. La estafa se hizo para todos, sabes."

Todo el mundo es susceptible a ser estafado. El bregador mas sabio de pronto puede caer por la peor trampa y perder su dinero. El bregador conoce sus debilidades y aperturas al engaño. Esa conciencia es su ventaja. Un pendejo se cree que lo sabe todo y que no lo pueden engañar. Ese es su fallo fatal.

"Nunca olvide que la palabra de un bregador tiene que ser garantía a sus asociados."

Honor entre pillos, en otras palabras. Los pequeños bregadores se le olvidan esto y la importancia de la reputación. Se pierden en el momento y joden a la persona equivocada. El codicio nunca se le debe trepar a la consideración por tu credibilidad. Si no lo entiendes, eres un pendejo.

"Fui al teléfono para llamarle a la diosa. Decidí que no, era jugada de pendejo llamarla tan enseguida."

Impaciencia es el sello del pendejo, y nunca es mas claro que en la seducción. El no puede esperar llamar, derramando sus entrañas con confesiones de amor, o intentando revelar lo mucho que quiere impresionar y satisfacer. Emoción se le trepa a la estrategia. Paciencia y tiempo son el credo del bregador. "Yo juego por tiempo y veo que pasa," dice Elizabeth I, la gran bregadora reina de Inglaterra.

"...perdiste la cabeza como un pendejo. Te hubieses quedado calmado y figurado alguna brega conmigo para separar ese hijo de puta de unos miles."

Enojarse es fatal y estúpido. En un mundo peligroso y competitivo, el enojo es una gran tentación. Pero solo un pendejo se deja llevar por el enojo natural a las cosas y reacciona con diatribas y arrebatos. El bregador juega el angulo mas grande y toma venganza al sujeto dándole a su bolsillo o a su reputación. El enojo no es reprimido sino canalizado correctamente.

Pendejo o bregador? Estafado o estafador? Victima o sobreviviente...mejor aun, victima o victorioso? Esta en ti. Los débiles son débiles porque prefieren seguir durmiendo. Esta en ti pensar diferente.

Toda la vida es escoger. Escoge el camino mas alto.

Falta de Comunicación

Un teniente de drogas y su grupo de soldados regresaron a la casa del jefe después de una larga misión de castigos y represalia. "Como estamos?" le pregunto el jefe. "Jefe," le contesta el teniente, "hemos estado metiendo le fuerte con los muchachos a todos tus enemigos del lado oeste."

"Como?" grito el jefe. "Yo no tengo enemigos en el lado oeste."

"Oh," dijo el teniente. "Los tiene ahora."

Dicen que la falta de comunicación es el asesino numero uno de la relaciones. Eso incluye socios, amigos, y todo que necesite mas de una persona trabajando en algo. Usualmente, las cosas fallan por la falta de comunicarse claramente.

16 Consejos para Comunicación Efectivamente

Aquí tienen 16 consejos que te ayudaran comunicarte mejor, y cumplir tus metas con facilidad:

1. Has las preguntas que necesitan hacerse; di lo que necesita ser dicho. No puedes culpar a nadie mas si es tu culpa que algo no se sabia.
2. No tomes todo tan personalmente. Ese tipo que no te da cambio por un cinco quizás no te esta faltando el respeto. Quizás no habla español. Así que deja de actuar como un niño.
3. A veces necesitas callarte la jodida boca. Especialmente cuando alguien mas cualificado te esta hablando, o cuando estas escuchando algo que puedas usar.

4. Piensa dos veces antes de responder. Sino, es posible que digas alguna mierda que no querías decir. Y una vez dicho, no se puede regresar hacia atrás.
5. Cuando alguien dices que quizás lo hagan, no quiere decir que lo van hacer, y tu no debes decir que lo harás si quieres decir quizás.
6. Alzando la voz nunca ayuda la situación. No te hace ver guapo tampoco, ya que la gente mas dura y fría son los mas callados. Solo te hace lucir emocional.

Lo Sabias?

Los Estados Unidos tienen la segunda mayor población de hispanico en el mundo? Cerca de 47 millones, y ése es si usted cree sus estimaciones! Por la comparación, hay solamente 40 millones en España (#3), y 110 en México. (#1).

7. Nunca le digas a nadie a quien le vas a contar. Ni en la calle, ni en el trabajo. Nunca funciona. Si vas a añadir a alguien, no lo anuncies de antemano.
8. Parafrasea. Eso quiere decir que puedes aclarar mucha falta de comunicación si solo repites lo que tu piensas que la otra persona esta diciendo, en tus propias palabras. Puedes encontrar que una persona no siempre quiere decir lo que tu piensas que ellos quieren decir.
9. Explicate. No esperes que la gente entienda algo que no le dices, o que sigan algo que no entienden.
10. Busca el compromiso. Encuentra un terreno común, algo que los dos se puedan poner de acuerdo o algo que los dos quieran, y trabajen de allí.
11. Ser pacifico no quiere decir ser débil. Siempre hay un tiempo y un sitio donde hay que enseñar los dientes. Si dejas demasiadas violaciones pasar, al tiempo todos te cogen de pendejo.
12. Empatiza. Eso quiere decir que trates de ver las cosas del otro lado. Considera lo que estén pasando y trata de entender. Deja que sepan que tu lo vez antes de pedir que ellos vean tu lado.
13. Calla la jodida boca, de nuevo. Lo mas seguro que todavía estas hablando demasiado. Como vas a aprender? Dos oídos, dos ojos...solo una boca.
14. Desarrolla tu vocabulario. No importa como aprendas nuevas palabras, pero aprende algunas. Es mas, practica el idioma de todas formas. Así te escucharas mas inteligente y no estarás escribiendo mal las palabras en tu pagina de MySpace.
15. Hablando del Internet, aprende a usar periodos cuando estas escribiendo. Vez este grupo de palabras aquí, con periodos al final?

Esos se llaman oraciones. Usalas si quieres que la gente te entienda. También escribir solo en letra mayúscula es para los retrasados mentales.

16. Finalmente, deja de usar terminología sobre-usada. Solo porque lo dice un rapero no quiere decir que lo puedes decir cada cinco minutos. Si tienes tu propio decir pegadizo eso esta bien. Eso se llama creatividad, y es lo que mantiene al padrote trabajando. Pero decir algo que haz escuchado otro decir es débil y seguidoriente. Vez, eso es una palabra que yo invente. Seguidoriente. Eso es originalidad. Trata tu a ver.

La comunicación pobre elimina oportunidades para oportunidades, mientras la comunicación efectiva las multiplica.

Cristianos Negros y Católicos Trigueños

Eres un cristiano Negro? O un católico trigueño? No sabes de donde recibiste esa religión? No sabes que los dueños de esclavos requerían que sus esclavos atendieran a la iglesia, o fomentaban sus esclavo que tuvieran sus propios servicios, en la esperanza que las enseñanzas cristianas los hiciera más sumiso y obedientes?

Solo mantén esto en mente: el cristianismo era la herramienta más efectiva para ser que los esclavos fueran lo suficientemente sumisos para que no se rebelaran. Esa idea de un cielo esperando aquellos que sufren en la Tierra es algo que se inventó la gente en el poder. Se lo inventaron y se lo dieron a aquellos que oprimían...paso donde quiera que fueron los Blancos. No sabes que los conquistadores Españoles usaban a los sacerdotes para ayudar extender su influencia y control? Negro o trigueño, como siempre, nos hicieron lo mismo.

"Primero ellos tenían la biblia y nosotros el terreno, ahora nosotros tenemos la biblia y ellos el terreno."
Dicho Sudafricano

Piénsalo. En la esclavitud, los dueños trabajaban fuerte para lavarle el cerebro a la gente Negra con muchas ideas, tales como:

- ❑ La idea que los Negros eran impotentes y inferiores, mientras los Blancos eran lo último en poder y autoridad (siendo lo más cerca a un Dios blanco y un Jesús blanco).
- ❑ La idea que un grupo de Negros es mejor que otro.
- ❑ La idea que hay un cielo esperando para todos que sufrían en la Tierra, y no peleaba (aunque fuera en defensa propia).
- ❑ La idea que había un infierno esperando aquellos que peleaban (contra el infierno que se les había dado aquí).

Una de las herramientas principales para lavarle el cerebro a los Negros en este sistema fue el cristianismo. De acuerdo al historiador de la esclavitud, Herbert Aptheker, los Blancos usaban la biblia para respaldar todo lo que le hacían a los Negros. Los esclavos recibían lo que le llamaban "religión de esclavo" y "la meta de esta instrucción era para inculcar mansedumbre y docilidad."

De acuerdo a otro historiador, Kenneth Stampp, quien escribió 'The Peculiar Institution':

> Por medio de instrucción religiosa, "aprendían que la esclavitud tenia sanción divina, que la insolencia era tan ofensiva contra Dios que lo era al dueño temporal...y escuchaban el castigo que le esperaba a el esclavo desobediente en el más allá." Esta enseñanza de cielo e infierno se usaba para inculcar el temor de rebelarse contra los Blancos, quien era lo más cercano a Dios, sino Dios mismo.

"La virtud moral de un espíritu no-resistente era un tema favorito de ministros sureños, cuando le predicaban al esclavo." William Parker, un ex - esclavo, recordaba: "Los predicadores de un evangelio de comercio de esclavos, nos decían con frecuencia, en sus sermones, que deberíamos ser 'nenes buenos' y no meternos en la gallinera o robar su tocineta."

Escuchaste?! Mejor que no te robes la tocineta, nene!

Stammp sigue diciendo, "También escuchaban que la salvación eterna seria su recompensa por servicio fiel." Les enseñaban que su comportamiento cristiano "saltaría esta vida" y les "proveería todas las conveniencias en la próxima."

Así que mientras el cristianismo les implantaba el temor de un Dios vengativo que demandaba la sumisión de un esclavo a su dueño, también los apaciguaba y contentaba el esclavo con la promesa de una mejor vida después de la muerte.

Eso quiere decir que tu vida apestara ahora, pero si te portas bien, iras a un sitio mágico cuando mueras! Con unicornios, calles de oro y niñas bonitas!

Pendejos.

De acuerdo a Frederick Douglass:

> Entrenados desde la cuna a pensar y sentir que los dueños eran superiores e invertidos con cierta santidad, había pocos que podían subir más arriba del control que ese sentimiento ejercita.

Eso debe explicar porque los Negros de la iglesia le temen tanto a los Blancos!

Lo Sabias?

El primer barco de esclavos se llamaba Jesús?

El Papa Nicolas V autorizo al rey de Portugal a reducir a los "Sarracenos (Musulmanes) y paganos y cualquier otro no creyentes" a la esclavitud perpetua.

De acuerdo a Jefferson Davis: "(La esclavitud) fue establecida por decreto de Dios Todopoderoso... es sancionada en la Biblia, en los dos Testamentos, de Génesis a Revelación."

La esclavitud todavía es abogada en América del Norte por algunos grupos cristianos.

Así que 'Negro' y 'Cristiano' no deben ir juntos. Eso es demasiado trastornado. No puedes ser de un todo por lo Negro y a la vez ser de un todo por el cristianismo. Si todavía no lo entiendes debes revisar las ultimas secciones, especialmente la de Pendejos y Bregadores.

Y que de aquellos que no fueron esclavizados por los Europeos, forzados a aceptar su religión y hecho creer que el camino blanco era el mejor camino? Pues si eres hispano, no eres tú. Por qué? Porque tu gente pasó por las mismas. Y casi de igual manera, menos que ustedes vienen de dos grupos oprimidos en vez de uno. Bueno, a la misma vez los Negros en los EE.UU. tienen sangre indígena también, verdad? Como sea, aquí un poco de la historia del cristianismo en Latino América.

Ponce de León llego en Boriken (Puerto Rico) en 1508. Ya para el 1510, los Españoles estaban tratando de esclavizar a los Tainos, y los Tainos no se dejaban. Los Tainos se rebelaron contra el ser esclavizados y contra su conversión forzada al cristianismo. Y esos dos iban mano en mano.

Los Españoles establecieron en la colonia los repartimientos y las encomiendas, sistemas de trabajo forzado, que fueron implementadas en todo el imperio....toda Latina América. La encomienda consistía de darles a los colonizadores cierto número de indígenas (entre 30 a 300) para ser instruidos en las enseñanzas religiosas de la iglesia católica. Los indígenas se suponían trabajaran en las minas o en los terrenos del colonizador durante su adoctrinamiento. La realeza Española prometía libertad a los indígenas una vez fueran certificados como cristianos completos. Así que si querías hacerte libre, tenias que cambiar toda tu cultura y aceptar el dios blanco llamado Jesús. Pero aquí el truco, no había libertad esperando por esos indígenas esperanzados. Los Españoles nunca planeaban dejarlos libres. Es más, pronto se dieron cuenta que un esclavo cristiano era el esclavo mas obediente. Por qué? Ve arriba. Cuando crees que tu recompensa te está esperando en el cielo después que sufras en la tierra y mueres, nunca pelearas por lo correcto! Funciono en todo lugar!

Los Españoles querían borrar todo rasgo de cultura o tradiciones Tainas. Querían una transformación interna y externa completa del Taino. Y uno de los mejores métodos era un adoctrinamiento compulsorio al catolicismo. Los Tainos también eran requeridos a aprender Español además de las formas apropiadas de interactuar socialmente. Sus nombres eran cambiados después del bautismo, a unos en Español. Los Españoles querían eliminar la figura del behique y otras costumbres que los Tainos tenían en común con gente indígena de todo el mundo; como tradiciones orales, consejos de ancianos, economías socialistas, etc. Y hoy día muchos Puertorriqueños son mestizos porque en esos días los sacerdotes católicos favorecían que los caciques Tainos casaran sus hijas con hijos segundos de Españoles y así evitar derramamiento de sangre. En realidad lo que hacía era obtener largos cantos de terreno de los indígenas y trabajadores gratis. Ese predicar religioso no tenía nada que ver con ayudando o 'salvando' a la gente. Como carajo puedes ser salvado por un malvado? Especialmente cuando tu gente estaba mejor de antemano.

Cuando Francisco Pizarro fue dado permiso para conquistar a Perú en 1529, el rey Inca Atahualpa mando un mensajero, Cinquinchara, para estudiar a los Españoles y ver de que se trataban. Cinquinchara le informo a Atahualpa que eran pocos en números, menos de 200 hombres y que tenían unos indígenas atados con sogas de hierro. Atahualpa pregunto qué se debía hacer con ellos, y Cinquinchara le dijo que deberían ser matados porque eran pillos maléficos que se llevaban lo que les daba la gana y que eran "supai cuna" o "diablos." El recomendó atraparlos mientras dormían y quemarlos. Pero esto no paso. Cuando Atahualpa se reunió con Pizarro para confrontarlo sobre los rumores de esclavitud, violación y asesinato, Pizarro mintió, negando todo y diciendo que ellos venían como siervos de dios para enseñarles a los indígenas "la verdad de la palabra de dios". El dijo que les hablaba a ellos para poder "fundamentar la concordia, hermandad y paz perpetua que debería existir entre nosotros, para que nos reciba bajo tu protección y escuchar la ley divina de nosotros y toda tu gente pueden aprender y recibirla, pues será la más grande ventaja, honor y salvación para ellos." Mierda! Y adivina qué? Atahualpa no busco más a fondo sobre las acusaciones.

Lo Sabias?

`500 años fregados pero Christianos' es un libro ilustrado del año1992 de dibujante y escritor mexicano Rius que fue publicado por Grijalbo.El libro es una crítica afilada de la conquista española, de la iglesia católica, y de la condición actual de los indígenas de Latinoamérica que siguen siendo víctimas de humillaciones y de violaciones de los derechos humanos. La idea del libro vino sobre cuando el gobierno mexicano comenzó a hacer propaganda en la celebración de los 500 años del descubrimiento del nuevo mundo. El libro intenta desmistificar la figura de Columbus y de los misionarios españoles que lo siguió.

El libro se divide en nueve capítulos:

- En el pobre mugriento que era Columbus
- Qué si los Aztecas habian conquistado España?
- Cómo los españoles confundían la civilización china como el mexicano
- En sacrificios humanos
- En la cristianización de los indios
- En las cosas buenas y cristianas hechas en el nuevo mundo
- La conquista espiritual; el primer paso hacia el sub-desarollo perpetuo
- En el supuesto Inquisición "Santa"
- Donde el lector puede ver los resultados de la civilización que nos dieron

Al próximo encuentro, Pizarro trajo al fraile Valverde, quien explico las razones divinas porque los Españoles habían venido a Perú, y hasta la primera lección de Atahualpa en la religión católica. Después de hacerlo, le dio a Atahualpa una biblia, en la esperanza que él y sus hombres se convertirían de inmediato al cristianismo (en vez de ser considerado un enemigo de la iglesia y España). Atahualpa expreso que no era puta de nadie y les pregunto quién los hizo jefe. Fraile Valverde apunto a la biblia diciendo que contenía la palabra de dios. Atahualpa la agarro, y la sacudió cerca de su oreja y pregunto "Porque no me habla a mi?" Entonces él la tiró y eso les dio toda la razón a los Españoles de tomarlo como rehén y apoderarse de sus terrenos a la fuerza. Y mientras violaban y saqueaban, frailes como Valverde enseñaban religión.

Como le escribio Mansio Serra Leguizamon a la Corona Española sobre la gente de Peru:

> Quisiera que su majestad entendiera los motivos que me conmueven hacer este atestado es la paz de mi consciencia y por la culpa que comparto. Pues hemos destruido con nuestro comportamiento maléfico un gobierno que fue disfrutado por estos indígenas. Ellos estaban tan libres de crimen y codicia, hombres y mujeres, que podían dejar oro o plata valiendo cientos de miles de pesos en sus casas abiertas. Así que cuando descubrieron que éramos pillos y hombres que buscaban forzar sus mujeres e hijas a cometer pecado con ellos, nos odiaban. Pero ahora lo que ha pasado en ofensa a dios, debido al mal ejemplo que hemos dado en todo, es que estos indígenas que no podían hacer mal se han convertido en gente que no pueden ser bien. Le ruego a dios que me perdone, pues estoy conmovido a decir esto viendo que soy el ultimo en morir de los conquistadores.

Y lo mismo paso en todo Latino América. México es otro ejemplo. Hoy día, casi 90% de México se considera católico romano ('romano' no te deja dicho algo?). Pero aun tan reciente como los principios de los 1900s las cosas eran diferentes. Los líderes de la revolución Mexicana de 1910 realizo que la iglesia católica europea eran jugadores principales en mantener la gente Mexicana oprimida. Su influencia política era innegable. Al realizar esto, los líderes Mexicanos empezaron eliminar esa influencia. Mientras habían 4,500 sacerdotes (la mayoría blancos) 'sirviendo' a la gente antes del rebelión, ya para el 1934 solo habían 334 sacerdotes licenciados por el gobierno para servir a 15 millones, los demás siendo eliminados por emigración, expulsión y asesinato. Para el 1935, 17 estados no tenían sacerdote alguno. En 1937, el papa emitió su tercera queja de la persecución de la iglesia Mexicana. Para el 1940 la iglesia "legalmente no tenia existencia incorporada, ningunos bienes raíces, ninguna escuela, ni monasterios, ni convenios, ningún sacerdote extranjero, ningún derecho de defenderse públicamente o en las cortes, y ninguna esperanza que sus situaciones legales y actuales iban a mejorar.

Su clero era prohibido usar ropa clero, a votar, a celebrar ceremonias religiosas publicas y actuar en la política," pero las restricciones no siempre eran forzadas. Ese mismo año, hostilidad abierta hacia la iglesia empezó a parar con la elección de Manuel Ávila Camacho (1940-46), quien hizo un trato con la iglesia católica. Y la gente volvió a dormirse.

"El clero, ese traidor impenitente, ese sujeto de Roma, ese enemigo irreconciliable de libertades indígenas, en vez de encontrar tirantes para servir y de quien recibir protección, encontraran en vez leyes inflexibles que le pondrá limites a sus excesos y los confinara a la esfera religiosa."
Flores Magón, *Manifestó a la Nación, El Plan del Partido Mexicano Liberal* (1906)

A donde te deja esto? No estoy diciendo que todo cristiano sea idiota, así que no lo tomes personal. Puedo entender como la mayoría que lean esto van a ser cristianos. No es como si escogiste esa religión. Lo más seguro naciste en ella. Y es difícil quitarte algo que te han enseñado desde que naciste. Especialmente si te han forzado con el miedo de la eterna condenación!

Así que no espero que despiertes de la noche a la mañana, solo quiero que lo pienses. Después de todo, si la iglesia fuera todo lo que necesitamos para estar bien, no estuvieras leyendo este libro. Quizás necesitas comprar unas copias y dejarlas en los bancos de la iglesia local. Ponlo donde la gente lo vea. Justo después de la ATH, cerca del pastor que es un padrote, y en medio del desfile de moda de los Domingos!

No creo que nadie se enoje, después que no lleves pantalones caídos, y te haces que agarras el Espirito Santo cuando vayas saliendo! Que no se te olvide darle las gracias al Jesús blanco por tu vida maravillosa!

No puedes servir dos maestros.
Un hombre verdadero rehúsa ser una contradicción ambulante.

Reviso

El principio para este capitulo era **Manifestacion y Presentacion:** Una vez sabes mejor, haz mejor, habla mejor, escoge mejor y vive mejor.

Aquí están los principios y lecciones que cubrimos en este capitulo:

Palabras Sabias
Todo lo dicho tiene mas significado de lo que aparenta. Escoge tus palabras cuidadosamente, y escucha muy bien lo que oyes.
Debes saber la diferencia entre tus deseos y tus necesidades, y vivir basado en tus necesidades.
Es rara la gente que solo miran lo que dices; usualmente están mirando como lo dices.
La comunicación pobre elimina oportunidades para oportunidades, mientras la comunicación efectiva las multiplica.
A veces es mejor mantener la boca cerrada.
No vales mierda si tu palabra no vale mierda.
Puedes ser honesto sin chismear se uno mismo.

Maneras Sabias
Una mala reputación es una muerte en si.
Se tu, pero no te veas tan estúpido que la gente correcta no te respeten.
Aunque caigas, cae por una buena razón.
Pon la cara correcta al momento correcto.
Acciones Sabias
El imagen cuenta. Asegurate que la impresión que dejes con gente es la que quieras que tengan de ti.
No es siempre buena idea atraer atención hacia ti.
Solo un zambo enseña sus nalgas y se ríe de eso.
Dilo como es y actúa como tu mismo.
Selecciones Sabias
Un poco de bien no hace que algo malo valga la pena.
Toda la vida es escoger. Escoge el camino mas alto.
Cuidado con lo que te metas. Todo lo que es bueno hacia ti, no es bueno para ti. Demasiado de cualquier cosa no es bueno.
Se real contigo y con otros. Puedes que te salgas con mentirle a otros, pero es el peor crimen mentirte a ti mismo.
Toma valor para dejar a tu esquina.
Ser hombre no es fácil, pero la decisión consciente de verdaderamente hacerte un hombre es uno de los pasos mas importantes.
Le temen al levantamiento. Ellos saben que un hombre puede cambiarlo todo.
Nos definimos a nosotros mismos y a nuestra realidad.
Es rara la gente que solo miran lo que dices; usualmente están mirando como lo dices.
No puedes servir dos maestros. Un hombre verdadero rehusá ser una contradicción ambulante.
Crecimiento y Desarrollo
Explora, Experiencia, Experimenta.
Algunos nos sentimos atrapados, cuando somos nosotros mismos que nos atrapamos.
La Tierra no se hizo en un día (ni seis). El cambio vendrá, pero dale tiempo.
Tendrás que repetir la clase que no pasas.

Chequease

RECONSIDERAR Y REEVALUAR

"Cada pensamiento que tenemoss esta creando nuestro futuro"

Entendimiento es lo mejor que le puedes sacar a cualquier experiencia – mala o buena. Todos sabemos que lo que no te mata te hace mas fuerte, así que debemos vivir como si no le tememos a los atrasos. Eso no quiere decir que caminemos por el mundo cometiendo los mismos errores estúpidos una y otra vez.

La vida es crecer y desarrollar, cambiar y transformar, reconsiderar y reevaluar. Mientras vivimos, aprendemos, y mientras aprendemos, vivimos mejor. Si no sigues ese proceso, no me imagino cuan hondo debe ser el hoyo en que te debes haber metido.

No hay nada malo con cometer errores. Pero, aprendes cuando lo haces? Cuando fracasas en algo, puedes figurar el porque? Entiendes tu proceso de pensar?

Uno de mis socios – no es un padrote – pero puede juntarse con cualquier chica que le guste. Siempre estoy asombrado en la cualidad (por lo menos físicamente) de las mujeres con las cuales el anda. Y no gasta ni un centavo en ninguna tampoco. Es mas, estas mujeres saben que el no esta atado a ninguna de ellas, y comoquiera siguen con el y hacen lo que el les pide. Como lo hace? Como sabe exactamente que hacer y que decir?

Su contestacion? La Psicología. El entiende como piensa la gente.

Las realizaciones sobre la vida no siempre son bien claras porque el entendimiento toma tiempo. Pero si tienes 25 anos y no entiendes lo que esta pasando en la mente de otra gente (o la tuya), lo mas seguro que la estas pasando difícil.

Es tiempo que aprendas como entender todo lo que pasa a tu alrededor.

EXAMEN TRES: VISTAS Y PENSAMIENTOS

1. Un extranjero ilegal es...

a. uno tratando de colarse al país.
b. alguien que entro en el país sin permiso.
c. alguien de otro planeta.
d. no se.

2. El mensaje de la película 'The Matrix' es...

a. que las maquinas se pueden apoderar del país si los dejamos.
b. nos están mintiendo y necesitamos despertarnos.
c. no había mensaje.
d. no se.

3. Creo que el cuento de la creación en la biblia...

a. no es algo que debo cuestionar.
b. es un mito.
c. hace sentido perfecto.
d. no pienso en ello.

4. La mejor forma de figurar 199 x 3 es...

a. con calculadora.
b. (200 x 3) – 3
c. 199 + 199 +199
d. 199 x 3

5. Usualmente, raperos y otras celebridades...

a. son grandes inspiraciones o modelos a seguir.
b. no son lo que aparentan.
c. te pueden enseñar como va el juego.
d. son ricos, así que el dinero habla.

6. Cuando una mujer que me gusta me ignora...

a. sigo a otra que no me ignore.
b. revalúo mi estrategia.
c. no la dejo quieta hasta que me ponga atención.
d. ni cuenta me doy.

7. El dinero es...

a. la raíz de la maldad.
b. un recurso.
c. la clave de la felicidad.
d. dinero.

Explicación

Ya tu sabes la que es. No hay que seguir explicando.

Muchas As: Los "Vagos" Esto es alguien que no le gusta figurar cosas por si mismo y desarrolla su propio entendimiento. En vez, se toma el camino vago y agarra una idea o interpretación que escucho en algún otro sitio o uno que pareció ser el mas fácil. El problema con ese camino es que lo mas fácil no es siempre lo mejor. Es como el estudiante que se copia con la esperanza de sacar A.

Muchas Bs: Los "Claros" Esto es alguien que piensa racionalmente y claramente, sin mencionar críticamente. Una cualidad esencial del buen pensar es cuestionar las ideas que tienen los demás para poder llegar a su propio entendimiento. Este tipo de individuo ejerce pensamiento efectivo en su acercamiento hacia la vida. Es como el científico que sabe lo que hace.

Muchas Cs: Los "Locos" Esto es alguien loco, no que este loco de manicomio. Es que las ideas locas presentes en el mundo lo tienen con unos pensamientos de locos. Mantén en mente que la locura es ver el mundo de una manera ilógica, y haciendo cosas de una manera que no tiene sentido. Es como el hombre que se cree mujer, o el negro que se cree blanco.

Muchos Ds: Los "Nebulosos" Esto es alguien que no le importa mucho eso de estar pensando. Con o sin una nube de pasto, el cerebro de este individuo se mantiene en una neblina, y le gusta así. No es que ejercen pensamiento vago; simplemente no quieren pensar. Esta actitud no es productiva para ningún trabajo donde el éxito es deseado, y es muchas veces, peligroso. Es como un hombre ciego guiando.

El Tercer Principio

"Reconsiderar y Reevaluar" quiere decir: Buscar entendimiento. Encontrar claridad, visión y perspectiva en ti mismo, tu vida y el mundo.

Que Aprenderás

- ❒ Como ver la realidad por lo que realmente es.
- ❒ Cuales ilusiones nos mantienen confundidos y haciendo malas decisiones.
- ❒ Lo que el juego del chulo le puede enseñar a cualquiera sobre la vida y *La Brega.*
- ❒ Como verte por lo que realmente eres...y debes ser.
- ❒ Que habilidades necesita cualquier bregador para sobrevivir.

- ❐ Porque la estrategia es esencial para la vida y cualquier brega.
- ❐ Como saber si estas realmente feliz contigo y con tu vida.
- ❐ Que el juego del padrote te puede enseñar de la vida y el negocio.
- ❐ Porque no debes creer todo lo que oyes, lees o vez.
- ❐ Como el racismo sigue viviendo....y que nos quiere decir.

20 Ilusiones Comunes

No lo quiero admitir pero me gusta el programa, Criss Angel Mindfreak. No puedo mentir. Esa mierda es bastante divertido para ver, como el se deja aplastar por un aplanador, o meter el brazo por el culo de alguien y tirar la señal de paz por la boca...y lo que mantiene uno viendo esa mierda es lo real que parece. Por supuesto, es toda una ilusión...y todos lo sabemos, ya que esta en la televisión y es entretenimiento.

Pero las ilusiones están dondequiera...y la mayoría de nosotros no las vemos. He sido muy cuidadoso estudiando la vida a mi alrededor estos últimos años y he notado mucha mierda que no es lo que se aparece. Pensé compartir 20 ilusiones comunes:

Ilusión #20: El dinero compra la felicidad. Ni necesito explicar esto. Solo lee la biografiá de cualquier persona realmente rica. Están endrogados, miserables, se odian a ellos mismos y a su familia, y se quieren escapar de la vida. Sin mencionar que su primo Ray sigue pidiendo dinero.

"Ser feliz es mejor que ser rey."
Proverbio Hausa

Ilusión #19: Tenemos pecado original. Muchas cosas que te enseñan en la iglesia son simplemente tontas. Como es, que la misma gente Blanca que nos dicen que no son responsables por la esclavitud (porque eso fueron sus bisabuelos y no ellos) pueden darnos una religión que dice que todos estamos maldichos por lo que hizo alguien miles de años atrás? Si crees todo el pecado en la biblia debes apedrearte y a todos los demás, ahora mismo.

> **Lo Sabias?**
> Las aguas embotelladas Dasani y Pure Life son solo agua de pluma con sodio (sal) añadido.
> La mayoría de las ciudades le añaden fluorita a su agua de pluma, lo cual es un químico usado por los Nazis en Alemania en experimentos de control de mente, porque hace que la gente sean mas pasivos y mentalmente débiles.

Ilusión #18: Podemos tener la vida buena. La gente mira a su juventud dañada y su familia disfuncional y sueñan con familias perfectas y vidas perfectas. Nada en este mundo es perfecto. Eso es la naturaleza de un mundo imperfecto. Lo bello de una vida saludable o una familia saludable es poder sobrellevar todos los problemas que vas a tener, y no que nunca tendrás ningún problema.

"Mira, apuesto que lo que vez es tatuajes, dinero, dientes de oro y cadenas
pero si vas mas allá de la superficie encontraras las penas.
Nombres cambian pero las situaciones son las mismas."
T.I., 'The Dopeman'

Ilusión #17: Hay poder en la oración. Si, seguro. De veraz, cualquier idea envolviendo una persona esperando por algo mágico o milagroso que pase y hacer que las cosas sean mejor es bastante estúpida. Aun si las cosas accidentalmente van bien, ignoraras lo que hiciste para hacer las cosas mejores o peores, y tu desempeño nunca mejora. Eso es como jugar basquetbol, pero nunca practicar para mejorar, porque piensas que todo esta en manos de Dios.

Ilusión #16: Hay mujer perfecta. Andas buscando una mujer que se parece a Jennifer Lopez, hace el amor como una prostituta barata, hace dinero como Oprah, y cocina como tu mama? Sigue esperando eso por que vas a terminar con una mujer que se parece a Oprah y le pagan como una prostituta barata. El amor es aceptar y abrazar las imperfecciones de otro, no tratando de agarrar una modelo cuando eres un apestoso.

Ilusión #15: Los que se hacen como chingones tienen dinero. Mucho de esos tipos que se creen los meros chingones en el club y el club de stripeo, haciendo que llueva y demás, de veraz no tienen dinero. La mitad son tipos ambiciosos tratando de entrar a la industria de música y tirando lo que le dicen 'dinero de brillar' en la esperanza que la gente con dinero de verdad los noten y les hagan caso. La otra mitad son trabajadores de 9 a 5 que guardaron un cheque de UPS o Target para poder sentirse como un rey por una noche. Se preocuparan de sus cuentas de la luz despues.

Ilusión #14: El juego de rap es real. Es como la lucha libre WWE. Los gringos que la corren están detrás de la mayoría de esas peleas. Y como crees que pandilleros reales van a tirar amenazas en canciones que se pueden tardar semanas o meses al salir? Si crees que tipos están recibiendo tiempo en el radio por su talento, estas BIEN perdido. Nunca te has enterrado sobre payola? Es la forma que algunos de estas canciones apestosas llegan a ser éxitos. Puedes intentar entrar a la industria y ser grande también, pero espero que estés preparado para dejar tus valores a un lado, tu imagen atrás, y para soltar algún dinero, o un poco de culo (oh, no sabias que la mitad de la industria son maricas?). Como dice Jay-z en "Ignorant Shit":

> Son todos actores, mirándose en un espejo al revés/ No pueden ni verse! No le temas a ningún rapero/ Todos son locos, DeNiros en practica/ Así que no creas todo lo que llega a tu oreja/ Es mayormente al revés, al menos que sea tan cierto como yo/ Y todo lo dicho en mi canción lo vez allí/ Entonces cree la mitad de lo que vez/ Nada de lo que escuchas, aun si dicho por mi/ Y con eso dicho, matare a cualquiera

Ilusión #13: Las modelos son muy lindas. Esa modelo que conociste anoche no es realmente tan linda. No tiene cara linda, eso es maquillaje. Su pelo no es tan lindo, es peluca. No tiene un cuerpo tan lindo, eso son pantalones diseñados para subirle las nalgas y lleva un sostén que es mágico. Si ha gastado dinero puede que se ha hecho cirugía. O por lo menos unas inyecciones en las nalgas. Hablando de cirugía, esa chica puede que no sea ni chica.

Ilusión #12: Raperos son ricos. Muchos raperos están pelados. Date cuenta que muchos de esos tipos no aprobaron la matemática en la escuela. Recibieron contratos que le dieron avances grandes para guillarse, pero los deja buscando migas cuando se acaban las ventas. Pero quien le va hacer caso a un rapero pobre? Por supuesto que mienten. Tienen que mentir para que tu quieras comprar su mierda y sacarlos, de aunque sea la mitad de esa deuda que llevan (vea 'Los Artistas no Hacen Dinero' en el Apéndice).

> **Lo Sabias?**
> 85% de actores de películas ganan menos de $5,000 al año de actuar! El ingreso promedio del DJ que escuchas en la radio es solo $20,000!

Ilusión #11: El bling vale la pena. O aros rentados. O joyería rentada. O un Lamborghini rentado por el fin de semana. También se pueden conseguir muchas cosas falsas y copiadas allá fuera. Mucho de los zapatos Prada que ves, son realmente Fradas, y mucho de ese platino que vez es acero inoxidable de los joyeros Coreanos en el pulguero. De verdad necesitas brillar tanto?

Ilusión #10: Un buen trabajo = Una buena vida. Esos tipos de clase media con trajes de negocios no tienen su mierda tan bien tampoco. Mucho de ellos compraron casas grandes, y autos que no podían pagar, por medio de planes de pagos que cuestan poco al empezar pero suben muchos mientras pasa el tiempo. Y sus trabajos son de los que te pueden botar tan pronto dejes de ganarle dinero. Ellos son básicamente esclavos pagados. Y te lo pueden quitar eso cuando quieran. Entonces estas de nuevo en el autobús con tus resumes. Como le vas a decir a tus amigos de golf que te quitaron toda tu mierda?

Ilusión #9: Tendencias duraran por siempre. Por ejemplo, platino era algo estúpido para comprar si lo compraste cuando estaba tan caliente. Todo los demás estaban usando oro blanco o alguna mierda plateada en platino y recibieron la misma atención. Pero tu gastaste $100 por gramo (si compraste la real) por un metal que ya paso de moda. Que vas a hacer con eso ahora? Hablando de eso, me pregunto que paso con los aros que volteaban?

Ilusión #8: El coño mágico. La idea que el coño es algo nuevo e increíble cada vez que lo consigues es una jodida ilusión. Eso es el bicho mintiéndole a tu cerebro. Si te has metido con tres chicas diferentes en tu vida, entonces ya has pasado todo lo que el coño te ofrece. No hay un coño mágico con poderes, allá afuera. Al menos que cuentes infligir una muerte lenta como un poder.

Ilusión #7: El blanco es superior. Los blancos no son mas inteligente que tu. Solo están mejor conectados. En este país, aun el gringo mas estúpido puede sonar como los demás blancos, no importa cuan bruto sea; mientras un niño negro lo van a tratar como retardado porque habla negro. Deja de decirte que no puedes ser mierda porque fracasaste en la escuela. Hay toneladas de gringos exitosos que ni tan siquiera saben leer. Pero saben pretender, bregar y hacer que pasen cosas. La razón por la cual tu no puedes hacer mierda es porque te quedas sentado en el balcón comiendo Doritos.

Ilusión #6: Escuela + Trabajo fuerte = Éxito. Hablando de ser 'inteligente', esa idea que la escuela mas el trabajo fuerte equivale al éxito es mas o menos ilusión también. Conozco bastante gente que graduaron de la escuela conmigo y todavía no han conseguido trabajo. Un grado colegial no te garantiza mierda hoy día. Seguro que te puede ayudar si tienes un plan para como lo vas a usar, pero sino, te estas engañando.

Ilusión #5: La leche y la carne te hacen saludable. La leche no le hace un carajo de bien al cuerpo. Quizás el cuerpo de una vaca, pero no la tuya. Lo mismo con la carne. Si cada vez que uno se enferma o sale encinta le dicen que coma menos carne, no hace sentido que esa mierda ya te estaba haciendo daño como quiera?

Ilusión #4: Matones por doquier. No estoy diciendo que todos los matones son falsos, conozco bastantes certificados que no hacen compromiso con nadie. De los que estoy hablando, son los tipos que parecen y hablan como matones y cuando están de viaje caen en los clubes gay. Algunos cambiaron en prisión, y algunos eran gay desde un principio. Ningunos deben vivir acercas de una zona escolar.

Ilusión #3: Ricky Martin. No quiero decir el tipo especifico, pero los que son de ese estilo. Esa clase de tipo es un gay a punto de declarar. Yo entiendo como hay mujeres que quieren un tipo que siempre huele bien, usa ropa linda, va a la iglesia regularmente y sabe ordenar vino. Pero muchos tipos no fueron criados así. Y muchos putos si.

Ilusión #2: Una religión verdadera. Esta es la ilusión mas grande de todas. De veras lo necesito explicar? Solo diré unas cosas básicas que hablan volúmenes. Primero, la mayoría de nosotros conseguimos nuestra religión de gente blanca. Los blancos ni creen en su religión, la usan para red social. Mientras tanto de esa mierda que te dieron te tenia creyendo en un cielo después de la esclavitud, y hoy día es un cielo después de la pobreza. Hasta los pastores negros la están usando para lucrarse, echar para adelante, o echar polvos. Los únicos tontos que creen que Dios los ayudara son los que nunca reciben ayuda.

Ilusión #1: El sueño Americano. Si esto no es ilusión no se que es. Esto se supone que es la tierra de la oportunidad. Para quien? Todos menos los tuyos. Este país fue construido de la sangre, el sudor y las lagrimas de los Negros, Aborígenes, Mexicanos y los Chinos. Ahora, todos que han creído en el sueño están mejor, verdad? No, los que están mejor son los que se vendieron. Como me veo, que me exploten y yo me una al hijo de su madre que me exploto? Y entonces a quien explotan? A los que no se han vendido. Y somos unos pocos ya. Pero de eso se trata los Estados Unidos y su sueño: explotación. Eso es el capitalismo, nuestro sistema económico. Y tu puedes creer esa mierda de igualdad si quieres. En este país no eres igual a nada mas que tu valor neto.

Entendimiento es ver las cosas como realmente son, no lo que aparentan.

Chulos Arriba, Putas Abajo

Antropología: El estudio de humanos.

Sociología: El estudio de grupos de gente y sus interacciones.

Psicología: El estudio de la mente.

Arqueología: El estudio de la evidencias de culturas pasadas.

Genética: El estudio de genes y la herencia.

Genealogía: El estudio de ancestros y linaje.

Biología: El estudio de la vida.

Etnología : El estudio de étnica y raza.

Omnologia: El estudio de todo.

Chulologia: El estudio de entender el psique femenino hasta poder controlar y manipular una mujer.

Chulo o Puta

De acuerdo a Pimpin Ken, en 'Pimpology: the 48 Laws of the Game':

> "Cartera primero, sexo luego" es el lema del chulo, la fundación en la cual la chulería esta hecha. Lo que separa el chulo del cliente es que el chulo vira el juego. Un cliente le paga a la puta por tener relaciones, pero una puta no tiene relaciones con el chulo hasta que le pague a el.

Acuerdo a su definición estandarte, un chulo es "un hombre que le consigue clientes a una prostituta." Eso quiere decir que por definición la mayoría de los chulos son blancos. Son los dueños de salones de masajes, clubes de striptease, los servicios de escolta y burdeles.

Pero de acuerdo a Ice T, cualquier empleado es funcionalmente una puta para su chulo, el jefe. Usando el ejemplo de un rapero o cantante, el explico la analogía:

> El productor dice "hmmm tu te vez bien...tu me vas hacer dinero" y entonces viste a su puta con la ultima moda y brillo y la pone en una pista de música. Cuando esta toda usada y ya no le hace dinero, sigue su camino a la próxima.

Con esta filosofía en mente, Ice T cree que uno debe ser la mejor puta que pueda, hasta llegar al punto que pueda ser su propio chulo, o decidir ser chulo y tener sus propias putas. En el DVD 'American Pimp', Ice T admite que el ni rapea, ni actúa bien. El dice que no es muy talentoso en ninguna de las dos artes. Pero cuando seguía su primer contrato, el se vendió a los ejecutivos de la casa disquera, convenciéndolos que serian tontos para no firmarlo. Funciono. Ice explica que durante los años que grabo para esa casa, el era una puta. "Pero," añade, "Era una puta buena, porque sabia que era una puta, sabia cual era mi trabajo." Pero una puta, naturalmente, trabaja hasta que este toda usada. Así que si una puta quiere sobrevivir, tiene que subir de alguna manera. Después de venderle millones de discos a su casa disquera, Ice T empezó a venderse a los ejecutivos de compañías de película de igual manera que había hecho con los de la música. Después de haber aparecido en par de películas grandes y docenas de títulos, directo a video, se vendió al programa 'Law and Order: Special Victims Unit', donde es uno de los principales hoy día.

Lo Sabias?

Según la ethnomusicologist Jan Fairley, perreo, junto con los otros bailes de reggaeton, como por ejemplo el despelote, Tembleque, y subasta de la cintura, en que la mujer está en control y el foco principal de la danza, puede ser remontado al estado económico de Cuba en los años 90. Mientras que el dólar americano (que funcionó como una moneda dual junto al Peso cubano hasta 2001) llegó a ser más valioso, las mujeres cambiaron su estilo de la danza para ser más visualmente atractivas a los hombres; particularmente, a los yumas ("extranjeros"), que tenían dólares. Según Fairley, esta tensión entre el uso del cuerpo femenino como una materia y herramienta persuasiva activa, es una de las muchas paradojas que el baile del reggaeton crea en Cuba.

Es Solitario en la Cima

Un chulo nunca puede enseñar su debilidad a sus putas, y siempre tiene que ser frío y atento. Así que aunque los chulos aparentan tener control, todo chulo – en un sentido – se convierte en puta a sus putas. El trabajo principal de un chulo es conocer a sus putas a fondo, sin que ellas lo conozcan a el por completo. Como dijo Iceberg Slim, "Un chulo es el bastardo mas solitario en la Tierra. Tiene que conocer a sus putas. Y no puede dejar que lo conozcan a el. Tiene que ser Dios por completo."

Como explico una puta sobre su chulo:

> De pronto se quería comer a uno. Como que su expresión total se cambiaba. Un día el entro a mi cuarto a pegarme. El vino solamente a partirme el culo. Y lo hizo claro que vino para hacer eso. Dijo que tenia un poco de tiempo libre y no tenia nada que hacer así que quería que yo supiera que el sabia que yo estaba pensando algo estúpido. Y si lo estaba. Estaba pensando en dejarlo de nuevo. La ultima vez que me fui, termine en Cleveland...El me pego hasta que me achoco...pero el era así. El podía ser tan divertido, juguetón y al próximo minuto otra cosa completa, alguien con que no te quisieras meter.

Yo intente ese juego por un minuto. No me dio nada excepto poco dinero y grandes dolores de cabeza. Al fin, no podía pegarle a la muchacha para que me consiguiera dinero. Por el poco tiempo que lo hice, fui miserable. El estilo de vida – con todas las fiestas, strippers, y episodios de locura – parecía divertido de afuera, pero por dentro me moría. Al pensar en el camino que había escogido, realice que no conocía ningún chulo feliz. Todos estaban muertos fríos o calientes en fuego, o miserables a temperatura normal.

Mi hermano Sincere Truth, una vez un chulo, tuvo esto que compartir:

He conocido muchos chulos (muchos prefieren el termino empresario) en mi vida y he escuchado cuentos de muchos mas. Mientras unos pocos, como Tanelli (muerto de Cleveland) y Ken Ivy aka Pimpin Ken (vivo de Milwaukee), eran tipos con clase, la mayoría no lo son.

Gente como Bishop Don "Magic" Juan de Chicago (tipo buena gente) y Goodgame de Cleveland, directamente o indirectamente influyen que la gente crean que la vida del chulo es una de glamour. Pero si miras mas allá de la joyería y las tazas de chulo, una persona encontrara que 90% del tiempo, la chulería te lleva a una muerte mental o física.

Gente necesitan realizar que la mayoría de los chulos no son exitosos. La mayoría son pendejos para las drogas. No son ricos y los que lo son, fueron extremadamente cruel, o físicamente o mentalmente (no todos los chulos le pegan a las putas). Algunos chulos como el Bishop Don "Magic" Juan, por su propia admisión, se sabe que les ha pegado con látigos, ganchos de ropa (llamado palos de chulo) y otras cosas y las hacia parar en una bañera desnudas para untarle jugo de limón a las heridas.

Un chulo de Cleveland conocido como Scatterbrain (uno de los pocos chulos que se pueden clasificar como Mafioso se conocía por pegarle a las mujeres con mangas de agua. También ponía los ganchos en las estufas hasta que se pusieran rojos y las quemaba. Hasta amarro a una mujer a su auto y la arrastro por la calle (el personaje de Scatter en la película clásica "Superfly" fue basado en el). Yo personalmente he visto un chulo decirle a su puta que pusiera su pierna en la orilla de la cera y brincar del carro encima de ella.

Mas importante, es que la gente entienda el resultado final de la mayoría de los chulos y las putas. La mayoría no pasan de cincuenta anos (drogas, violencia, locura y ahora el SIDA los jode), o terminan presos. Chulos como el Bishop Don "Magic" Juan, quien se ha convertido en un regular de películas y programas de televisión, es una excepción y no la regla. De los pocos que llegan a ser viejos, muchos son drogadictos. Algunos continúan en la chulería ya que algunas putas los miran como figuras de padre (pero quien quiere estar de chulo en sus últimos años). Ser chulo es trabajo fuerte. El dicho "ser chulo no es fácil" es basado en hechos real.

Un porcentaje grande son locos en manicomios o casas de convalecientes (mentalmente muertos), mientras algunos se meten a pastores. Debo notar que conozco un ex-chulo de 73 años que es dueño de una compañía de construcción en Cleveland. Pero, de nuevo, eso es una excepción.

Y de las mujeres explotadas por los chulos que llegan a ser viejas, muchas son drogadictas también. Algunas se casan. Algunas se convierten en empresarias, porque el juego les enseño a ser lista en los negocios. Algunas se convierten en chulas lesbianas. Algunas también llegan al manicomio. Y algunas se convierten en dramáticas, ultra-religiosas miembros de alguna iglesia que se pasan gritando y dando su ultimo chavo al pastor (la ironía es que aveces el pastor es un ex-chulo).

Chulos exitosos (en mi opinión) pueden ser agrupados con políticos corruptos, pastores, psíquicos y estafadores, porque buscan manipular y explotar las debilidades de la gente por su beneficio personal.

De ninguna manera recomendaría que entraras al juego del chulo (aunque algunos lo harán comoquiera), pero si van hacerlo date cuenta de las trampas en esas calles.

También, debes saber que no tienes que usar la chulería solo para lo ilegal. Puedes usar ciertos aspectos del juego en relaciones y el mundo de negocios. Cuando se trata de relaciones, el tipo regular tiene un sentido de inferioridad y tiende a poner la sabiduría (mujer) sobre conocimiento (hombre). Un chulo, sabe que el es primero y siempre se pone el (conocimiento) sobre la mujer (sabiduría). En una relación propia, el hombre (conocimiento) es numero uno, la mujer (sabiduría) es numero dos. Sin embargo, no se puede llegar a tres (entendimiento) sin los dos.

En el mundo de negocios, puedes usar la chulería. Chulos son muy listos en los negocios (verdaderamente son empresarios). Poseen una habilidad para mantenerse calmado bajo presión. Y lo que salga de sus bocas es lo que hacen. Eso se puede aplicar al mundo de negocio. Necesitas ser listo para hacer dinero. Cuando una situación mala surge, un buen negociante se queda calmado. El mide sus opciones, mira a los mas y los menos y hace una decisión lógica. Un buen negociante hace lo que dice porque su palabra es su garantía. Si tu palabra es tu garantía, tendrás éxito en todo lo que haces.

Si Sigues Interesado

Si estas interesado en saber mas de el juego sucio del chulo, debes leer los siguientes libros. Te llevaran mas a fondo en ese mundo.

'The Naked Soul of Iceberg Slim' por Iceberg Slim

'Pimp' por Iceberg Slim

'Whoreson' por Donald Goines

'From Pimpstick to Pulpit' por Bishop Don "Magic" Juan

'The Pimp Game: Instructional Guide' por Mickey Royal

'Pimpology: The 48 Laws of the Game' por Pimpin Ken

Ahora, si lo que te interesa es conseguir coño, eso no tiene nada que ver con la chulería. Es mas, la mayoría de los chulos no tienen muchas relaciones (como veras si lees los libros mencionados). En la mente del chulo, "Primero el dinero luego el sexo." Pero si lo que quieres es saber conseguir sexo, puedes leer "Como conseguir coño" en Parte 2. Y puedes tratar las siguientes:

'The Art of Macking' por Tariq Nasheed

'The Art of Seduction' por Robert Greene

'MACK Tactics: The Science of Seduction Meets the Art of Hostage Negotiation' por Christopher Curtis

---

Entiende tu posicion. Juega tu papel de acuerdo.

---

911 ES UN CHISTE

Mira ver si puedes descifrar que los siguientes cuentos tienen en común.

911

En Mayo 1969, Alex Rackley, un miembro del capitulo de Nueva York del Partido de las Panteras Negras de 24 años, fue torturado y matado porque miembros del partido pensaban que el era un informante policíaco. Un numero de miembros del partido habían participado y tres oficiales del partido eventualmente admitieron culpa. George Sams, el hombre que identifico a Rackley como informante y ordeno su ejecución, dijo que era bajo ordenes directas del líder Bobby Seales mismo. Luego salio que Sams mismo era el informante y que trabajaba para el FBI.

Un Chiste

En un juicio de asalto sexual, una joven estaba tan traumatizada que no podía repetir lo que le había dicho el atacante. "No te forzare, Señorita," le dijo el juez. "Solo escribe lo que te dijo en este papel y se lo pasamos al jurado." La joven agarro el papel y escribió, "Te lo quiero meter hasta que mueras."

El juez leyó la nota y se la paso al jurado. El jurado paso la nota silenciosamente entre ellos. Finalmente una mujer se lo dio al ultimo miembro del jurado, un hombre que había dormido por la mayoría del procedimiento. Ella lo despertó y le paso el papel.

El lo leyó, sonrió a la mujer y se metió la nota en su bolsillo.

"Señor, tienes que darme ese papel ahora," ordeno el juez.

"No lo creo, su Señoría," le respondió el hombre. "Esto es una nota privada de esta mujer hacia mi."

Los Atentados del 11 de Septiembre (9/11) Eran Chistes

"Vayan al infierno, gringos! ¡Vayan a casa! … Qué es lo que quiere el imperio? … Condoleezza lo dijo claramente, está sobre crear una nueva mapa geopolítico en el Oriente Medio…"
Hugo Chavez, sobre la invasión de Iraq

Si miraste a los últimos dos cuentos y figuraste que el tema común tuvo que ver algo con mensajes o comunicación, eres alguien inteligente. Los dos cuentos ilustran la necesidad para que la gente miren al mensaje y el mensajero. El mejor ejemplo de un mensaje de una fuente cuestionable es algo del que hemos estado escuchando por mas de 8 años. Si todavía crees toda la mierda que te han dicho, me da pena por ti. Para los demás, el 11 de Septiembre es el ejemplo perfecto de porque siempre debes cuestionar quien te esta diciendo algo, y el porque te lo están diciendo. Aquí hay una lista de hechos que puedes buscar en el Internet que te enseñan porque digo esto. Los hechos enseñan que hay una gran diferencia entre lo que se ha contado, y que es lo que verdaderamente paso. Hacia el final, podemos mirar el porque:

Los E.U. habían empezado planificar una guerra con Afganistán y Iraq mucho antes del 11 de Septiembre.

Mientras Iraq tiene mucho petroleo, Afganistán produce 85% del opio que se usa en el mundo. Ese opio se usa para hacer la heroína, y la mayoría de las drogas de aliviar dolor.

Osama Bin Laden, quien normalmente toma el crédito por cualquier ataque que ordena dijo que no tenia nada que ver con los atentados del 11 de Septiembre. El culpó a gente dentro del gobierno Americano. Meses después, apareció un video sospechoso donde Osama toma el crédito.

Uno de los supuestos arquitectos del crimen fue agarrado mas de una vez antes de los ataques, y aunque fue sospechado por actividades terroristas, el FBI hizo que lo soltaran cada vez.

Muchos de los supuestos 19 secuestradores se vieron antes de los ataques, festejando, bebiendo alcohol, y recibiendo bailes de falda en clubes de strip, aunque eso son cosas que un Musulmán extremista nunca haría.

A muchos de los supuestos 19 secuestradores los vieron después de los ataques, viviendo en otros países, aunque se supone que estén muertos.

Aviones de defensa NORAD pudieron haber sido llamados para detener los aviones o balearlos, pero fueron ordenados a dimitir.

En las semanas antes de los ataques, el WTC se vendió en una venta de corto plazo. Los ataques le hicieron mucho dinero de seguros al nuevo dueño.

Las torres gemelas cayeron de forma que nunca había pasado antes con ningún edificio de acero. La única forma que un edificio así de grande pudiera caer directo hacia abajo, es por medio de una demolición controlada.

Es mas, otro edificio, el edificio 7, ni le pego un avión pero también se derrumbo directo hacia bajo en 6.5 segundos. Ninguna explicación aceptable ha sido dada.

En el Pentágono, un tercer avión se supone que choco contra un lado vació del edificio. Pero no habían motores, alas, o ningunas piezas del avión para comprobar que fue sitio de un choque. Es mas el único video del área enseña lo que parece como una bomba explotando.

En la segunda guerra mundial, el dictador Alemán, Adolfo Hitler, bombardeo un edificio de su gobierno y culpo a Polonia. Uso ese ataque como pretexto para invadir a Polonia.

También en la segunda guerra mundial, los E.U. sabían que los Japoneses iban a atacar a Pearl Harbor. Pero permitieron (o ayudaron) que eso pasara porque necesitaban una razón para entrar en la guerra. Buscate pilotos "kamikaze" y mire las similaridades.

Muchos eventos similares, conocidos como operaciones de 'banderas falsas', han sido creadas en la historia para justificar el deseo de los que estén en el poder para entrar en guerras.

La guerra resultante, no solo ayudo la popularidad del presidente, subiendo de 30% a 70%, también ayudo a nuestra economía. Antes del 11 de Septimebre, el país estaba en una recesión. La economía de guerra cambio todo eso, especialmente con todo el dinero que Bush le pidió al Congreso y a otros gobiernos. Hoy día, la guerra con Iraq cuesta $720 millones al día. Un día en Iraq, pudiera pagar por un año escolar de universidad para mas de 63,270 estudiantes negros. Un día en Iraq, pudiera darle de comer a todos los niños hambrientos en el mundo, por mas de 16 días. Un día en Iraq, pudiera vacunar todo los niños de África y América del Sur del sarampión y salvar a millones de vidas.

En los primeros meses de la guerra con Iraq, no solo desaparecieron de los museos tesoros nacionales con el valor de millones de dolares, sino que también desaparecieron $9 billones en efectivo.

Como la guerra en Iraq no ha resultado en mejores precios para la gasolina de los ciudadanos comunes, quien crees tu que se esta beneficiando? Donde crees que ese dinero esta hiendo?

También el temor generado por los ataques permitió que los E.U. hicieran cambios grandes a nuestro gobierno, incluyendo pasar los PATRIOT Acts, que nos quitan muchos derechos constitucionales.

El gobierno ahora tiene poderes que nunca tuvo, y los esta usando para arrestar y encarcelar mas gente que nunca (vea 26 Razones Para Mantenerte Fuera Del Juego y La Guerra Contra el Terror).

Otro Mensaje Con Una Misión

COINTELPRO fue activo en sus esfuerzos para intensificar la animosidad entre las Panteras Negras de Chicago y la pandilla de Chicago, los Blackstone Rangers. Eso incluyo mandar una carta anónima al líder de los Rangers, Jeff Fort, diciendo que las Panteras querían matarlo. Este acto fue estrategia para traer represalias contra los lideres de las Panteras. En California del Sur, acciones similares fueron tomadas para exacerbar lo que le estaban llamando una guerra pandillera entre el Partido de las Panteras Negras y una organización que se llamaba, Esclavos Unidos. Conflictos violentos entre estos grupos, incluyendo disparos y palizas, llevo a la muerte por lo menos de cuatro miembros de las Panteras, y muchos miembros de los dos grupos se salieron. Agentes del FBI tomaron crédito por instigar la violencia entre los grupos. En este caso también, agentes de gobierno mandaron mensajes a los lideres de los Esclavos Unidos en el nombre de las Panteras Negras, para promover antagonismo, hostilidad y violencia.

Considera el mensajero antes de considerar el mensaje.

Películas Para Ver

Long Kiss Goodnight; Fight Club; Star Wars: Episode II:The Phantom Menace; Shooter; V for Vendetta

Todos estas películas cuentan la verdadera historia del 11 de Septiembre. Básicamente: Nuestro gobierno crea caos para agarrar mas poder sobre gente asustada. Si no lo entienden, nunca lo entenderán.

El Espejo no Miente

La vida es matemática...si, igual que la clase. Eso es, si no puedes figurar los problemas básicos, estarás repitiendo la misma clase hasta que demuestres maestría sobre esos tipos de problemas.

Si eres exitoso, puedes seguir.

Eventualmente, estarás haciendo problemas que Einstein no pudo figurar. Pero así es la vida. La vida es progresión, crecimiento, desarrollo, etc....no repetir los ciclos que ya hemos completado.

Estoy observándome en un numero de niveles. Esto es conocido como metacognición. En la Matemática Suprema, es representado por el numero 11, o "conocimiento conocimiento". O sea, estoy tomando conciencia de la forma en que mi mente trabaja. Estoy aprendiendo sobre como pienso. En muchas formas este proceso es critico para la auto-conciencia. Tendrás mucha dificultad encontrando paz contigo mismo y con tu realidad hasta que estés consciente de ti mismo a un nivel psicológico.

Yo estoy por primera vez tomando en cuenta todos mis fallos. No fallos que una o dos personas me han apuntado (porque esos pueden ser personales, queriendo decir que solo molestan a esos una o dos personas). Estoy hablando de los fallos que estoy seguro me hacen la vida mas difícil. Estoy seguro que son reales, porque he tomado el tiempo para ponerles atención y seriamente observarme a mi y a otros.

Por ejemplo, soy muy impulsivo. También tengo mal genio. Así que a veces hago o digo cosas que no debí haber hecho o dicho. Eso es algo en que estoy trabajando ultimamente.

Lo increíble es, cuanto tiempo me ha tomado para figurar eso. No importa cuantos errores he cometido por mis impulsivos...no importa cuantos problemas me ha creado...nunca podía ver que era culpa mía. Todo el tiempo rehusaba mirar en un espejo. No lo podía ver porque no lo quería ver. Como resultado, seguía pasando por la misma mierda una y otra vez. Solo es ahora, ahora que me he mirado bien, que puedo hacer los cambios necesarios.

Nunca me he importado mucho la opinión de los demás. No soy lo suficiente inseguro. Pero eso no quiere decir que tenia que ignorar todas las veces que me decían que era impulsivo. Tomó yo siendo auto-consciente – mirándome en el espejo – para verlo por mi mismo.

Así que la próxima vez que quieras algo en que pensar, mirate en un espejo. Esperamos que puedas ver suficientemente claro y honestamente para saber en cuales cosas necesitas trabajar. También espero que puedas ver la grandeza en ti. Como dice Nas en "You're the Man":

> Cuarenta y cinco en mi cintura/mirando mi reflejo/En el espejo, sentado quieto en esa silla como mi concepción/Cuando todo a mi alrededor se nublo/La silla se hizo un trono de rey, mi destino me consiguió/Era claro porque la lucha fue tan dolorosa/Metamorfosis – esto es a lo que cambie/Y estoy tan agradecido

No seas inseguro; se auto-consciente.

10 Señales Que te Odias

> "(Soy Negro!) Tengo que enseñarles a mis panas.
> Lo primero que aprendimos en el bario fue el cariño de panas.
> (Soy Negro!) Y soy eso si no soy nada mas.

(Soy Negro!) Soy bello, me quiero a mi mismo."
Styles P, "I'm Black"

Un gran escolar, Albert Memmi, en 'Dominated Man: Notes Toward a Portrait' propuso:

> En cada hombre dominado, hay cierto grado de auto-rechazo, nacido de su condición abatido y su exclusión...Cuando las condiciones objetivas son tan pesadas y corrosivas, como podemos imaginar que no resultaran en alguna destrucción, que no dañara el alma, el comportamiento y hasta la fisionomía del hombre oprimido?

Otro gran escolar, Tupac Shakur, en su canción "White Man's World" dijo lo mismo:

> Orgulloso de ser Negro, pero porque actuamos como si no nos amamos a nosotros mismos?/ No mires alrededor – Chequease/Conoce lo que quiere decir ser Negro, aunque hombre o mujer/Seguimos luchando en este mundo de hombre blanco

Aquí hay 10 señales que eres uno de esos 'hombres dominados' quien se odia por vivir en el mundo del hombre blanco:

1. Constantemente estas tratando de cambiar o esconder cosas de tu apariencia física, especialmente las facturas Negras.
2. Tratas tu cuerpo como un basurero en vez de un templo.
3. Mientes sobre tu vida y tu pasado, o para esconder cosas o hacer que cosas aparentan mejores de lo que son.
4. Siempre encuentras cosas mal contigo o con tu vida.
5. Te cortas, hablas mal de ti mismo o piensas en matarte.
6. Te encuentras odiando gente que son como tu.
7. No quieres ser Negro, y hasta tratas de usar otras palabras para describirte.
8. Tratas de evitar o escaparte de tu propia gente.
9. Prefieres estar borracho o endrogado que pensar en tu vida.
10. No puedes decir, "Me amo yo mismo" sin sentirte raro.

El hombre que aprende a no quererse esta condenado a destruirse.

Como Me Veo

Como el chef ejecutivo en el Café Bellagio, del famoso hotel Bellagio en Las Vegas, Jeff Henderson ha ganado una reputación entre los ricos del mundo. Su talento en la cocina le ha dado bastante fama, pero quizás alguna de esa fama también puede ser acreditada al hecho que Jeffrey Henderson era uno de los mas exitosos vendedores de drogas en San Diego.

La autobiografía de Henderson 'Cooked: From the Streets to the Stove, from Cocaine to Foie Gras', detalla su transición de cocinar crack en Pyrex hasta cocinar comidas finas.

Creciendo en las calles de California, Henderson empezó a tracler a una edad temprana. Al rato estaba comprando kilos de cocaína, cocinando el producto en moteles, y supliendo la ciudad con cientos de miles de dolares de crack. El disfrutó sus primeras experiencias en Vegas trayendo a sus vendedores a jugar en Ceaser's Palace, donde los recogían limusinas y los trataban como reyes, con bolsos de Louis Vuitton llenos de dinero. Todo eso termino derrumbándose cuando a los 23, lo agarraron, y fue condenado a casi 20 años en prisión.

Allí, lo pusieron a lavar platos en la cocina, donde aprendió a cocinar de los otros presos. Al salir de la prisión empezó a perseguir la meta de ser chef. Pero los mismos que lo trataban como un rey cuando era cliente, no le daban una oportunidad cuando buscaba trabajo en la cocina.

En los cinco años que siguieron su salida de prisión, trabajo de un lava platos hasta llegar a ser un sous chef en uno de los mejores restaurantes en Los Ángeles. Pero a nadie en Las Vegas le importaba. Y no era solo porque era Negro. En sus palabras:

> Mi resume de cocinero era impecable, cinco estrellas, pero su entusiasmo tenia una forma de secarse tan pronto les decía que había pasado un tiempo en prisión federal por traficar drogas. Por fuera era todo lo que era aceptable para un hombre Negro en el mundo de negocios: afeitado, roto de pantalla cubierto, hasta calme mi andar para no aparecer ghetto en entrevistas. Pero siempre llegaba al hecho de que fui un criminal.

Como logro finalmente entrar?

Mejoro su juego considerablemente. Miro su situación y cambio su modo. Aquí describe como fue:

> La noche antes de mi entrevista con Caesar's, investigue por todo el hotel para juntar un buen plan. Si veía cocineros entrar al casino, me les acercaba.
>
> "Hola que tal?" les decía. "Mi nombre es Jeff Henderson. Puedo hablar contigo un segundo? Estoy pensando mudarme aquí. Como es? Como es el chef?"
>
> Era una misión de exploración. Como tendría que preparar una comida para que probara el chef ejecutivo, planifique que fuera basada en comidas que a el le gustaban. Quería hacer mi marca llegando a la entrevista con el menú completo en mi maletín. Así que cuando diga, "Que bueno esta esto", el no sabrá que yo estuve ya en su propiedad comiendo su comida. Los cocineros me dijeron que le gustaba mucho la comida Italiana, así que fui al restaurante italiano del Ceasar, Terrazza, y comí Ternera Milanes. Hasta hable con las meseras para conocer algo de las pólizas del hotel.

Cuando entre a la oficina de ese hombre, estaba muy cómodo y con mucha confianza. Era un cuarto grande decorado de un lado al otro con artefactos de estilo Romano, las paredes cubiertas de boxeadores. El hombre detrás del escritorio era un Italiano de mediana edad de Nueva York con pelo negro peinado hacia atrás.

Y aquí estaba yo, este negro chingon en una chaqueta de chef Brigard de $150 hecho de algodón Egipto. Entré directo a mi venta, diciéndole que estaba preparado para empezar allí en ese mismo momento. Le dije directo, "Mira chef, yo he estado preso. Aprendí de la cocina en la prisión. Pero mi resume habla por mi."

Creo que le gusto mi agresividad. En Vegas, como en la prisión, tienes que ser fuerte para manejar una cocina. Si los cocineros sienten cualquier señal de debilidad, se te trepan, y te dicen como hacer tu trabajo.

"Sr. Henderson," el dijo. "Haz matado a alguien?"

"No señor."

"Esta bien," dijo. "Quiero que me cocine la cena el Viernes. Escríbeme un menú."

Abrí mi maletín, le enseñe el menú que ya tenia preparado, y le dije que en vez de los 90 días de probatoria que era lo normal, que me diera un mes.

Se consciente de tu situación,
y arregla tu acercamiento con eso en mente.

Bregas y Gratas

Hay mucha gente allá fuera ahora que prefieren que le den las cosas en vez de ellos bregar. No saben nada de hacer dinero y mantenerlo, por eso aunque tenemos algunos ricos en el bario, la mayoría no son adinerados. Ser adinerado quiere decir que hay dinero generacional, bajando de padre a hijo. Hay muchos que están haciendo dinero ahora que no van a poder pagar por el colegio de sus hijos, eso los forzara a seguir bregando. Y así sigue repitiendo el ciclo.

Porque nosotros no bregamos como Trump y Rockefeller. Nosotros bregamos como chulos y vendedores de piedra. Conseguimos dinero fácil, y lo gastamos como si siempre estará ahí. Entonces aprendemos que el dinero fácil es dinero arriesgado. Pero lo aprendemos de manera dura, no?

No estoy tan enfocado en ser millonario, ya yo camine ese camino y no me gusto mucho. Pero pensé que te enseñare un par de cosas de la tracala real. No estoy hablando del tipo de tracaler que se escucha en "Coffee Shop" de Yung Joc o "Everyday I'm Hustlin" de Rick Ross (dinero fácil de drogas). Estoy hablando del tracaler que vez en los videos de esas canciones (haciendo dinero desde productos de pelo hasta ser dueño de un lavado de autos). Esos raperos no son brutos.

Cual es(la canción o el video), tu crees que realmente cuenta la historia de como consiguen dinero ahora?

"Tenia que hacer mi modo de vivir y mi propia oportunidad...
No te sientes a esperar por oportunidades que te lleguen, tienes que levantarte y hacerlas."
Madame C.J. Walker

Como dice Chamillionaire al final de su canción "Won't Let You Down":

> La gente rica no te van a decir como hacerlo/ Y los pobres actúan como si fueran ricos/ Siempre diciéndole a gente con dinero como hacerlo/ Siempre gastando dinero que pensaban les iba a llegar/ Siempre comprando cosas que no pueden comprar/ Deja de poner pretextos/ Si el fumar le da sueño, culpa la fatiga/ Si el beber lo tiene bobo, dice que es la enfermedad de grey goose/ Si las mujeres le quitan dinero/ Va decir que se le cayo de la manga/ Cual sea tu debilidad, deja de poner pretextos, por favor/ No debes estar en el sofá o en la casa debes estar en ruta/ Si tienes que preguntar donde, entonces esa es la razón que no tienes nada/ No sabes escuchar, ve y buscalo

Esto es una conversación que tuve con uno de los jóvenes de mi vecindario:

Supreme: Por que no estas trabajando?

Kasim: Nadie me da trabajo.

Supreme: Donde has ido?

Kasim: Al mall, to' los restaurantes, a to' la'o.

Supreme: Eso no suena a todos lados. Has ido a un sitio de construcción?

Kasim: Si, pero me miraron como si fuera un matón.

Supreme: Y como ibas vestido?

Kasim: Pues parece que como un matón.

Supreme: Y ahora que?

Kasim: Voy a tener que entrar en la tracala. Necesito comer.

Supreme: Estas comiendo bien en tu casa. Estas seguro que lo que quieres realmente no es ropa nueva?

Kasim: Me agarraste, pero como se supone que haga dinero?

Supreme: El dinero de drogas es un préstamo de corto plazo. Lo pagas en gastos de abogados o tiempo encarcelado.

Kasim: Pues dime algo que sea mejor que la tracala.

Supreme: Si dices que puedes tracaler...puedes tracaler.

Kasim: Pero si acabas de decir...

Supreme: Hay otras tracalas allá fuera, si sabes tracaler. Si todo lo que sabes es pararte en la esquina y esperar que llegue el dinero, no eres tracalero. Pero si eres un tracalero verdadero, hay toneladas de formas de hacer dinero legitimo sin ir preso.

Muchos sueñan, pero pocos escogen despertar y trabajar lo suficientemente fuerte para hacerlos realidad.

10 Tracalas Legitimas

Aquí hay diez de las tracalas que compartí con Kasim:

	Requerimientos	Como Hacerlo	$	X	Margen de Ganancias
Comprar y Vender Autos	Conocimiento profundo de autos; tiempo libre; herramientas; acceso a una grúa; amigos que le gusten bregar con autos	Comprar autos viejos de gente pasando momentos difíciles, gente envejecientes, o subastas a precios bajos, arreglarlos y venderlos.	$ $ $	X X	Si consigues los autos y las partes a la mitad de lo que valen y haces el trabajo tu mismo, debes duplicar tu dinero.
Bienes Raíces	Crédito decente (o dinero en efectivo); habilidad de aprender rápido; un auto	Comprar casas viejas o terrenos en áreas que van subiendo en valor, arreglarlas y venderlas.	$ $ $ $ $	X X X X	Si compras las casas entre 30 - 50% de su valor, puedes volver a $20 mil en 40 mil o más.
Reciclar Paletas	Conocimiento de donde conseguir paletas de madera usada; acceso a un camión	Comprar las paletas de almacenes y otros sitios. Llevarlas a compañías que las compran.	$	X	Paletas no te costaran nada, las repara y las vende de 5 a 10 pesos cada una.
Reciclar Papel en Masa	Conocimiento de negocios que usan mucho papel blanco; un vehículo	Haz un arreglo con el negocio para que te paguen por reciclar su papel. Lleva el papel a compañías que compren papel usado.	$	X	El papel te llega de gratis, y los negocios hasta te pagan por llevártelo. Recibes hasta $10 por libra (promedio de 100 librar por viaje).
Ropa al Por Mayor	Conocimiento de mayoristas; una red de gente que compren ropa	Compra la ropa barata y encuentra gente que pagaran un poco más por ella. O puedes empezar por tomar ordenes y pedir un deposito.	$ $ $	X X X	Depende de lo que vendas. Pero si tienes la gente correcta comprando, puedes hacer buen dinero.

Escritor Fantasma de Papeles	La habilidad de escribir a nivel colegial; acceso a él internet	Poner carteleras y folletos para regar la voz en los colegios. Toneladas de estudiantes vagos (o brutos). Te pagaran para escribirles sus papeles.	$	X X	Desde $3 hasta $10 por pagina, dependiendo cuan larga y difícil es la asignación (además de cuan bueno seas).
Tirar Fiestas	Acceso a alcohol barato; amistades quien te ayuden; una red de personas que le guste a socializar y festejar; nenas bonitas	Piensa en una idea para una fiesta, propónsela a un club. Ofrece agarrar la puerta o la barra. Provee el alcohol, el entretenimiento o los dos. O tira fiestas en tu hogar.	$ $ $ $	X X X X	Dependiendo en cuanta gente lleguen y cuanto estas cobrando por entrar o por bebida, desde $100 a $2,000+ por noche.
Reciclar Metales	Conocimiento de donde encontrar metales usadas; brazos fuertes; un vehículo	Recoge el metal y entrégalo a plantas donde reciclan cobre, aluminio, acero o hierro.	$	X X	Dependiendo en el tipo de metal que sea, su calidad y cuanto tienes, desde .05 a .50 por libra.
Vender CDs y DVDs	Una computadora con un 'CD/DVD burner' y un impresor (o una conexión de producto en masa)	O haces tú propios CD/DVDs o los compra en masa. Brega pero con cuidado. También puedes tener anuncios de otros en tus CD/DVDs.	$ $	X X X X	Desde $2 a $8 por CD/DVD, sin contar anuncios. Pero si estas pirateando, vela por los policías y raperos enojados, porque puedes perderlo todo.
Crear Arte	Creatividad; una red de gente que compra ropa; pintura; camisas y otra ropa al por mayor	Compra ropa en blanco, decóralas para que se vean bien y a la honda (o toma pedidos), y venderlas a personas que harán que otros quieran comprarse uno para ellos.	$ $	X X	Dependiendo en la calidad de los materiales que usas y la demanda por su producto, puedes hacer desde $10 a $40 por camiseta o pantalones de mahon.
Tomar Fotos	Una mano estable; una cámara digital; una computadora con buena impresora y papel de foto (o puedes imprimir en una tienda local)	Encuentra un sitio que puedes usar como tu estudio (o escoge unas localidades). Imprime tarjetas o folletos para tus servicios, mercadea a la gente correcta, toma buenas fotos y pide referidos.	$ $ $	X	Fotografia paga por hora de tiempo en el estudio, asi que piensa desde $20 a $60 por hora, dependiendo en tus habilidades. También te pueden pagar en los clubes y eventos si trabajas con el promotor.

Vende Dulces/ Agua/ Etc.	Conocimiento de donde comprar dulces o agua en masa; una nevera o baúl; dos piernas	Compra mucho de algo que la gente quiera o necesita, y véndelo en algún sitio donde lo quieran of necesitan (como agua en el parque en el verano).	$	X X	Depende de que vendes. Por cada $20 que inviertes, espera hacer desde $30 a $60.
Codigo $: Costos para Empezar **X:** Factor de Riesgo					

Con suficiente ambición, cualquiera puede ser su propio jefe.

20 Habilidades de la Tracala

Y aquí las veinte habilidades que le dije a Kasim que necesitaría para ser exitoso en cualquier tracala:

1. Compra barato, vende caro.
2. La fuente debe responder a la demanda (vende lo que la gente quiere).
3. Recompensa a los clientes que vuelven una y otra vez.
4. Recompensa a los referidos (regando de boca a boca es el mejor anuncio).
5. No des crédito.
6. Salga y trabaje como si tu vida dependiera de el.
7. Dinero asustado no hace dinero.
8. Si es legal, anuncia.
9. Vende tu producto como si creyeras en el.
10. No te desanimes cuando no vendas.
11. Diversifica tus productos para que no sufras en sequías.
12. Encuentra un mercado que funcione para ti.
13. Dile a la gente lo que quieren oir, pero no mientas.
14. Desarrolla una reputación de honestidad y fiabilidad.
15. Este disponible cuando la gente necesite tus servicios.
16. El madrugador consigue el gusano.
17. Ofrece descuentos por volumen (mientras mas compren menos pagan).
18. Trabaja para subir la escalera (ir de detallista a por mayor).
19. Reinviertir tus ganancias, en vez de gastarlas.
20. El que trabaja como esclavo, come como un rey.

O miras hacia adentro o hacia afuera para lo que quieres.

EL ARTE DE LA ESTAFA

Ali había visto el juego antes. Un tipo en sus 30 anos barajando un gandul entre tres tazas mientras lo veian una docena de personas. Ali había escuchado del juego antes, pero el sabia que era una estafa. Pero cuando Ali fue pasando un joven aposto $20. Ali pensó que de seguro el tipo iba a perder y se enojaría, así que paro a ver la escena. El joven encontró el gandul y se gano $20.

Con eso, Ali empezó a cambiar de idea. Sera posible? Quizás el pudiera ganar también, pensó. Antes de que otro se pudiera meter, Ali aposto $20. Perdió, pero el tipo le ofreció otra oportunidad por $10. El no estaba seguro de hacer otra apuesta, pero creyó tener una estrategia para ganar. Aposto los $10 y gano. Aun con esa ganancia, Ali estaba abajo por $10. El tipo lo reto que no se saliera ahora... "Triplico lo que apuestes" ofreció.

Ali no solo estaba convencido que sabia como ganar, pero estaba pensando que bien se sentiría triplicar ese billete de cien que todavía llevaba en su bolsillo. Era lo ultimo de su dinero, y lo necesitaba para comprar comida, pero Ali no estaba preocupado por perder. El había visto a otro ganar y el había ganado. El iba llevarse $300.

Pero perdió. Con ningún dinero para seguir jugando, Ali se fue enfadado, avergonzado, confundido...y pelado.

Ali no era bregador, aunque pensó que lo era. A Ali lo estafaron. Fue un pendejo, un socete como dicen en el juego.

Algunos de Mis Estafas Favoritas

Hay miles de estafas que han sido usados con mucho exito por tracaleros y estafadores. Desde vender el puente de Brooklyn a turistas hasta establecer negocios falsos para sacarle la información personal a alguien. En un intento a mantener este segmento corto, voy a enfocar en las estafas mas populares en la comunidad Negra. De nuevo, sea legitimo o ilegitimo, podemos ver que toma mucha inteligencia para sobrevivir como hombre Negro en el mundo de hoy.

Antes de empezar, dejame decir que lo siguiente es para propósito de información solamente. De ninguna forma estoy sugiriendo que uses estas técnicas!

Esquemas de Hacerte Rico Rápido

Esquemas de hacerse rico rápido son tan variadas que casi no se pueden describir. Todo desde franquicias falsas, fraude de bienes raíces, psíquicos de teléfono, doctores locos, farmacéuticas milagrosas, todas son parte del juego. Variaciones incluyen esquemas pirámides y esquemas Ponzi.

El Fraude de Pago en Avance

El fraude de pago en avance (o la estafa 409 o estafa Nigeria), se aprovecha de la codicia de la victima. La premisa básica implica alistar al pendejo que ayude en recuperar un dinero robado de su escondite. Cualquiera intentando esto ya cayo por la estafa esencial creyendo que hay dinero robado. Un ejemplo reciente es la estafa dinero Negro (buscalo para que nadie te la haga). Al pendejo le hacen pensar que el o ella ganara dinero ayudando a unos pillos sacar dinero de algún país (clásica estafa Nigeria). Como resultado el pendejo no puede ir a la policía sin reportar que iba cometer un crimen el mismo.

Este fraude es relacionado al fraude de cheque, cual – como fraude de tarjetas de crédito – es una forma sucia de un estafador para hacer dinero de un mamon codicioso, y llevarlo a la ruina financieramente. Asimismo, gente comprando mercancía robada, drogas ilegales, o armas no pueden reportar a la policía si los cogen de mamones. Digo al menos que tu creas que es listo ir a la policía a quejarte de la estafa que te hizo un vendedor de drogas.

La Estafa Romántica

Hoy día, la estafa romántica se puede encontrar en los sitios de Internet de servicios de citas. El estafador consigue un solitario y se hace la pareja perfecta para desarrollar una relación, lo que lo lleva a promesas de matrimonio o algún encuentro.

Sin embargo, después de un tiempo el socete aprende que su 'amorcito' esta atrapada en su país de origen sin suficiente dinero para salir a estar con el. El estafador luego empieza pedir dinero o lo convierte en otra estafa ofreciendo cheques falsos para dinero en efectivo.

Extorsión Juego del Tejón

Esta extorsión usualmente se la hacen a hombres casados. El tipo es empujado, aveces bajo la influencia de drogas o alcohol, a una posición comprometedora, como la es una relación extra-marital o un acto homosexual o algún otro acto inmoral. Entonces los estafadores amenazan al tipo con sacar los hechos al aire al menos que se le paguen para quedar silencios. Cuidate de mujeres escandalosas!

Fraude de Seguro

Esta es una estafa en la cual se le engaña a una persona o compañía de hacerle daño a un carro o a su persona (de forma que el estafador pueda exagerarlo). El estafador colecta dinero de la póliza de seguro, aunque causaron el accidente intencionalmente (vea 'Esquemas y Consecuencias').

Lo Sabias?
Un científico llamado Royall Rife salio con una cura para el cáncer en los 1920s, pero la industria medica de los E.U. lo vio como una amenaza a todo el dinero que estaban haciendo de una enfermedad que no tenia cura. Rife fue asesinado, todo su trabajo fue destruido o 'perdido', y todos que lo apoyaban fueron amenazados a que negaran cualquier conocimiento de su cura.

El Abuso de Caridad

El estafador se hace que tiene alguna herida o desventaja para ganar simpatía (y donaciones) por ejemplo...uno sentado en silla de ruedas (sin necesidad), o una madre con hijos (haciendo que no tienen hogar) o unos colectando para el equipo del vecindario pobre (cual no existe). Lo mas entretenido de estos fraudes es cuando se termina el día y esa gente se van a sus carros para irsen a sus casas.

El truco "Solo $5" es un abuso de caridad donde el estafador llega a la victima y le pide "solo $5" para ayudarlo a llegar a alguna meta que casi esta completa. Les enseñan dinero para comprobar que casi ha llegado a la meta y también lleva algún accesorio para añadir credibilidad: cargando una pieza de carro que necesita reparación/reemplazar o un envase para cargar gasolina (porque el carro se le acabo la gasolina y la esposa y hijos están esperándolo). Hay variaciones de esta como la "Acabo de Salir de Prisión" o "Ayudame Llegar a Casa" donde están tratando a llegar a otro estado.

La Técnica de Mierda de Paloma

Esta técnica implica un par de estafadores trabajando juntos, uno pareciendo rico y el otro pobre. En una versión el hombre rico finge haber perdido algo con valor en un sitio caro, como un restaurante fino, y le ofrece a alguien, como un mesero, una recompensa bien grande. El hombre pobre lo consigue (ya lo tenia), y se lo ofrece al mesero por un dinero. En otra versión, el hombre pobre deja algo que parece caro, como un violín, y el hombre rico ofrece comprárselo al mesero por mucho dinero cuando lo ve. Cuando el hombre pobre vuelve, el mesero le ofrece dinero para el. Como sea, el resultado de la estafa es que los dos hombres tienen mas dinero y el mamon se queda con algo sin valor.

Esto se ha transformado en uno mas común, pero menos digno, la cual es vendiendo joyería falsa a turistas y otra gente crédulos.

El Juego Caracol

Monte de tres barajas o "Sigue la Reina" son basados en los mismos principios que el juego caracol. El estafador enseña tres barajas a la audiencia una que es la reina, entonces las pone cara abajo, las baraja y invita a la audiencia a que apuesten cual es la reina. Al principio la audiencia es escéptica , así que un aliado apuesta y gana. Esto aveces es suficiente para que empiecen a apostar los demás, pero el estafador usa trucos para asegurar que nadie gane, al menos que el quiera que ganen para incitarlo a que apuesten mas.

Resumen

Que tiene esto que ver contigo? Bueno, muchos de nosotros que se creen tracaleros son los que están siendo estafados. La mejor parte de esta tracala es que pensamos que estamos ganando aun cuando estamos perdiendo. La gente encargadas del juego narcotraficante, como el juego caracol, te hacen creer que puedes ganar enseñándote lo que otra gente han ganado. No te dicen que parte de esa gente eran parte de su juego. Y no te dicen que solo puedes ganar hasta que ellos deciden quitártelo. Y como la mayoría no aprende por los errores de otros, juegan el mismo juego, pensando que ellos quizás podrán ganar aunque casi todos pierden. Ali se crió en un hogar religioso donde creían que podías orar por algo y sacarle algún provecho. Pero en el mundo verdadero, nunca sacas algo de nada. Es algo físicamente imposible. Se necesita algo grande para crear algo grande. Cualquier cosa que se vea mejor que eso es ilusión. Pero caemos de sanganos cada vez, aunque nosotros, como Ali, decimos que sabemos mejor.

Sepa mejor, haz mejor.

Lo Sabias?

Se conoce de 15 personas que fueron aplastados hasta morir por inclinar una maquina de ventas hacia ellos con la esperanza de conseguir un refresco gratis. Nada es gratis!

Muchachas Vueltas Locas

Joe Francis es el multi-millonario de 32 años, rey del imperio de video "Girls Gone Wild". Construyó su negocio de abajo hacia arriba, vendiendo videos de jovenzuelas gringas desnudas actuando como putas en colegios y pueblos de 'springbreak' en todo el país.

Hoy el era el que estaba siendo filmado. A punta de revolver, boca abajo, con sus pantalones por sus tobillos, el lloro, "Mi nombre es Joe Francis. Soy de Muchachos Vueltos Locos, y me gusta que me lo metan por el culo." Para efecto visual, un vibrador color rosa estaba recostado en la raja del culo.

Era el trabajo de un tracalero pequeño Darnell Riley. Darnell tenia un pasado sucio, pero uso su lengua rápida y su buena apariencia para subir a la alta sociedad. En poco tiempo, estuvo festejando en Hollywood y saliendo con Paris Hilton. Para un hombre Negro con registro criminal, Darnell pensó que estaba haciendo grandes movidas. Pero un amigo de el dijo "Darnell estaba fascinado con el glamour y todo esa mierda de

Hollywood. El pensó que llegaría de alguna forma pero tenia mente criminal."

En la noche de Enero 22, 2004, Riley entro a la mansión de Joe Francis y grabo el video infamo. Entonces se llevo un Rolex, una cámara de video, una pintura, algunas bolsas Louis Vuitton y $1,500 en efectivo. Entonces se fue en el Bentley de Francis con el atado en la cajuela. Dejo el carro, y a Joe, abandonados donde luego lo encontraron unos guardias de seguridad.

Pero Francis no sabia quien le había hecho esto.

El no sabia ni el nombre de Darnell Riley hasta que empezó a comparar notas con su amiga, Paris Hilton. A Francis lo extorsionaban por $500,000, pero descubrió que Darnell estaba chantajeando a Hilton por $20,000 mensuales. Darnell tenia 12 horas de video de ella teniendo sexo con varios hombres, fumando marihuana y hasta llamando a dos hombres Negros 'dumb niggers' detrás de sus espaldas. Esto fue el incidente que rompió la amistad entre ella y Nicole Ritchie – quien es Negra. Darnell no le había dicho a Francis quien era pero fue bravo con Hilton. Y lo que le dijo a Hilton, Hilton se lo dijo a Francis, Francis puso la piezas juntas y apunto a Darnell quien fue arrestado.

Hay algo que toda esta gente tienen en común. Es el hecho que todo lo que se hace en la oscuridad, tarde o temprano sale a la luz. Darnell Riley pensaba que iba salir con la suya chantajeando a dos celebridades y viviendo la "buena vida" con ese dinero. Pero eventualmente, no solo se descubrió como estafador, pero como el que chantajeaba en los dos casos.

Paris Hilton había puesto sus putadas al publico sin ayuda varias veces. Pero estos videos confirmaban que no solo era una puta, sino una racista también.

Finalmente, Joe Francis parece victima en este caso, pero esto era un caso perfecto de ironía. Después de todo, el es el hombre que hizo $100 millones poniendo a tontas jóvenes en videos vergonzosos, y posiblemente arruinando la oportunidad para ellas tener una vida normal. Es difícil vivir una vida normal despues que todo el mundo te ha visto en un DVD de 'Girls Gone Wild'. Y los abogados de Darnell dicen que la situación es mas sucia de lo que pensaras. El dice que Darnell y Joe Francis estaban en una relación y que el video era uno de sus grabaciones intimas!

Lo que se hace en la oscuridad algún día saldrá a la luz. Lo que hagas, asegura que sea algo que no te importe si todos lo saben.

El Arte de la Guerra

En el excelente 'Makes Me Wanna Holler', Nathan McCall escribe:

> Mo Battle me enseño el ajedrez explicándome sus paralelos filosóficos a la vida. "Puedes entender el juego de ajedrez si entiendes el juego de la vida y vise versa," el dijo. "En la vida, la persona que planifica su curso y piensa antes de actuar, gana. Es lo mismo con ajedrez."
>
> Un día yo hice una movida para capturar a un peón de el y le abrí el camino a llevarse una pieza valiosa. El se sonrió y dijo, "Puedes saber mucho de una persona por como juega ajedrez. La gente que piensa en pequeñeces dedican mucha energía para agarrar peones, la pieza menos valiosa en la mesa. Se creen que están jugando para ganar, pero no lo hacen. La gente que piensa en grande tienden a tratar de llevarse la reina o el rey, lo que gana el juego."...Lo mas importante que Mo Battle me enseño era que ajedrez era un juego de consecuencias. El dijo que, igual que como en la vida, hay consecuencias para cada movida que haces. "No hagas ninguna movida sin primero medir todas la consecuencias posibles," dijo el, "porque si no lo haces, no tienes control sobre los resultados."
>
> Nunca había mirado la vida así. Casi nunca media las consecuencias de nada hasta después de haberlo hecho. Haría algo loco y después me preparaba para los resultados, fuera lo que fuera. No tenia control sobre los resultados y ningún control de mi vida. Cuando lo pensé bien, eso era una manera estúpida de vivir.
>
> Pero en el tablero de ajedrez, yo eventualmente vi que podía predecir – y mas importante, controlar – resultados si consideraba las consecuencias de movidas antes de hacerlos. Eso me dio una nueva forma de mirar las cosas.

Como puedes ver en la película 'Fresh,' el juego de la vida tiene mucho en común con el juego de ajedrez. Movidas inteligentes rinden resultados inteligentes. Pero hay algunas cosas que siempre debes recordar:

Blanco siempre mueve primero. Todo los demás juegos tienen que tirar los dados, tirar una moneda, o algún otro método para determinar quien va primero. No en el ajedrez. El blanco siempre estará adelantado. Porque el negro empieza tarde y tiene que trabajar mas fuerte para ganar.

Todo lo que se necesita para hacer predicciones (igual que los psíquicos que ganan $2.99 por minuto) es una mente racional. Solo tiene uno que mirar a los factores que ya están en juego, y entonces mirar todas las posibles circunstancias, queriendo decir todas las cosas que pueden pasar. Con practica, esto se hace mas fácil. Después de poco tiempo, tu podrás predecir la próxima movida de quien sea con facilidad.

Necesitas paciencia. Un buen juego es un reto que pueda tomar mucho tiempo para terminar. Un juego fácil no te hace un mejor jugador.

Un pequeño peón – jugado correctamente – puede llevarse a cualquiera, pero un peón nunca puede ser rey. Aun cuando llega al otro lado del tablero (raro) puede ser cambiado a cualquier otra pieza – menos el rey.

Reconsiderar y reevaluar regularmente. Eso quiere decir que tienes que mirar a tu alrededor para decidir que vas a hacer próximo. Quizás empezaste con un gran plan, pero si todo ha cambiado desde entonces, es hora de hacer un plan nuevo. Ademas, si tu juego no te va bien, porque seguir ese plan?

Hasta los niños juegan por las reglas. Por que? Porque si no empiezas aprendiendo las reglas del juego, nunca estarás preparado para jugar con los nenes grandes. Demasiados de nosotros somos adultos todavía tratando de jugar por las reglas de niños.

Si quieres ganar a este juego, o cualquier juego, no puedes tener miedo. No puedes temer la muerte, perdidas ni sacrificios. Tienes que estar preparado para perder todo, aunque debes que jugar lo suficientemente listo para asegurar que no tengas que hacerlo.

El poema de 1875, 'Invictus' (inconquistable), también captura el espíritu de intrepidez uno tiene que tener en este juego sucio llamado la vida:

Desde la noche que me cubre,
Negro como un hoyo de polo a polo,
Le doy gracias a los dioses que habrán
Por mi alma inconquistable.
En la garra de la circunstancia
No he respingado ni gritado
Bajo los golpes de posibilidad
Mi cabeza esta sangrada, pero sin bajar.
Mas allá de este sitio de llanto y coraje
Se encuentra solo el horror de la sombra,
Y sin embargo la amenaza de los años
Me encuentra y me encontrara, sin miedo.
No importa cuan estrecho el portón,
Cuan cargado de castigos la voluta,
Soy el señor de mi destino:
Soy el capitán de mi alma.

La vida es ajedrez. Aprende del juego.

Esquemas y Consecuencias

"Yo creo que todo lo que hagas vuelve hacia ti.
Así que todo lo que hago malo, voy a sufrir por ello.
Pero en mi mente, creo que lo que hago esta bien."
Tupac Shakur

El Esquema de Robar Narcotraficantes

Mega, aun después de irse 'inactivo' de la pandilla 'Rolling Sixties', era un pandillero de corazón como quiera. Después de irse de L.A., había dejado mucho de esa vida vieja atrás. Pero viejos hábitos mueren lentamente, sabes? Cuando yo lo conocí, Mega hacia la mayoría de su plata vendiendo libras de marihuana de Califa. Pero de vez en cuando esa entrada se secaba o perdía un dinero en el proceso. Y cuando la plata faltaba, salían las pistolas.

Pero Mega no buscaba inocentes. El robaba los vendedores de crack. Estos tipos le gustaba tirar dinero y guillarse. Y eran buitres. Se nutrían de la muerte de la gente. Como lo veía Mega, no había nada malo con aprovecharse de gente que dañaba la comunidad. Si fuera mas fácil, el decía, el le robara a los pastores también.

Mega se buscaba par de muchachas bonitas y arreglaba todo por medio de ellas. Cuando la chama terminaba hablando, el tipo quería comprar unos kilos o un poco de coño. Como fuera estaba bien con Mega. Ella preparaba todo, y el llegaba para ser lo del. No se como te roban en tu propio garaje, pero le ha pasado a par de gente quien puede que conozcas. La cosa que estos tipos nunca realizaron era que cuando estaban tirando dinero y guillándose de cuanto tenían, habían consecuencias para eso. Cuando se lucraban del dolor de la comunidad – por lo menos hacia lo veía Mega – habían consecuencias para eso.

Y de una manera o otra, estos tipos se jodieron porque no podían ver lo suficientemente adelante en el futuro. No podían mirar mas allá de recibir dinero o chingando y así es que se jodieron. La vida es ajedrez. El jugador mas exitoso es el que puede ver mas adelante en el juego.

"Los hombres no son castigados porque pecan, son castigados por ellos."
Elbert Hubbard (1856-1916)

Fraude de Seguro de Autos

En el momento justo Mega le dio a los frenos. Los cuatro pasajeros se prepararon para el cantazo del Escalade detrás de ello. Había estado lloviendo. El camino mojado lo hizo difícil para el SUV detenerse antes de pegarles. Y también causo que el Coupe de Ville de Mega cayera en una zanja.

El chófer del Escalade no estaba muy golpeado. Afortunadamente el vehículo no se había virado como surge en estos tipos de accidentes. Llego la ambulancia y llevo a Mega, Tamil y los otros dos al hospital mas cercano. No se veían muy golpeados, pero tuvieron que ser arrastrado del auto por los trabajadores de emergencia. Los dos Cadillacs estaban mal pero el de Mega estaba jodido por dos lados. Atrás por el cantazo del Escalade y en frente por la caída a la zanja.

Por supuesto, esto había sido planificado de antemano. El accidente había sido calculado muy detalladamente. Un accidente en ese tipo de clima hace sentido, los caminos mojados esconde la evidencia de que Mega había pegado un frenazo. Los cuatro pasajeros del carro eventualmente recibieron cheques grandes para sus gastos médicos, tratamientos quiroprácticos y terapia. Y también Mega recibió por el daño hecho al auto que fue declarado una perdida total. La compañía no pudo ni darse cuenta que el motor estaba en las ultimas, y que pagaron mucho mas de lo que el Coupe de Ville valía.

Pero lo que Mega y Tamil no habían planeado eran las consecuencias de largo plazo. Años después del accidente sus espaldas todavía les daba problemas. El daño que se había hecho era permanente. Aun con los tratamientos quiroprácticos, que ahora tenían que pagar de sus bolsillos, el dolor e incomodidad persistían. Ese complot por unos miles de dolares ahora no se veía tan listo. La vida es ajedrez. El jugador mas exitoso es el que puede ver mas adelante en el juego.

Hay consecuencias para todo tus movimientos y para cada acción que tomas.

Ganadores y Perdedores

Ganadores gastan horas en el Internet investigando, haciendo contactos, y promoviendo sus negocios y causas.	Perdedores gastan horas en el Internet mirando videos en Youtube y dejando comentarios en Myspace.
Ganadores toman $20 y los convierten a $40.	Perdedores toman $20 y los gastan en una bolsa de pasto.
Ganadores reciben un dinero de una muerte de un pariente o de algún seguro y empiezan un negocio.	Perdedores reciben un dinero de una muerte de un pariente o de algún seguro y se compran un auto nuevo.
Ganadores viajan y exploran el mundo.	Perdedores ni ven el canal de Travel.
Perdedores esperan y rezan que algún día llegaran.	Ganadores tienen un plan para saber como y cuando llegaran.
Ganadores toman riesgos...calculados.	Perdedores toman riesgos sin mira las probabilidades.
Ganadores se pasan con otros ganadores y comparten sus historias.	Perdedores se pasan con otros perdedores y comparan sus historias.
Ganadores se critican ellos mismos por sus fracasos y limitaciones.	Perdedores critican a todos menos ellos mismos, y culpan a otros por sus fracasos y limitaciones.
Perdedores tienen gusto de champaña y dinero de cerveza.	Ganadores tienen gusto de cerveza y dinero de champaña.
Perdedores esperan encontrar felicidad en dinero, prestigio o posesiones materiales.	Ganadores encuentran felicidad en las relaciones que tienen y el bien que le hacen a otras personas.

Ganadores escriben programas de televisión y diseñan juegos para niños.	Perdedores ven televisión y juegan juegos de niños.
Perdedores miran a ganadores y dicen, "Ese podría ser yo!"	Ganadores miran a perdedores y dicen, "Ese nunca podría ser yo!"
Perdedores gastan el poco de dinero que tienen el mierda.	Ganadores hacen mucho dinero vendiendole mierda a los perdedores.

La orientación de un hombre en el juego de la vida, juega un papel grande en si gana o pierde.

ORA Y NO VENDRA

"El marinero no ora por viento, el aprende a navegar."
Gustaf Lindborg

Una de las características de nuestra auto-realización como Dios es el entendimiento fundamental de causa y efecto. E. Franklin Frazier en su investigación clásica describió 'magia' como, la creencia de un individuo que algún tipo de formula puede ser usado para llegar a efectos reales. O sea, un objeto mágico, un conjuro o creencia puede decidir lo que ocurra en la realidad física.

Aquellos que creen en la magia, por ejemplo, recitarían una oración para la lluvia. Si lloviera, la creencia en el poder de la oración y los dioses (o sistema de creencia) con la cual fuera asociada seria afirmada y reforzada. Si no lloviera, la culpa seria atribuida al practicante quien encontraría alguna falla en la recitación, en ellos mismos, alguna otra circunstancia no prevista, o la magia mas fuerte de espíritus malos trabajando contra las necesidades del practicante. Para citar un ejemplo moderno, piensa en la bolera. Cuando un bolero tira la bola, el ora o dice sus palabras de suerte, esperando un 'strike'.

- Si le sale, se siente que sus palabras funcionaron.
- Si no, culpa a como la tiro, a la bola o a otros factores.

Pero nunca figura que sus palabras no cambiaron nada. Así que, que tan lejos hemos llegado?

Como dicen en la película 'What the Bleep Do We Know', la gente hoy, con todos nuestros avances científicos y conocimientos técnicos, todavía retienen un concepto de Dios y espiritualidad atrasado. Oraciones no son nada mas que la magia a la cual gente tribal subscriben. No tienen ningún efecto real. No hay ningún Dios misterioso. Como ha dicho el Ministro Farrakhan, la lluvia es real. Como puedes atribuir un efecto real a una causa irreal (Dios misterioso)? Cualquiera que conozca el ciclo de agua debe haber abandonado la teoría de que Dios hace que llueva. Sin embargo, yo he escuchado gente adulta describiendo la neblina sobre un cementerio como espíritus, truenos duros como la ira de Dios, y desastres como el huracán Katrina como la voluntad de Dios. Eso es sin mencionar la creencia juvenil que orando por la prosperidad (o dando el diezmo) va a aliviar los pobres de su condición financiera, o que gente mayor de veras son curados de sus enfermedades en esas iglesias con los evangelistas carismáticos.

"Yo ore por la libertad por 20 años, pero no recibí respuesta hasta que ore con mis piernas."
Frederick Douglass

No me mal entiendas, nuestras mentes si tienen poder. Podemos afectar la realidad con nuestros pensamientos, especialmente nuestra salud. Estudios han enseñado que gente que pueden enfocar sus mentes pueden canalizar sus pensamientos para curarse y mejorar sus vidas. Pero estudios no han enseñado que gente religiosas pueden llamar a un Dios invisible para que los ayude en la vida real con ningún grado de éxito. Aun la biblia dice, "Dios ayuda a los que se ayudan."

"Deja los deseos sin sentido que las cosas fueran diferentes.
En vez de botar tiempo y energia emocional y espiritual
en explicar porque no tenemos lo que queremos,
podemos perseguir otras formas de lograrlo."
Greg Anderson

Así que en vez de rezar por resultados deseados, yo introduzco estímulos causativos o acción para producir efectos inevitables. En pocas palabras, yo hago el trabajo necesario para que pase.

"Porque la vida es una cadena, causa y efecto.
Tipos fuera de ella por el afecto.
Es un juego sucio, así que lo que sea efectivo."
Jay-Z, "Minority Report"

No hay mejor ayuda a la claridad en la vida que entender la ley de causa y efecto.

Perdiendo Tu Mente

Yo No Lo Dije

Dan Barker, ex-ministro, y ahora co-presidente de la 'Freedom from Religion Foundation', dice en 'Losing Faith in Faith:From Preacher to Atheist':

> Tu crees en un libro que tiene animales que hablan, magos, brujas, demonios, palos que se convierten en serpientes, comida cayendo del cielo, gente caminando encima del agua, y todo tipo de historias mágicas, absurdas y primitivas, y después dicen que nosotros necesitamos ayuda.

Suena a las palabras de Mark Twain, quien dijo: "Un hombre es aceptado en una iglesia por lo que cree, y es rechazado por lo que sabe." Otro ministro, Rev. Donald Morgan dijo, "Si comes salchicha, es mejor que no sepas como trabaja una fabrica de salchichas, y si eres Cristiano, como trabaja la iglesia."

A mi no me miren! Yo no lo dije!

El Chiste

Once cristianos y un ateo están colgando de una soga. Si uno no suelta la soga se romperá y todos van a morir. El ateo dice que el se sacrificara porque los cristianos son tan buenos amigos que estarían muy de luto si uno de ellos muriera.

El termina su discurso y los cristianos están tan emocionados por su generosidad que empiezan a aplaudir.

La Realidad

PIENSO, ASÍ QUE SOY PELIGROSO

"Los habitantes de la Tierra son de dos tipos:
Aquellos con cerebro, pero sin religión,
y aquellos con religión, pero sin cerebro."
Abu'l-Ala'al-Ma'arri, poeta de Ma'arra

Esta bien, a todos los religiosos no les falta el cerebro. Pero si lo piensas bien, a la gente religiosa les enseñan y los entrenan a no pensar. Cuando te crías en una religión, te crías creyendo y teniendo fe en tu estilo de vida. Pero cuando crees, no hay forma de saber si tus creencias son verdad.

"Yo no creo en creer."
Edward M. Forester (1878-1970)

La fe es creer en cosas invisibles, y los religiosos juran que es todo lo que necesitas en la vida. No lo entiendo. Si no se supone que uses tu mente racional, y nuestro intelecto infinito no es útil, para que tenemos cerebro? Los religiosos no esperan que uses tu cerebro para escoger entre las 500 religiones allí afuera, y para decidir ser salvado?

"Alaba a Dios, es mas facil que pensar."
Chapman Cohen (1868-1954)

"Una idea verdadera no tiene necesidad de fe."
Ken Harding

Como mi hermano Supreme Scientist Allah escribió:

> Si somos capaz de determinar si queremos o no ser esclavo a 'Jesús', porque no somos capaces de determinar con éxito lo mejor para nosotros en otras áreas de la vida? La respuesta es simple: si lo somos! Sin embargo, esto es temido por (los religiosos), porque pensar por nosotros mismos al fin y al cabo, resultaría en actuar por nosotros. Esto de seguro que amenazaria la dependencia del esclavo a su amo.

Te hace pensar, no? O seguirás manteniendo la fe?

No es Chiste, Pero Puede Ser

"Si te enseñarían que duendes causaban lluvia, cada vez que lloviera, verías la prueba de los duendes."
Anonimo

Esto no es un chiste, pero quizás pienses que lo es. Estaba en el autobús una mañana, y esta joven bonita estaba sentada a mi lado. Yo le empece a hablar y ella obviamente estaba interesada. Durante el viaje pasamos un cementerio. Hacia frío y había neblina sobre el cementerio. Ella vio eso y dijo, "Mira, vez eso? Son los espíritus de ellos."

Yo me vire y la mire como "Eres retardada?" No lo dije porque pensaba que ella era bonita. Dije, "No, es solo neblina." Ella no lo quería escuchar. Ella juraba que ella había visto espíritus.

Yo dije, "Tu sabes como cuando hace frío en la mañana y hay vapor en el aire?" No tenia idea. "No, nunca he escuchado de eso," me contesto. Continuo, "No crees en Dios?"

No lo pude creer. Mientras mas hablábamos, me di cuenta que esta graduada de secundaria, de 20 años no entendía el jodido ciclo de agua. Eso es algo que se aprende en 4to grado.

Tu no debes tener 20 o 30 años y todavía pensar que los rayos y truenos son la ira de Dios o que la lluvia proviene de el. Debes saber ciencia de 4to grado.

Ahora, la gente de 40,000 años atrás que no entendían el fuego, la lluvia, los terremotos, a esos yo les entiendo porque necesitaban crear Dioses para explicar eso. De allí es donde las ideas de Dios en el cielo vienen. De gente que no sabían un carajo.

En las palabras del científico Richard Feynman en 'Superstrings: A Theory of Everything":

> Dios fue inventado para explicar lo misterioso. Dios siempre es inventado para explicar las cosas que uno no entiende. Ahora, cuando finalmente descubres como funciona algo, tienes leyes que le quitas a Dios; ya no lo necesitas. Pero lo necesitas para otros misterios. Así que dejas que cree el universo porque no hemos figurado eso todavía; lo necesitas para entender las cosas que tu crees que las leyes no explicaran, como la conciencia, o el porque uno solo vive cierta cantidad – vida y muerte – cosas así. Dios siempre esta asociado a esas cosas que uno no entiende.

Es el nuevo milenio. Puedes investigar cualquier cosa de que estés curioso. No tienes pretexto para creer que la Tierra gira en el dedo de Dios.

Piensa por ti, o sea esclavo de la imaginación de otros.

En El VIP

Justin sabia que iba a agarrar algo bueno esta noche. Tenia un plan. El plan era perfecto, no había forma que iba estar en su casa masturbándose esta noche, pensaba el. Primero, el le prometió al tío que le cambiaría el aceite a su 745i BMW por $50. Así el auto se quedaría en su casa, de la noche a la mañana, donde el dijo que haría el trabajo.

Por supuesto, que el se llevo el auto esa noche. Pero antes de llegar al club, paro en la casa de su primo Mike para que le prestara uno de sus trajes mejores, prometiendo que lo llevaría por ahí la próxima vez que tuviera el BMW. Después paro en el banco y se metió a la basura al lado del ATH. Busco por unos minutos hasta que encontro lo que buscaba. Satisfecho se fue para Club 730.

Como el de seguridad era un amigo viejo de la secundaria, el entró a la sección VIP donde unos raperos locales estaban tirando dinero para parecer que ya eran exitosos. Justin se metió al lío por como se veía, y al rato estaba abriendo botellas que no había pagado. Todo ese brillo ayudo que el asegurara la atención de Valeria.

Valeria tenia una cara como modelo y un cuerpo bonito. Ella estuvo bailando cerca de un tipo que no le estaba haciendo ningún caso, así que cuando Justin la llamo, vino corriendo. Ella vio las gafas Gucci que el llevaba puestos, su cadena brillante, sus pantalones de $400 y sabia que le gusto lo que veía. También a el le gusto lo que veía. Los senos de ella casi se salían de la blusa, y su trasero, aun en pantalones, parecía una almohada con una banda de goma por el medio. Era tan gruesa como Beyonce.

Lo Sabias?

Se gasta aproximadamente $25 millones cada año en bailes de falda en Las Vegas.
Los E.U. gasta $10 billones en pornografía cada año – lo mismo que gasta en ayuda al extranjero.

Hablando de bandas de goma, eso es cuando Justin saco su rollo de cien billetes de uno. Acababa de cambiar su cheque después de trabajar turnos dobles en el UPS, y esos cien iban a tener que durar. Por lo menos hasta que Valeria estuviera lo suficientemente borracha para irse con el. Así que Justin de vez en cuando tiraba unas lloviznas, en vez de hacer que lloviera. Pero esos pocos mantuvieron la atención de Valeria, ya que ella estaba segura que el tenia mas. Con una cadena así, lo tenia que tener.

Afortunadamente, cuando se le estaba acabando el rollo, Valeria estaba lista para irse. Salieron juntos del Club 730 en el 745 y ella por poco pierde la cabeza hundiendo botones y jugando con toda la tecnología allí adentro. Justin pensó que ella parecía ser un poco tonta, pero con ese cuerpo no le importaba. La forma que le caía el pelo largo a los hombros, como bateaba sus pestañas largas, como olía a frutas y flores...y dinero. Quizás se consiguió una que cuidara de el.

Pero Justin no pudo llevarla a su casa, el todavía vivía con su mama. Por supuesto, mintió y dijo que el vivía muy lejos. Ella no quería llevarlo a su casa tampoco, porque no lo conocía lo suficiente. Así que llegaron a un motel feo, y Justin, casi sin dinero, tuvo que pagar con la tarjeta de crédito de su mama. Estaba un poco preocupado, pero se le subió la confianza pensando en Valeria, quien estaba borracha y sobándose con el mientras el pagaba. Ella parecía como si tuviera un coño mágico, pensó.

Arriba en el cuarto, Valeria empujo a Justin en el cuarto y a la cama. Cerrando la puerta ella se empezó a desnudar, mientras el corazón de Justin palpitaba con excitación. Se le paro con la anticipación.

Entonces...cuando ella dejo caer su sostén, rellenado de papel, se dio cuenta que sus senos no eran llenos y redondos. Eran pequeños y caídos. Y su estomago tenia estrías como una ciruela.

Entonces se quito los pantalones. Y se le cayo el culo. No que tuviera nalgas falsas. Era que sus pantalones le aguantaban el culo de forma que no tenia. Lo que había era manteca. Justin estaba aplastado. Pero estaba determinado a tener relaciones comoquiera. Pero cuando ella se quito los calsones salio una peste de tuna dejado encima de un calentador por seis meses. Por poco paró ahí, pero su miembro no lo permitió.

Con delicadeza le pidió que se diera un baño primero.

Cuando salio dell baño, el olor era casi igual. Y ahora su pelo estaba madreado, su maquillaje se le había ido, y sus pestañas falsas se le habían caído. Sin todo aquello ya no se parecía a Beyonce.

Ya no pudo mas. Justin le dijo que se vistiera mientras el iba a buscar el auto. Ahí fue que se enterró que se lo habían robado. Mientras Valeria se daba cuenta que la cadena que se iba a robar era de acero..las gafas de Gucci eran Guccci. Ya para el fin de la noche se dieron cuenta que los dos eran unos pobres que aun vivían con sus madres, ya que esas eran las que tuvieron que llamar para que los recogeran.

Dejándose llevar por apariencias es el camino rápido hacia la decepción.

Mensaje en una Botella

Nos sentábamos alrededor de una mesa de cocina en el apartamento de Sun. Juan y GQ eran hispanos y Timoteo y Jesse eran negros, y yo era el otro. Sun no estaba muy lejos, buscando algo en su cuarto. Nubes de humo flotaban por el apartamento dilapidado de 2do piso. Acabábamos de fumarnos el tercer blunt de la tarde y pasábamos una botella muy grande de cerveza.

Mientras me tome un buche grande, Timoteo se quejo, "Le estas metiendo remanso a la botella! Necesitas aprender como beber!"

"Un poco de saliva no te va a matar cabrón," le conteste mientras me tome otro buche.

"Chinga tu madre, bastardo hindú!" me tiro.

Los demás se rieron.

En ese momento entro Sun con su esterio, lo puso en la mesa y puso un casete negro de pistas. El casete y el radio estaban marcados con grafiti en letras plateadas identificando a Sun como el dueño. Escuchamos el casete hasta llegar a una pista que nos gustaba a todos y empezamos a improvisar como en un 'cipher' tradicional. Manteníamos la tradición también, tradicionalmente borrachos y embalados...aun Sun era tradicionalmente 'wack' y incoherente...viejo borracho.

Cuando se iba calmando el 'cipher', nosotros saboreamos el embale y Sun estaba de nuevo buscando algo en su cuarto. Pero esta vez iba mas rápido como si algo en ese caos estaba puesto de acuerdo a algún tipo de organización. Aunque la música seguía, el apartamento estaba bastante callado. La novia, y madre de sus hijos, de Sun, Gwen, se había ido por el día con los niños menos uno. Sun acababa de poner el niño de 2 años, de apodo Gordo, a dormir dándole un buche de la cerveza. Y con Gwen en la calle no habría pelea entre ellos donde el confesara que preferiría meter con una cabra sucia que con ella, y ella prometía recortarle la verga mientras dormía.

Sentí un silencio raro en el cuarto cuando Sun revelo el objeto de su búsqueda. Era una libreta negra, llena de paginas copiadas y bien escritas que estaban inmaculadamente limpias. Ya el la había sacado en otras ocasiones después de fumar, pero por alguna razón nunca me intereso su contenido hasta ahora. Un poco aguantado, le pregunte, "Que es esa mierda?" Sun rápidamente me contesto, "Esto no es mierda. Es mi libro de vida."

No tenia idea de que carajo hablaba. Que vida tenia este chingado? Ciertamente no una que necesitaba un libro para acompañarla. Seguro, Sun aveces compartía unos pequeños pedazos de sabiduría para nosotros, pero teníamos la mitad de su edad, así que nunca nos parecía demasiado sabio. Nos parecía que un hombre sabio tendría amistad con otros sabios y no con un grupo de jóvenes delincuentes.

Todavía estaba tratando de descifrar el significado de lo que lo había llamado cuando le pregunte si podía verlo. El acordó, avisándome que seria la mierda mas profunda que yo habría visto, y que no podía jugar con la información que encontraría allí adentro. Tuvo razón. Hasta hoy día, tuvo razón. La primera pagina a que abrí tenia las letras del alfabeto acompañado por significado simbólicos.

Parecía mierderia, pero algo mas me agarro el interés. En la esquina de la pagina había un dibujo de un hombre en un circulo, como el dibujo de

Da Vinci, excepto que al lado de sus piernas, brazos y cabeza estaba escrito, A-L-L-A-H.

Me hizo sentido inmediatamente. Fue una epifanía sin los ángeles. El hombre era Dios, Allah. Brazo (**A**rm), Pierna (**L**eg), Pierna (**L**eg), Brazo (**A**rm), Cabeza (**H**ead) – Hombre completo – 360 grados. Sun solo me dejo mirar par de paginas antes de quitármelo – pero estaba flechado.

En muchas formas, el auto-conocimiento era la contestación a las preguntas que tenia, pero que nadie supo contestar. Yo había sufrido mucho en mi juventud por mi naturaleza altamente intelectual. No podía encontrar contestaciones razonables a mis preguntas sobre el racismo y teismo, y me estaba cansando tratando de encontrarlas. Cuando tenia 15 años, aunque pasaba mucho tiempo en la calle, pasaba tiempo igual leyendo sobre la cultura y identidad racial de los Egipcios, los Babilonios, y los Mayas. Ademas de las creencias y practicas del Confucianismo, Budismo, Daoismo, el Islam y hasta el Zoroastrismo, cual creo hace cientos de años nadie la practica.

La búsqueda era fructuosa y infructuosa a la misma vez. Conseguí mucho conocimiento, pero poco o ningún entendimiento. Y mis maestros de secundaria, aun el Sr. Smith, no podían llenar las necesidades de un joven de quince años quien había leído la biblia, y trato de encontrarle sentido solo. Mi mama, por supuesto, no podía entender tampoco. Cuando no podía dormir por no entender las fuerzas detrás del racismo o la posibilidad científica que Dios no existía, ella me daba una contestación tonta como "Nadie sabe eso, hijo, así que no te preocupes por eso," o me mandaba para la cama de nuevo. Yo habría empezado a cuestionar a Dios para el 3er grado, y las clases de religión en la escuela de St. Aedan's nos estaban requiriendo que leyéramos texto bíblico. Hay contradicciones dondequiera allí.

Me acuerdo mi primera situación en una clase de religión ocurrió como tres meses antes de ser brincado al 3er grado, cuando le pregunte a la maestra:

Si Jesús murió y volvió como espirito, porque necesitaba:

- ❐ Mover la piedra para salir de la tumba?
- ❐ Cambiar de ropa para esconderse de los Romanos?
- ❐ Comer pescado y miel? (Buscalo)

Si Jesús era tan grande que murió y volvió, porque otra gente grande no, como:

- ❐ Liberador de los esclavos, Abran Lincoln?
- ❐ Padre de la nación, George Washington?
- ❐ Amante de la paz, Dr. Martin Luther King, Jr.?

Por supuesto eso no me fue muy bien. Y solo empeoro de allí.

"No confió mucho en aquellos que saben tan bien lo que Dios quiere que hagan, porque he notado que siempre coincide con los deseo de ellos mismos."
Susan B. Anthony (1820-1906)

Eventualmente deje los mitos del cristianismo como mierdas místicas y mágicas. Pronto empece a cuestionar la idea de Dios por completo. Empezando con la cuestión de porque yo sufría tanto, aunque no había hecho nada malo. Creía que Dios era un tirante, antes de llegar a la idea que quizás Dios era una invención de la imaginación de todos, como un amigo imaginario.

Así que como a los 11 o 12, invente un experimento simple. Por algún tiempo, Dios me estaba dando consejos horrendos en mis rezos. Yo trate orando le a San Judeo mejor, y eso funciono un par de veces, pero también tenia un porcentaje de fallos terrible. Así que me pregunte si la voz de Dios era solo mi voz, y todos esos consejos eran lo que yo pensaba que Dios quisiera que yo haría. Trate rezándole pero quería que Dios sonara a Papa Smurf y que dijera las cosas mas ridículas que podía imaginarme. Por supuesto que funciono.

Yo: Querido Dios por favor dime que puedo hacer para los problemas de mi familia.

Dios: Bueno...tienes que smurfiddy-smurf hasta que tus smurfs no sean demasiado smurfy.

Yo: Maldito sea, lo sabia!

Como quiera me tomo años para disminuir la noción de un Dios misterioso, pero eso básicamente cerro el caso para mi. De ahí en adelante yo ignoraba a Dios o me enojaba con el, quien o que fuera que era. Porque fuera lo que fuera, evidentemente no estaba velando o comunicando conmigo. Estaba esperando alguna señal. Quien se imaginaria que Dios aparecería como un borracho de 30 años con muebles rotos?

Lo Sabias?

George Washington, el primer presidente de los E.U., pago $250 por un esclavo que compro por correo. Presidente y padre fundador Thomas Jefferson tuvo hijos de una de sus esclavas, Sally Hemmings.
Abraham Lincoln dijo que no le importaba si los negros fueran libres o esclavos, y que solo los libero para que lo ayudaran ganar la Guerra Civil y reunir la Unión. Grandes personajes el culo mio!

Una lección puede estar dondequiera. Algunas tu las encuentras, otras te encuentran a ti.

10 Lecciones de American Gangster

Sabes que una lección se puede encontrar dondequiera. Si ves cualquier película con un ojo a lo que realmente esta pasando, puedes aprender algunas cosas. Aquí hay diez cosas que puedes aprender de la película 'American Gangster':

Conciencia

El juego de drogas, como cualquier negocio criminal, es mas grande que uno. Frank Lucas lo sabe. Como por la mitad de la película, el comenta como Bumpy Johnson no era dueño de su negocio – un hombre blanco lo era – así que un hombre blanco era su dueño. Ya para el fin de la película, Frank supo que el hecho que fuera preso no iba cambiar nada en la calle. El sabia que el era solo una pieza pequeña de un negocio que iba mucho mas lejos que el. Los policías son parte de el, las cortes son parte de el, los políticos son parte de el, y la Mafia es parte de el. Un hombre como Frank Lucas no es un rey en una jungla así. Para el final de la película vemos el tipo de animal en cual se convierte.

Sabes donde caes en el juego de la vida?

Humildad

Cuando el hermano de Frank empieza a usar trajes de brillo, el le dice que no se ve bien, que parece un payaso. El explica que "el que hace el mas ruido en un cuarto es el mas débil de ese cuarto." Frank no es así. El es humilde, pero con confianza. Es rico, pero simple. En la vida real, Frank Lucas chequeaba los vecindarios que controlaba desde un Chevrolet madreado, usando una barba falsa, una peluca y gafas oscuras. "Yo me sentaba allí y veia como entraba el dinero," dijo en una entrevista. "Y nadie sabia que era yo. Era una sombra. Un fantasma." En la película el mantiene un perfil bajo y evite atención hasta que su esposa lo convence que use un abrigo de chinchilla y una gorra que pegaba. Cuando el ve la atención negativa que atrae, lo quema y vuelve a sus trajes de negocios regulares. Los que tracalan hoy son un poco diferente, a decir poco. Solo lo hace mas fácil para los federales acusarlos.

Disciplina

Por todos lados de Frank Lucas hay drogas. Pero nunca lo vez usando ninguna. En la película, no lo veraz tocar ninguna, cortar, cocinar, o vender con sus manos. Cuando Frank se enterrá que su chófer, su hermano, tiene drogas en la cajuela del auto, le golpea la cabeza contra la ventana del auto y lo despide. El trata a todos los que enseñan una falta de disciplina así. Es mas, otro de sus hermanos se mete a las drogas y empieza a perder control. Sin disciplina interior ni enfoque, este hermano empieza ruinar la vida de Frank.

Ingeniosidad

Mientras vendedores como Nikki Barnes estaban pagando $35,000 por un kilo de heroína cortada, Frank consiguió como recibir un kilo de la pura por $4,000: El fue directamente al Sureste de Asia y saco los del medio. Poca gente tendrían la ingeniosidad e inteligencia para tener una operación como la del, mucho menos figurar como enviar grandes cantidades de heroína en los ataúdes de soldados americanos. Y cuantos de ustedes están preparados a ir a un país en el otro lado del mundo, mucho menos a las junglas de un país en guerra?

Liderazgo

Liderazgo puede ser bueno o malo. Mientras Frank Lucas operaba su negocio con liderazgo fuerte, e hizo lo mejor que pudo para eliminar los débiles, es difícil tratar la gente como familia y a la vez hacer negocios. Especialmente cuando el negocio es sucio. El no solo pago con perder su familia, incluyendo a su mama y esposa, que lo dejaron de respaldar al final, pero vio a su sobrino morir tratando de seguir sus pasos.

Avaricio

En la película, Nikki Barnes es un competidor con Frank. Pero Nikki compra la heroína de Frank la corta cuatro o cinco veces y vende el producto menos potente con el mismo nombre de 'Blue Magic'. Frank lo para y le pregunta porque no vende el producto tal como es, ya que hará bastante dinero así. La razón, por supuesto, es la avaricia de Nikki. Pero Frank también es avaricioso. Corre un imperio de drogas, recuerdas? Aun cuando es advertido que el éxito trae enemigos, el trabaja mas fuerte para ser mas exitoso. Aun cuando tiene la oportunidad de salirse del juego, no lo hace. Aunque le aconsejan que: "Salirse mientras que es primero en el juego no es lo mismo que salirse." Aun cuando su esposa le sugiere que se salgan mientras puedan, no lo hace. Y al final, lo pierde todo.

Como el mismo dijo en una entrevista 30 años despues:

> No iba haber otro Bumpy. Bumpy creía en compartir las riquezas. Yo era un hijo de puta diferente. Yo quería todo el dinero para mi...Harlem era aburrido para mi en ese entonces. Números, protección, esos pequeños papeles cayendo de tu bolsillo. Yo quería aventura. Yo quería ver el mundo.

Karma

> "Porque has ahogado a otros, te ahogaron."
> Rabbi Hillel

Se cosecha lo que se siembra. Frank Lucas y Nikki Barnes son hombres "libres" ahora, si puedes llamar sus vidas libres. Ellos soplaron a mucha gente suficiente para reducir sus penas. Pero no me imagino, que se siente salir de la prisión y ver el infierno que ayudaste a crear. Especialmente ahora que las cosas están peores. Eso sin mencionar que están pelados y no pueden enseñar sus caras en la mayoría de las calles.

Recientemente un reportero de New York Magazine hizo una entrevista a Frank y Nikki juntos, marcando la primera vez en 30 años que hablaban. Hablaron de un numero de cosas, como sus vidas habían cambiado (los dos están bastante pobres ahora, con Frank recientemente descrito como el viejo en el abrigo Timberland falso y Nikki sin poder enseñar la cara en las calles de Harlem) y el daño que ellos realizaban que habían causado:

> Nikki: Nadie debe ser elevado por lo que han hecho en el negocio de las drogas. De la forma que operamos – había mucha violencia, como diez a doce homicidios, para mantener la operación corriendo. No puedes glorificar eso. No es algo que ni Frank ni yo le diría a nuestros hijos que sigan.
>
> Frank: Absolutamente correcto, Nikki.
>
> Nikki: La heroína causo mucho caos y mucho dolor en la comunidad Negra. No lo debería haber hecho. Quizás estaba consciente, pero no me importaba un carajo. Quería hacer dinero, y eso fue lo que hice. Mirando hacia atrás, no hubiese hecho esas decisiones, pero es muy diferente y mucho mas fácil sanitarse después del hecho.

Influencia

Estas siendo influenciado ahora mismo. Estamos constantemente presentado con cosas que nos empuja en una dirección o otra. Cuando Frank trabajo debajo de Bumpy Johnson, el absorbió todo...y al pasar el tiempo le salio. Todo le que tu absorbes saldrá de alguna forma. De la misma manera el sobrino de Frank – un pelotero prometedor – fue influenciado tanto por ver a Frank que se salio de la pelota para tratar el juego del narcotraficante.

Manejar Conflictos

Hay tres formas principales para manejar conflictos: Diplomacia, Estrategia y Guerra. Vean la película y noten como Frank usa cada forma y cuando la usa.

Propósito

Porque estas aquí? Para que estas aquí? En muchas formas, Frank Lucas hizo tanto por su gente que uno de sus adictos. El no quería que jóvenes usaran heroína, pero lo hicieron. El no quería que la heroína se convirtiera en una epidemia para la comunidad Negra, pero paso. El no quiso proveer un modelo para la distribución de drogas para grupos del futuro usarla, pero lo hizo. Su propósito, como lo veía, era hacerse rico (vea Sueño Americano). El no tenia visión de la guerra que pasaba aquí, ni del Movimiento de Derechos Civiles o el Movimiento de Poder

Negro a su alrededor. Como yo lo veo, puedes morir pobre, o puedes morir rico, pero vas a morir...si vas a vivir y morir peleando, porque no pelear por algo de valor?

Con eso dicho, que le sacas a las películas, canciones y programas que vez y escuchas? Son solo entretenimiento? O puedes ver lecciones de la vida en ello? Si no puedes relacionar todo lo que vez a tu propia vida, estas perdiendo una gran parte.

Todo puede ser una oportunidad para aprender si quieres.
El mundo se desarrolla en capas de sentido.
Sigue buscando y lo veras a tu alrededor.

Cada Uno, Enseña Uno

Cuando Dr. Dre se fue de N.W.A. para empezar a Death Row Records, el estaba solo. Sin nadie para decirle como hacer las cosas, el aprendió el juego de manera difícil, por medio de la experiencia. De alguna manera salio exitoso, tirando uno de los álbumes mas celebrados, The Chronic. En The Chronic, el tomo un riesgo compartiendo el foco con un joven desconocido con un nombre cómico: Snoop Doggy Dogg. Dre decidió tomar a Snoop como su aprendiz y le enseño el juego del rap.

Dre le enseño a Snoop todo lo que había aprendido de la industria. Como resultado, no solo Snoop fue increíblemente exitoso (trayendo mucho dinero hacia Dre), pero evito muchos de los errores que otros en su posición estaban cometiendo. Mientras jóvenes raperos pandilleros estaban cayendo de izquierda a derecha, Snoop siguió y muy exitoso por mas de una década después que Dre lo entreno.

"Aquel que aprende, enseña. Aquel que enseña, aprende."
Proverbio Ethiopio

De hecho, teniendo gente como Snoop aumento el juego de Dre. Resulta que enseñando a otro es la mejor forma de aprender.

Cuando un rapero de seis años se trepo a la escena con la confianza de un adulto, Snoop Dogg tomo interés de la misma forma que su mentor había tomado interés en el. Le dio al niño un nuevo nombre – Lil Bow Wow – y empezo a educarlo en las trampas a evadir y los caminos al andar.

Años después, Bow Wow es uno de los pocos raperos que no se cayo después de ser estrella como niño. Mientras Kriss Kross, ABC, Quo y docenas de otros raperos niños se desaparecieron, para nunca volver, Bow Wow ha podido llevar su éxito a adulto. La razón numero uno siendo que encontró un mentor...o un mentor lo encontró a el.

Dicen que: "Cuando el estudiante esta preparado, el maestro le llega." Mientras aprendes, y encuentras otros que te guíen al crecimiento y el éxito, no te olvide, alguien te estará buscando a ti también.

En 'Young Gifted and Black,' Theresa Perry explica como se sentían los esclavoz una vez aprendían a leer:

> Aprendiendo a leer, los obligaba a enseñar a otros. Aprender y enseñar eran los dos lados de la misma moneda, parte del mismo momento. Aprender a leer no era algo que mantenías para ti, era algo para compartir con los demás, con la comunidad.

T.I., en su canción 'Praying for Help' dice lo mismo sobre compartir las lecciones de la vida que uno aprende:

> Yo pregunto como uno que ha hecho tanto, se le trata tan injusto/Porque trate de inspirar a la gente/Me quieres condenar porque quieren vender drogas/Pues hombre, enseñales el camino/Se un padre o un entrenador/Un modelo al seguir o símbolo de esperanza/Toma otro acercamiento/...No vez que solo hacen lo que saben/Y te preguntas por que ya no le importa

Li'l Wayne habla sobre jóvenes buscando guía también cuando dice en "Don't Cry":

> Porque tenemos que matar a los nuestros cuando subimos/Me tienen mirando hacia abajo la escalera ahora que subí/...Subiendo a los sobrinos/Y ellos no quieren guiar/Solo quieren aprender como usar aquello/Y quien soy yo para no hacerlo? Solo piensa/El consejo de sus padres se manda por tinta negra/Y eso apesta, pero amigo, eso es real/Y en el bario, aun el churrasco huele mal en la parrilla

Si estés preparado o no para ser mentor o maestro por si, lo mas seguro que hay docenas de jóvenes allá fuera que podrían beneficiarse porque tomes el tiempo de hablar con ellos. Solo asegurate que le enseñes como evitar caer victima y no como pretender hasta que caigan.

Encuentra un maestro, sea un maestro.

EL ARTE DE VELAR GENTE

Había un anuncio en la televisión antes que enseñaba a dos maniquís (conocidos como dummies en ingles, lo cual también quiere decir idiotas) desbaratándose en un auto por no usar el cinturón. Al final del anuncio decía: "you could learn a lot from a dummy" o sea "puedes aprender mucho de un idiota."

Y si lo puedes. Si quieres aprender algo y reírte a la vez, vela a la gente estúpida. Puedes ver a estos verdaderos idiotas en el autobús, en la calle, en el club, hasta en tu trabajo. Son lecciones ambulantes, de que no hacer.

Yo trato de sentarme a velar gente por lo menos una vez a la semana. Escojo un lugar y allí me siento.

A veces escribo lo que he notado o aprendido. Aquí tienen unas observaciones y lecciones que recogí un día de velar o tratar con varias personas.

Gente que has tratando como mierda, pueden salir siendo tus únicos amigos en un momento necesitado. A su vez alguna gente puede que no se le puede tratar de otra manera.

La bondad no es debilidad, pero ser ingenuo si.

Mira este loco. Los gringos toman drogas porque no tienen problemas suficientes.

La gente no entiende de que se trata la vida, así que se pasean por ahí sin ideas. Puedes vérselo en la cara que no lo entienden. La vida es una serie de ejercicios problemáticos y compromisos, compartidos en capítulos por momentos intensos de victoria y miseria. Si la gente pudiera ver eso, no se verían medio idiotas todos los días.

Otra llamada perdida. Mujeres solo quisieran que fueras su hombre hasta que lo eres.

Otra propuesta indecente vía mensaje de texto. Yo paso. El sexo es mejor cuando sientes que quisieras quedarte allí acostado con esa persona después. No brincar a lavarte como si hubieses sido contaminado.

Este tipo necesita dejar de llamarme collect cuatro veces al día, para decirme mierda tonta que esta pasando en la prisión. Hombre, la prisión = esclavitud. Cuando estas preparado para hacer trucos por un bizcocho, o te has convertido en esclavo o en un animal.

Este tipo tiene una gorra que dice "M.O.B." M.O.B. ah? Si es dinero sobre putas (money over bitches) que va por encima del dinero?

Que estaba pensando ella? Eso de jugar y luego pagar no funciona conmigo. Digo esa estafa donde ella se comporta como una mujer perfecta sin problemas. De pronto un día, te menciona problemas financieros que salieron de la nada (si, seguro), sabiendo que el hombre vendrá a su rescate....vete a la mierda!

Otra llamada perdida. Voy a dejar que ir a esta. Muchas muchachas se subastan silenciosamente al que de mas. O sea, el tipo (de todos que han conseguido su numero) que ofrece mas atención o citas/regalos mas caros, se convierte en el ganador y la tiene (prestada) hasta que ella se canse (o se le acaba) y llega otro (quien usualmente estaba en reserva). No tienes que ser científico para figurar esa.

Carajo, mira a esta tipa! Ella debe saber que puedes conseguir un hombre con sexo, pero no mantenerlo. Y el debe saber que puedes conseguir una mujer con dinero, pero realmente nunca la tuviste.

Mira a esos dos idiotas. Eso no es lujuria, no amor. El amor tiene una tonelada de imitadores. Tu creerás que finalmente lo lograste, pero es realmente otra cosa.

Que niños malos! Padres que no crían a sus niños merecen lo que les hagan cuando crecen.

Ah, otro gringo con una camisa "Salva a Darfur". Los gringos no son todos malos. Tampoco son algunas formas de cáncer. Debo ir en una cruzada por el cáncer?

Contra, mira esos helicópteros negros. La 3ra guerra mundial no esta lejos. Yo no le tengo miedo.

Mira estos viejos hablando como jóvenes. Algunos nunca crecimos. Volviendo hacia atrás y haciéndolo bien no es una movida mala.

Estar pelado es temporero. Ser pobre es por vida.

Uy. La belleza es interna. Pero alguna gente es difícil mirarlos.

Trata por ti mismo. Coge 30 minutos hoy para sentarte afuera, en algún lugar publico, a observar a la gente. Mira a ver que aprendes, solo por velar a la gente actuar y pasear por su vida diaria. Estarás sorprendido cuanto puede aprender un hombre cuando se calla la jodida boca y pone atención.

La habilidad de un hombre aprender de los demás le ayuda evitar hacer los mismos errores que ellos.

El Bombardeo de MOVE

MOVE era una organización mayormente negra empezada en el 1972 por John Africa y Donald Glassey en Filadelfia. La organización predicaba un estilo de vida, volviendo a la naturaleza y hablaban en contra de injusticias sociales. En Mayo 13, 1985, la policía de Filadelfia tuvieron un tiroteo con MOVE en la casa que ellos compartían en 6221 Avenida Osage. La policía le tiraron un explosivo de C4 en el techo de la residencia de MOVE. El fuego que resulto, quemo a todo el bloque, mato a 11 miembros del MOVE y dejo 250 residentes del área sin hogar.

Ramona Africa, la única sobreviviente adulta de MOVE, fue convicta de motín y conspiración y cumplió una condena de siete años en prisión, antes de ganar $1.5 millones en un caso contra la ciudad. Ningún oficial de gobierno ni de la policía ha sido cargados por las muertes.

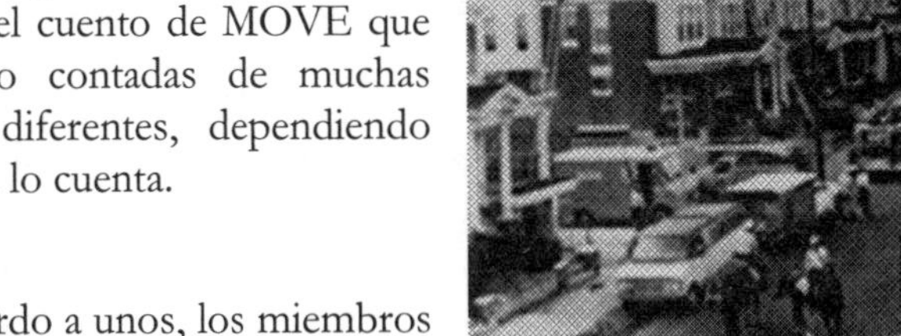

Todo parece bastante claro, pero aunque las partes importantes son innegables, hay muchas partes del cuento de MOVE que han sido contadas de muchas formas diferentes, dependiendo de quien lo cuenta.

Lado A:

De acuerdo a unos, los miembros de MOVE eran cochinos, desagradables, y de alboroto. Y que usaban sus residencias comunales para aterrorizar a sus vecinos y el resto de la comunidad trabajadora.

La primera residencia MOVE era un disturbio constante a la comunidad. Miembros no se bañaban, ni usaban agua de ciudad, así que la peste de mierda y meado estaba dondequiera. Despues que la ciudad empezó a darles avisos, los miembros de MOVE asustaron al vecindario cuando empezaron a marchar alrededor de su casa con rifles. Cuando los policías trataron de evacuar la casa usando la fuerza, un oficial fue disparado por una pistola que fue seguido al miembro de MOVE Phil Africa. Después de este evento, el alcalde de la ciudad Frank Rizzo hizo que la casa fuera demolida por no ser habitable por violaciones al código de salud.

MOVE entonces se radicaron en una 2da casa en la Avenida Osage, donde siguieron su hostigamiento de residentes locales. Las casas de Osage eran conectadas y los techos compartidos formaban una pista para correr conveniente. Los vecinos despertaban a los ruidos del programa de entrenamiento físico de MOVE temprano en la mañana. Esos disturbios se juntaban luego con el sistema de altoparlante que usaban para transmitir discursos políticos que duraban horas y estaban llenos de profanidad. Ademas el énfasis de reciclaje de ellos contribuía a mucha basura fuera y dentro de su casa y la apeste estaba creciendo. Es mas, miembros de MOVE estaban entrenando a las gigantescas ratas de muelle que entraban y salían de su casa para intimidar a los vecinos que no eran amigables.

Durante un intento de arrestar a cuatro miembros de la organización que tenían ordenes de arresto en su contra, la policía respondió a tiros y hubo un tiroteo entre ellos y los miembros de MOVE. Consciente de las muchas armas que tenia la organización, el comandante de los policías decidió destruir una caseta que tenían en el techo con explosivos a quienes se refieren como aparatos de entrada. Barriles de gasolina que habían en la casa MOVE llevo a la tremenda destrucción que resulto.

Pero no es tan simple...

Lado B:

De acuerdo al otro lado, es un cuento completamente diferente. Los miembros de MOVE empezaron a transformar sus ideas a una filosofía al estilo del Partido de las Panteras Negras de defensa propia, solo después que la policía encarcelaron a tres de sus miembros y atacaron su casa en la sección de Powelton Village en Filadelfia en 1977, matando a un niño joven llamado Life Africa. Miembros de MOVE empezaron a protestar y usar altoparlantes para informar a la comunidad de las injusticias que se estaban cometiendo. En respuesta, la policía mantuvo un cerco de un año en la residencia de MOVE.

El alcalde ordeno un bloqueo del vecindario inmediato para prevenir que comida y víveres le llegaran a MOVE. Sin embargo, como el bloqueo se anuncio de ante mano, partidarios lograron traerles grandes cantidades de comida. También los miembros de MOVE habían secretamente hecho un túnel que llegaba mas allá del parámetro de la policía.

El cerco de un año se complico en 8 de Agosto, 1978, cuando oficiales tiraron cientos de rondas de municiones hacia el sótano de la casa donde se habían retirado los miembros. Cuando el oficial James Ramp fue encontrado muerto después del tiroteo, nueve miembros de MOVE fueron cargados con el asesinato aunque se había comprobado que la bala que mato a Ramp no pudo haber venido desde la casa de MOVE.

Dentro de 24 horas del asalto, la policía completamente destruyo la casa, con cualquier evidencia que hubiese aportado a la defensa de los miembros de MOVE. Tres policías quien brutalmente y públicamente le dieron paliza a Delbert Africa después del tiroteo fueron absueltos.

Después de radicarse en otra casa, miembros de MOVE fortificaron su nueva casa contra ataques. También empezaron una cruzada agresiva para la libertad de los MOVE 9. Esta confrontación con la ciudad y la policía llego a su punto explosivo en Mayo del 1985. En la madrugada de Mayo 13, 500 policías evacuaron el vecindario. Poco después rodearon la casa y atacaron con 10,000 rondas de municiones en 90 minutos. También usaron pequeños explosivos y agua de mangas de bomberos al intentar penetrar a la casa, completamente informados que habían niños pequeños adentro.

Cuatro meses antes de este cercado, un agente especial del FBI le había dado al escuadrón de bombas de la policía de Filadelfia 30 bloques de C-4, el mas letal de los explosivos plásticos militares. La tarde de 13 de Mayo, un helicóptero de la policía tiro una bomba conteniendo C-4 en el techo de la casa de MOVE en la Avenida Osage.

Aunque habían bomberos presentes, y sus cañones de agua ya habían sido usado como arma contra los miembros de MOVE, el fuego que resulto se dejo quemar por 45 minutos antes de prender la mangas de agua. Para entonces el bloque completo estaba empezando a quemarse. Miembros de MOVE que intentaban escapar por atrás del edificio fueron tiroteados por la policía. Seis adultos y cinco niños murieron. Solo Ramona Africa y un nene de 13 años llamado Birdie Africa se escaparon.

Hoy día, 6221 Avenida Osage es una estación de policías. Ramona Africa sigue una activista política. Birdie Africa que era iliterato y nunca había tenido un juguete en aquel tiempo, ahora es un sargento en el ejercito Estadounidense. El mas conocido de los MOVE 9, Mumia Abu Jamal, ahora en el corredor de la muerte, es un activista cumplido y autor. Pero que fue lo que realmente paso?

Para ayudarte a decidir, aquí están las palabras de la sobreviviente Ramona Africa:

> El gobierno ha usado los medios para tratar de convencer a la gente que lo que paso en Mayo 13 fue por quejas de vecinos, pero eso es absolutamente ridículo. Cuando a este gobierno le a importado las quejas de gente Negra de sus vecinos? Miren a la calle 8 y Butler. Cuanto tiempo lleva esa gente quejándose del narcotrafico y las guerras por los puntos? No pueden ni dejar que sus niños se sienten afuera en el verano por miedo a que los maten en un tiroteo. Han tirado una bomba allí? Les están dando a esa área la atención que le dieron a la Avenida Osage? Es ridículo pensar que una pequeña manada de gente Negra pueda quejarse sobre sus vecinos y hacer que se meta el FBI, el Departamento de Justicia y los gobiernos del estado y local envueltos.

Que piensas que realmente paso ese día, y en los días llegando a ese?

Que te llevo a esa conclusión?

Como puedes mirar mas allá de lo "el dijo/ella dijo" para sacar la verdad de la historia de quien sea?

Cuando escuchas las noticias o escuchas de conflictos personales, como puedes evitar ser extraviado?

Siempre hay tres lados a una historia:
Lado A, Lado B y La Verdad.

Películas Para Ver

Lord of the Rings: 300

The Lord of the Rings quizás es demasiada larga, pero es una película interesante. Se trata de la historia de todas las tribus blancas en Europa anciana juntándose como una para mantener afuera a todos los Negros y demás gente de países cercanos. Así fue que nacieron la "gente blanca."

Piénsalo. Todos los buenos eran diferentes tipos de blancos. Y todos los malos eran marón y negros. Algunos parecían musulmanes, algunos tenían 'dreads', y algunos parecían Asiáticos. Y para que sepan que no me lo estoy inventando, el cuento fue escrito por un profesor racista del Ingles Viejo.

300 es mas de lo mismo. Una versión fantasía de como pelearon contra todos la gente de color del mundo, quien se creían que llegaban muy cerca a Europa. Porque nos hacen ver como ogros y duendes en estas películas? Me imagino que es como piensan de nosotros. Por lo menos en este, el líder Pérsico Xerxes es grande y negro y dice ser Dios...pero lo hicieron maricon.

10 Lecciones del Club

Como dije antes, puedes encontrar una lección dondequiera...si la buscas. Aquí hay 10 lecciones de la vida que aprendí en el club. No que ninguna de estas cosas me pasaron a mi, por supuesto.

1. Diviértete

Tienes $60 encima. Has trabajado doble turnos toda la semana. Necesitas alguna recreación. Así que vas al club. Para que estas aquí? Si te dices que estas aquí para llevarte una chica, tienes un chance de 1 a 100 de salir exitoso. Disque vienes a divertirte, tienes un chance de 1 a 3 de éxito. Tu decide. Una vez entras, hay muchas mujeres de escoger, pero tu haz decidido a divertirte. Si quieren ser putas y irse contigo, pues eso es un bono añadido. Y adivina que, cuando solo estas por divertirte, y no te importan las chicas...ahí es cuando las chicas te quieren mas.

Vive tus intensiones. Lo que pones en el aire es lo que recibes.

2. No pienses que no ira por eso.

Allí va. Ahora, puede que ella este bien buena. Quizás esta tan bien que hasta a un maricon se le ague la boca. Y puede que este vestida mejor que nadie ahí. Y puede estar parada o sentada ahí como si no tiene planes de bailar....o hablando con algún tonto. Pero no lo sabras hasta que le preguntes.

No asumas; averigua. Creyendo y sabiendo no son lo mismo.

3. Pregunta a ver.

Aquí hay muchas mujeres bien buenas que no han conocido a nadie en toda la noche porque los hombres han estado intimidados. Los pocos que trataron estaban muy borrachos o muy estúpidos. Quizás tu estés solo un poco borracho y seas solo un poco estúpido. Y quizás te de una oportunidad. He aprendido que algunas de las mujeres que se ven comemierda solo están esperando que alguien haga lo correcto. Solo ve allí y dile lo que quisieras. Si te dice que no, bien. No has perdido nada. Si te dice que si, ganaste.

La rueda ruidosa recibe el aceite.
Cada jornada empieza con un paso.

---

4. Asegura que las cosas estén claras antes de seguir.

Has escogido. Y la chica que estas mirando esta bailando encima de un tipo como si estuviera dando bailes de falda de $20. Esta dando bofetadas a las nalgas, agarrando su pecho y todo tipo de bellaquería. Ahora tu quieres tu turno. La próxima canción empieza y estas listo para meterte detrás de ella. Lo próximo que sabes es que te esta empujando y el tipo te esta mirando con cara de loco y seguridad esta a punto de aplastarte. Es su esposa y el es el dueño del club. La próxima vez, pregunta primero.

Mira antes de saltar.

---

5. Trata confrontaciones apropiadamente.

El tipo esta enfadado. Y no es un pendejo tampoco. O le ha estado dando al gimnasio o tomando esteroides y así es que termino con esa muchacha que esta tan buena. Ahora esta a punto de meterte un cantazo. Tu piensas rápidamente. El esta endiablado y hablando duro, así que tu lo neutralizas con lo opuesto. Le das un apretón de manos y le pides disculpa a su oreja, y le dejas saber que no le querías faltar el respeto. Le dices que el es un hombre muy afortunado y sigues caminando.

Fuego necesita hielo; hielo necesita fuego.
Cada situación tiene una manera inteligente de tratarla.

---

6. Escoge tus batallas.

Pero aunque sigues caminando el de seguridad te sigue mirando. Cual es su problema? No eres pendejo, quizás este confundido porque no peleaste con el jefe. Así que te le enfrentas y le preguntas cual es el problema. Te dice que su madre acaba de morir y esta trabajando para pagarle el funeral y no esta de humor para hablar. Dice que si tienes problema con como el esta mirando, pues que definitivamente pueden acabar con eso. Así que el no esta muy estable, figuras. Ese va a estallar en cualquier momento. Y tu no quieres estar allí cuando pase.

Mira las consecuencias, aveces tu próximo paso no es el mejor paso.

7. Cualquier cosa puede pasar en cualquier momento.

Así que te alejaste de otra situación sin rasguño. Te sientes bastante bien. Te has dado unos tragos y te sientes relajado. De pronto te caen seis personas encima. Mientras le das al piso duro, una muchacha te pisa el ojo tratando de salir de allí. El de seguridad de ahorita te avento alguien mas encima. La pistola que lograste meter al club se dispara y ahora no tienes pene.

Hubieses estado mas alerta, y velando por esa pelea que de pronto se armo. Si hubieses estado prestando atención, hubiese podido salirte del medio mas rápido. Pero es muy tarde para pensar en eso. No tienes pene.

Pon atención a tus alrededores. Dormir es el primo de la muerte.

8. Se cuando parar.

Vamos a decir que evitaste que te aplastaran, atropellaran y volarte el pene. Te sientes bien, pero unos tragos mas te harán sentir mejor, no? Pero estas tomando tragos 'straight' y pasando botellas con tus socios. Al rato, cada muchacha en dos piernas parece modelo, y hasta la de una pierna parece que puede estar divertida. Pero no te les puede acercar, porque cada vez que tratas casi te caes. Estas sudando como los gordos en el verano, y tu aliento huele a vomito con fruta. Alguien te pasa un trago mas y te lo tomas. Ahora todo lo que estaba en tu estomago esta en el piso...y en tu ropa. Trata de ser suave ahora.

Conoce tus limites. Demasiado de cualquier cosa no es bueno.

9. Tontos mueren por orgullo.

Así que estas tratando de llegar al baño para limpiarte lo suficiente para poder irte a tu casa. Pero te tropiezas con una chica y chocas con el dueño. Tal parece que te tropezaste con su novia y hiciste que se le derramara el trago encima y sin querer lo apuñalaste con tu medalla de acero. El esta obviamente molesto. Pero tu también estas molesto porque el estaba en tu camino. Y en tu mente, el es el causante de todo tus problemas esta noche (no tu). Así que le dejas saber que le vas a partir la madre. El te pide que salgas afuera con el. Estas preparado para pelear. No, olvida eso, estas preparado para limpiarlo con el 380 que llevas escondido en tu pantalón. Tan pronto tratas de sacarlo te patea la frente, te quita tu propia arma y te mete un tiro. Resulta que su trabajo de día es de policía. Ahora estas muerto y el todavía se lleva la mujer.

Nunca pierdas la compostura.

10. No es tan linda.

Vamos a decir que nunca te vomitaste. Vamos a decir que lograste la chica bella que no le hubieses hablado. No solo te dio el numero de teléfono, lograste a que viniera a desayunar contigo. Te sientes como un rey, verdad? Estas preparado hacer magia tan pronto que salgan del IHOP. Eso es, hasta que llegas a las luces brillantes del estacionamiento y te das cuenta que tu muñeca es muñeco.

No creas todo lo que veas o oigas. Cualquier cosa que se siente demasiado para ser verdad...usualmente lo es.

EL RACISMO ESTA VIVO

En 22 de Diciembre, 1984, Bernard Goetz, un reparador de electrónica blanco y de media edad , se monto en un tren en la ciudad de Nueva York como lo habrá hecho en cualquier otro día. Excepto que este día cuatro jóvenes negros se le acercaron. Cuando uno de ellos le pidió $5, el saco una pistola calibre .38 y empezó a disparar.

Le dio a Troy Can'ty, 18, en el pecho; James Ramseur, también 18 en el brazo y el pecho; y Barry Allen cogió uno en la espalda cuando huía. Mientras el conductor, escuchando los tiros, paro el tren, Goetz se le acerco al cuarto joven, Darrell Caby, 18, diciendo, "Tu no te vez tan mal. Aquí tienes otra." Con eso jalo el gatillo de nuevo y le disparo a Caby en la médula espinal, instantáneamente dejándolo paralitico.

Goetz fue fugitivo por diez días después del incidente. Durante la búsqueda por el "Vigilante del Metro", toneladas de blancos llamaron a las estaciones de radio para apoyar a Goetz. Goetz finalmente se entrego y confeso en video. El describió el evento, todavía emocional, pero no arrepentido: "Mi problema fue que se me acabaron las balas. Yo iba a sacarle el ojo a uno con mis llaves. Fui rencoroso. Mi intento era matarlos."

Sus fanáticos compartían su idea. No estaban contentos que los cuatro jóvenes estaban hospitalizados – uno paralizado de la cintura para abajo y apunto de tener daño permanente al cerebro – ellos querían los jóvenes muertos. Gente de todas partes enseñaron su apoyo de toda manera imaginable. Vendieron y usaron camisetas que tenían la cara de Goetz y las palabras "Thug Buster" (Para Delincuentes) y "Nueva York Te Ama, Bernie!" Llamadas a estaciones de radio lo aplaudieron por "hacerle un favor grande a la ciudad." Hubieron hasta ofertas de pagarle la fianza.

Goetz, quien estaba cargando un arma ilegal, atento asesinar un grupo de jóvenes que solo cargaban un destornillador, que Goetz ni vio. Durante el juicio, los jóvenes fueron pintados como criminales, matones salvajes, y Goetz como un ciudadano inocente blanco solo queriendo defenderse de estos jóvenes depredadores negros. James Ramseur, basado en sus palabras y lenguaje de cuerpo, fue descrito como un matón obvio, con una de las diez juradas blancas luego confesando que Ramseur "le dio pesadillas."

Goetz eventualmente fue encontrado no culpable en 17 de los 18 cargos, excluyendo el cargo por tener posesión de un arma ilegal, por cual cumplió menos de un año de carcel. Años después del juicio, Goetz dijo de sus cuatro victimas:

> Ellos representaban el fallo de la sociedad...Olvidate de ellos jamas haciendo una contribucion positiva a la sociedad. Es solo una cuestión de cuantos van a costar. La solución es que las madres los hubiesen abortado.

Luego salio que Goetz también había llenado su pistola con municiones ilegal – balas "dum dum" - que son para hacer el máximo daño al cuerpo, y que – a través de los años – había hecho muchos comentarios racistas como los de arriba. Desde entonces, Goetz intento correr por alcalde de Nueva York, empezó una compañía llamada Vigilante Electronics, apareció en Películas, y ha hablado públicamente por los derechos de animales.

"Una serpiente, permitida a vivir,
solo morderá a otra persona."
Lost-Found Muslim Lesson #2

SI NO ESTAS DESPAVORIDO NO ESTAS NO ESTAS PRESTANDO ATENCIÓN

El racismo y la discriminación son bastante simples, pero no de la forma que se nos enseña. Nos enseñan que el racismo quiere decir el disgusto de otro grupo, y cualquiera puede ser racista. Eso no es como es.

Hay dos formas de discriminación: discriminación institucional y discriminación individual. Discriminación institucional es la practica sistemática de mantener una estructura de poder injusta como la que tenemos aquí. Para ser mas claro, racismo institucional es la supremacía blanca, la ideología que los blancos deben de estar en el poder sobre toda las personas de color. Después de todo, dondequiera que los blancos han estado, ellos – y sus valores – son la autoridad suprema en todo.

Sin embargo, cualquiera puede ser victima o perpetrador de discriminación individual. Una persona blanca puede tratar a un negro como sucio pero también una persona negra puede hacer lo mismo hacia una persona blanca. Y después de tantos años de sufrimiento y racismo, muchos negros frustrados brincan a la oportunidad cuando se les aparece. Pero discriminación individual perpetrado por una persona negra no es representativo de un sistema de poder actual.

Un principal negro pueda que mande en una escuela y pensar que es el mas que manda, pero si trata a un estudiante blanco de mal manera, el sistema mas grande de discriminación institucional le caera sobre su cabeza y sera reemplazado. Un CEO negro puede mandar en una compañía billonaria y pensar que es el Hombre de Acero. Si trata de solo contratar gente negra, o – aun peor – empieza a dar dinero a organizaciónes negras como la Nación de Islam, pronto se vera en problemas y ese dinero de los blancos que lo hizo rico empezara a irse. Ahora, todo lo que hace la gente blanca esta reforzada por el sistema, excepto pelear al lado de gente negra.

El Racismo esta Vivo

Espera, antes de explicar, no me digas que tu crees que actitudes y practicas racistas están desapareciendo? Por favor. Así es que funciona esta sociedad. Esta sociedad esta fundada en la explotación de 'otros'. Para **que** eso cambie, tendría que haber una revolución completa. Por eso los años 60s fue una época temerosa. Una revolución quizás hubiese pasado. Afortunadamente, aquellos con el poder nos introdujeron a la heroína, el ácido, el movimiento 'hippie' y el 'amor libre', y toda esa tensión se disipo.

Comoquiera, si quieres pruebas, no puedes juzgar por lo que se dice públicamente. Estos días no es políticamente correcto hablar así. Se ve demasiado crudo y no civilizado hablar de 'niggers' y volver a la esclavitud. Esas ideas ahora vienen codificado con palabras como "la clase trabajadora", "vecindarios de bajo ingresos" y "reforma de asistencia social."

Si quieres saber lo que en verdad piensa el blanco, se te haría difícil encontrar ejemplos, ya que la mayoría de los gringo niegan aun sus propias actitudes racistas. Pero mira a cualquier sitio del Internet donde estén discutiendo algún tema polémico relacionado a gente de color. O mira a los comentarios en YouTube en cualquier video de historia Negra. Estarás escandalizado. O busca el video en YouTube del 'Wiener Circle' en Chicago. O que dices de las conversaciones secretamente grabadas donde escuchamos a personas poderosas decir lo que en verdad piensan de nosotros? O que de Kramer, Don Imus y 'Dog the Bounty Hunter' y sus situaciones? Crees que son casos 'especiales'? No, solo son los brutos que se dejan agarrar.

Los blancos les encanta pensar que el racismo no es especifico a ellos. La historia nos dice otra cosa. Ninguna otra población ha sistemáticamente desposado, esclavizado y explotado cada otra población con que se han encontrado. Si, han habido guerras desde que el hombre tiene por que disputar, pero explotación sistemática? Ninguna otra población ha hecho su misión cubrir el planeta, hasta sus puntos mas distantes y reclamar pertenencia. No solo del terreno, sino de sus gobernantes y su economía.

Ningún otro grupo ha usado la religión para convencer a las poblaciones nativas de su inferioridad, solo para ser seguido por dominación. Como dice el dicho "Primero, ellos tenían la biblia y nosotros el terreno. Ahora nosotros tenemos la biblia y ellos el terreno." Lo sorprendente es que esta es su metodología por miles de años. Hasta antes del cristianismo!

Al examinar el planeta completo, es evidente quien es la clase gobernante por todo el mundo. Enfocando en casi cualquier país particular revelara que los gobernantes son blancos o elegido y controlados por blancos. En cualquier de esos países donde la población local resiste el liderazgo blanco, ellos ponen gobiernos de marionetas. Por eso es que hoy día el África Sub-Sahariano esta tan mal. No tiene nada que ver con la inhabilidad de la gente.

Por eso es que hay guerra en el Medio Oriente. Seguro que hay petroleo en juego, pero no podemos ignorar el hecho de que el Medio Oriente representa uno de las ultimas fortalezas de independencia étnica contra el imperialismo cultural blanco y su explotación económica. Los Musulmanes, unificados por Islam y repulsión de "valores Occidentales (queriendo decir blancos)", eran uno de las fuerzas mas peligrosas en el planeta desde que se aplasto el movimiento de Poder Negro en los 70s.

Negar el racismo es en si racismo. Negar que los blancos representan la clase gobernante en todos lados....es racista. Porque sabes que es verdad. Actuar como si los blancos no reciben tratamiento preferido y privilegio casi en todo el mundo es tan racista como practicar esos actos uno mismo.

Los Blancos nacen en un mundo donde no tienen que temer discriminación, encarcelamiento, educación pobre, o falta de oportunidad para movilidad social. De acuerdo a un estudio, aun un pobre blanco ex convicto fue contratado por encima de cinco candidatos negros muy cualificados para una posición de técnico.

Negar estas realidades es racista. Si eres beneficiario de ganancias mal conseguidas, y no te haz quitado el privilegio ilegitimo de un sistema corrupto, entonces tu también eres un participante pasivo de ese sistema.

Los Alemanes que miraron ociosos mientra los Nazis infligieron atrocidades a los Judíos eran igual de culpables por su apatía. Si eres uno de los pocos blancos que vehementemente opone el racismo y la explotación, deja ir lo que te ha pasado tu familia como resultado de eso, y dedicate a pelear por la libertad de otros. Sino, no te creo.

Eliminando practicas racistas no elimina la supremacía blanca y su agenda. El movimiento de Derechos Civiles solo sirvio para forzar al pensamiento racista al subterraneo. Disimuladamente, el racismo prospera, desde suburbia a las juntas corporativas a Irak. Que estas peleando?

Resolviendo un problema no quiere decir ignorar lo que lo causo.

REVISO

El principio para este capitulo fue **Reconsiderar y Reevaluar:** Busca entendimiento. Encuentra claridad, vision y perspectiva de ti, tu vida y el mundo.

Aquí están los principios y lecciones que cubrimos en este capitulo:

Ambicion
Con suficiente ambición, cualquiera puede ser su propio jefe.
Anticipacion
Lo que se hace en la oscuridad algún día saldrá a la luz.
Lo que hagas, asegura que sea algo que no te importe si todos lo saben
Acercamiento
Se consciente de tu situación, y arregla tu acercamiento con eso en mente.
Apropriadidad
Fuego necesita hielo; hielo necesita fuego.
Cada situación tiene una manera inteligente de tratarla.
Causalidad
No hay mejor ayuda a la claridad en la vida que entender la ley de causa y efecto.
Claridad
Dejándose llevar por apariencias es el camino rápido hacia la decepción.
Siempre hay tres lados a una historia: Lado A, Lado B y La Verdad.
Entendimiento es ver las cosas como realmente son, no lo que aparentan.
Consecuencias
Mira las consecuencias, a veces tu próximo paso no es el mejor paso.
Mira antes de saltar.
Hay consecuencias para todo tus movimientos y para cada acción que tomas.
Discrecion
Sepa mejor, haz mejor.
Conoce tus limites. Demasiado de cualquier cosa no es bueno.
Evaluacion
Considera el mensajero antes de considerar el mensaje.
Intencion
Vive tus intensiones. Lo que pones en el aire es lo que recibes.
Interpretacion
Todo puede ser una oportunidad para aprender si quieres. El mundo se desarrolla en capas de sentido. Sigue buscando y lo veras a tu alrededor.
Investigacion
No asumas; averigua. Creyendo y sabiendo no son lo mismo.
Obligacion
Encuentra un maestro, sea un maestro.
Orientacion

La orientacion hacia el juego de la vida de un hombre determina en gran parte si gana o pierde.
La rueda ruidosa recibe el aceite. Cada jornada empieza con un paso.
Piensa por ti, o sea esclavo de la imaginación de otros.
Entiende tu posicion. Juega tu papel de acuerdo.
O miras hacia adentro o hacia afuera para lo que quieres.
Percepcion
Pon atención a tus alrededores. Dormir es el primo de la muerte.
Perceptividad
Una lección puede estar dondequiera. Algunas tu las encuentras, otras te encuentran a ti.
La habilidad de un hombre aprender de los demás le ayuda evitar hacer los mismos errores que ellos.
La vida es ajedrez. Aprende del juego.
Resolver Problemas
Resolviendo un problema no quiere decir ignorar lo que lo causo.
Realizacion
Muchos sueñan, pero pocos escogen despertar y trabajar lo suficientemente fuerte para hacerlos realidad.
Restriccion
Nunca pierdas la compostura. Emociones fuera de control llevan a grandes problemas.
Auto-Aceptarse
El hombre que aprende a no quererse esta condenado a destruirse.
Auto-Consciencia
No seas inseguro; se auto-consciente.
Escepticismo
No creas todo lo que veas o oigas. Cualquier cosa que se siente es demasiado para ser verdad...usualmente lo es.

Hábitos y Adicciones

CREAR UNA CULTURA DE ÉXITO

"Vigila tus pensamientos, porque se convierten en palabras.
Escoge tus palabras, porque se convierten en acciones.
Entiende tus acciones, porque se convierten en hábitos.
Estudia tus hábitos, porque se convierten en tu carácter.
Desarrolla tu carácter, porque se convierte en tu destino."

Tu cultura, o manera de vivir, es el total de tus comportamientos, actitudes y cada acción que tomas tan repetidamente que es como segunda naturaleza para ti.

Las selecciones que haces toman una vida por si y producen una cultura de éxitos o fracasos. Al fin y al cabo, esta en ti. En escogiendo cuales acciones y actitudes vas a hacer tuyas, tu decides como vas a vivir. Tu escoges tus hábitos. Tu escoges tus adicciones.

Ese elemento de escoger es el factor mas importante en tu vida. Es mas grande que la casa en que te criaste, el dinero que tuvo o no tuvo tu familia, la educación que recibiste, el ambiente en que te criaste o los problemas con que naciste.

Todos esos factores son importantes, pero se van el asiento de atrás cuando esta el chófer: Tu. Tu eres el único controlador de tu destino, y las metas que hagas son realizables, no importa tus circunstancias. Aun así, dependiendo de la velocidad que ponga y la dirección que escojas, puedes que llegue o no llegue a tu destinación deseada.

Así que es mas que solo lo que quieres y el porque. Es sobre como vas a llegar allí. La vida que tu vives esta en ti. Y la mentalidad que adoptas esta en ti. Así que quien es la mayor influencia en tu estilo de vida? Tu.

Examen Cuatro: Valores y Prioridades

1. Las cosas mas importantes en mi vida son...

a. mi familia, mis amigos y mis seres queridos.
b. dinero y mujeres.
c. mis valores y las cosas por la que pelearía.
d. estudiando, aprendiendo y regando ideas.

2. En la vida, necesito mas...

a. amor, paz y felicidad.
b. comida, ropa y un hogar.
c. libertad, justicia e igualdad.
d. conocimiento, sabiduría y entendimiento.

3. Estoy mas impresionado con una persona que...

a. tiene una familia grande y fuerte.
b. tiene mas dinero que yo.
c. ha sido un prisionero político.
d. ha escrito libros.

4. El mejor curso colegial para mi seria...

a. Artes Finas.
b. Negocios.
c. Ciencias Políticas.
d. Filosofía.

5. Mi pasatiempo favorito es...

a. pasar tiempo con otros.
b. haciendo dinero.
c. el activismo y servicio comunitario.
d. leer o escribir.

6. Una cosa que espero nunca volver hacer (desde ahora en adelante) es...

a. lastimar a alguien que quiero.
b. estar pelado.
c. olvidar a mi gente y de donde vengo.
d. olvidar todo lo que he aprendido.

7. Si cayera en una isla desierto, yo...

a. comenzaría a echar de menos mi gente de inmediato.
b. buscaría comida primero.
c. exploraría la isla.
d. pensaría en un plan.

Explicación

Esta bien, he sido bastante fuerte con ustedes hasta ahora. En los tres últimos capítulos, hubo básicamente una contestación correcta, verdad? Si las descripciones para los otros tres se veían fuertes, estaban en los capítulos primeros para enseñarles lo jodidos que realmente estamos. Ya podemos mirar las cosas de otra manera.

Muchas As: Los "Hombres Familiares" Estas contestaciones describen a alguien que pone sus seres queridos delante de todo. Ellos sacrificaran para poder ayudar a otros. Aun así, esta gente pueden atraparse en siendo 'social' y 'pasándola bien', y no haciendo nada con sus vidas. Muchas de esta gente no tienen un propósito para sus vidas, así que gastan mucha energía manteniendo a otros felices. Por desfortuna, esta gente aveces no pueden equipar a sus familias con la mentalidad necesaria para sobrevivir en este mundo corrupto. Esta gente debe trabajar en desarrollar un agenda o propósito, para sus vida.

Muchas Bs: Los "Negociantes" Estas contestaciones describen a alguien que lo que quiere es hacer dinero. Si se pierden a ellos mismos o a todos los demás en el proceso no les importa a muchos de ellos. Para otros, ellos ven el dinero como una solución inmediata para sus problemas, y aquellos a quien ellos quieren. Ellos creen que haciéndolo financieramente lo resuelve todo. Muchas veces esta gente son exitosas, pero rara la vez que tienen vidas de significado verdadero. Esta gente debe trabajar en mirar mas allá de los signos de dolares, y mirar a lo que en verdad le esta pasando a su alrededor.

Muchas Cs: Los "Activistas" Estas contestaciones describen a alguien que lo que quiere es cambiar el mundo. Uno de los puntos fuertes de este estilo de vida es que ellos están sinceramente inspirados para hacer algo sobre lo que esta mal. Sin embargo, esta gente puede perder vista de sus amistades, relaciones y aun responsabilidades personales, mientras pelean por su causa. Esta gente debe trabajar en mantener una balancia en sus vidas, mientras continuando a refinar su estrategia para cambio.

Muchas Ds: Los "Filósofos" Estas contestaciones describen a alguien que esta enamorado de ideas. Muchas veces le falta enfoques practicos, y no pueden aplicar sus ideas de forma realistica. Aveces se desencantan con el mundo y con la gente, porque el mundo real es muy diferente al mundo de ideas. Esta gente debe trabajar en manteniendose en contacto con su gente, y no confundir lo que debe ser con lo que es.

El Cuarto Principio

"Crear una Cultura de Exito" quiere decir: Transformar una vision fuerte a un estilo de vida fuerte y un agenda de largo plazo.

Que Aprenderás

- ❒ Como las cosas que das por sentado puede estar matándote lentamente.
- ❒ Cual de cuatro caminos posibles es el único que no resultara en fracaso.
- ❒ Cuales leyes son las mas importantes.
- ❒ Como romper los ciclos que nos están destruyendo y a nuestras comunidades.
- ❒ Que pueden hacer los gringos para ayudar.
- ❒ Como luchar con un cargo criminal, una familia disfuncional, mujeres, y nuestro malos hábitos.
- ❒ Como saber si tienes un problema de ira...y que hacer al respeto.
- ❒ Cuando ir con el plan y cuando es mejor para hacer lo de tu mismo.

Que Malograr

Tu quizás no lo sabes, pero probablemente vives mas cerca a un sitio de eliminación de gastos tóxicos de que pienses. Y lo mas seguro vives en un sitio donde los estandartes de contaminación de aire y agua están siendo seriamente violados. Lo mas probable tu ambiente te esta enfermando en estos momentos.

Un memo confidencial de la EPA (agencia de protección ambiental, siglas del ingles) revelo que aun ellos piensan que el racismo ambiental era "uno de las cuestiones ambientales mas políticamente explosivas que ha surgido." La EPA planeaba bailar alrededor del tema siguiendo publicidad positiva en las publicaciones Negras e Hispanas, hasta que el memo revelando sus planes fue divulgado a los medios.

Sesenta por ciento de las poblaciones Negras e Hispanas de los Estados Unidos viven en comunidades con uno o mas sitios de eliminación de gastos tóxicos sin controles. Una mayoría de Negros e Hispanos en los E.U. viven en áreas donde dos estandartes de contaminación del aire son violadas, comparado con solo un tercio de los gringos. De acuerdo a Michael Novick, "estudio sobre estudio han enseñado un patrón claro de comúnmente localizar facilidades de residuos peligrosos en comunidades existentes de Afro-americanos, Indígenas y Chicanos."

Por ejemplo, en Houston, Texas, todos los atierres municipales y seis de ocho incineradores fueron puestos en vecindarios Negros entre los años 20s a los 70s. Del 1970 hasta 1978, tres de cuatro atierres privados fueron puestos en la comunidad Negra. Aunque la comunidad Negra solo representa un 28% de la población de Houston, tienen 82% de su basura.

La comunidad alrededor de el atierre de residuos peligrosos mas grande en la nación, en la ciudad de Emelle, Alabama, es 95% Negra. El atierre, que opera en el corazón de la 'blackbelt' de Alabama, acepta residuos peligrosos de los 48 estados y unos cuantos países extranjeros.

De acuerdo a un estudio de la Oficina de Contabilidad General, de 1983, tres de cuatro atierres de residuos peligrosos en la Región IV de EPA (ocho estados sureños) estaban localizados en comunidades Negras. Hoy día, 100% de residuos peligrosos en la región esta tirada en las comunidades Negras, como fue reportado en 'Dumping in Dixie'. Sin embargo, los Negros solo son un 20% de la población de esa región.

La misma pauta cae por todo el país. Un reporte del 1984 preparado por una agencia del estado de California, identifico a las comunidades Hispanas y Negras como las mejores candidatas para sitios de plantas de energía que queman basura. Un estudio por el NAACP enseño que los Negros tienen 50% mas probabilidad de vivir cerca de una facilidad de desgastes tóxicos comercial. La Comisión para Justicia Racial ha encontrado que tres de cada cinco Negros viven en comunidades con sitios de desgaste tóxicos abandonados.

La amenaza numero uno a la salud de un niño es el plomo en casas viejas. Mas de 40% de hogares en los E.U. todavía tienen pintura basada en plomo. Pero los niños de bajos ingresos son ocho veces mas probable que aquellos de afluencia tener un problema con pintura de plomo. Y niños Negros cinco veces mas probable que niños Blancos para sufrir de envenenamiento de plomo, acuerdo a el Centro para Control y Prevencion de Enfermedades (CDC siglas en ingles).

Estudios recientes apoyados por el NIEHS sugiere que el contenido de plomo en una persona joven es conectado a un bajo IQ, bajas tasas de graduación de secundaria y alza en delincuencia.

Que son las cosas que haces, o que estas alrededor lo suficiente para que te influencien? Que tipos de influencia son?

Nombra las cinco personas mas influenciables en tu vida. Como te influencian?

Se consciente de tus influencias. Como cualquier cosa, puedes estar envenenado por exponerte.

Películas Para Ver

The Day After Tomorrow

'An Inconvenient Truth' es un buen documental en DVD si quieres hechos en como los gringos están destruyendo el planeta, pero es aburrido. 'The Day After Tomorrow' cuenta la historia de que puede pasar cualquier día como resultado de la misma mierda. La mejor parte es el final, cuando las cosas finalmente se viran.

21 Días

Se toma 21 días para hacer un habito. Tres semanas. Casi todo lo que hagas consistente por un periodo de tiempo se convierte en habito. Es como si te estuvieras programando hacer algo sin pensar, por hacerlo una y otra vez.

Yo lo he tratado varias veces. He cambiado mi forma de caminar. Como me visto en la mañana. Como como y hasta cuanto tiempo veo la televisión. Porque tu crees que la gente que han sido encarcelados o en la militar actúan como si todavía estuvieran programados hacer las camas de cierto manera o esconder papel del baño como si alguien se lo fuera a robar?

Si te peinas el pelo en una dirección, eventualmente empieza a crecer así hasta que empieces a peinarlo en otra dirección. Si empiezas a agarrarte cada vez que digas alguna palabra que quieres dejar de decir, en tres semanas lo paras de decir sin querer. Es como una mata cultivada a crecer y dar fruto. Puedes alimentarla con los elementos correctos y sacarle fruta o puedes darle veneno y producir muerte.

"Malos hábitos se juntan en grados invisibles -
Como arroyos hacia los ríos, ríos a los mares."
John Dryden (1631-1700)

Esta información es útil por dos razones:

Primero, puedes a propósito programarte para adoptar nuevos comportamientos en menos de un mes. Si quieres dejar de botar dinero, limita tus gastos por 21 días. Después de eso, notaras que tus hábitos de gastar habrán cambiado. El nuevo comportamiento estará ahí sin tu tener que pensar en el.

"Lo desafortunado de este mundo es que los
buenos hábitos son mas fáciles a dejar que los malos."
W. Somerset Maugham

Segundo, puedes programarte sin querer hacerlo. Si fumas marihuana regularmente por tres semanas, adivina que? Tienes un habito de fumar mota ahora. No me importa si nunca has fumado antes. En tres semanas, vas a tener un habito difícil de soltar. Puedes estar alrededor de gente con mas dinero que tu y sobre gastar por casi un mes. Después de eso estas atrancado en hábitos de gastar que no puedes pagar. Cuando se te acabe el dinero, estarás sorprendido. Es cuando necesitas 21 días para programarte de nuevo.

Cuando estas alrededor de otros, o los influencia a ellos, o ellos a ti. Así que se consciente de como estas cambiando. Vigila tus pensamientos, se convierten el acciones. Vigila tus acciones, se convierten en hábitos. Vigila tus hábitos, se convierten en tu cultura. Vigila tu cultura, se convierte en tu vida.

O te cultivas o seras cultivado.
Si no te puedes entrenar, nunca estarás encargado.

Eres Lo Que Haces

Tray hizo lo mejor que pudo para aparecer calmado cuando vio a Humo Negro en el club de striptease donde el se pasaba los Sábados. Humo Negro era un tracalero de la calle que ahora era dueño de una casa discera y era el rapero favorito de Tray.

Sentado en una mesa de esquina con miembros del grupo Dinero Negro, Humo estaba en DC por la primera vez desde que le dispararon tratando de llevarse su Lamborghini en el 2006. Parecía que lo estaba tratando de jugar calmado esta vez. Tray le pago al de seguridad para que lo dejara que el y una de sus amigas strippers pasaran la soga y se sentaran cerca. Mando una botella de Patrón y fue cuando Humo lo reconoció. Cuando Tray se aserco con ellos le dijo a su amiga que se sentara al lado de Humo. Humo no estaba interesado.

Tray no fue disuadido. Compro bebidas para todos en la mesa y empezó hablar con Humo de música. Tray estaba tratando de entrar en la industria de música, y estaba dispuesto hacer lo que tuviera. Humo estaba en el medio de despedirlo cuando – desde la nada – apareció un hombre, con los puños hechos y se veía que no era fanático. Tray estaba mas sercas al tipo. Antes de que nadie pudo responder, Tray se paro.

Pangana! Tray le dio un bofetón tan duro que el tipo – mucho mas grande que el – cayo para atrás hasta el piso. Tray camino hacia el mientras el empezó a pararse, lo agarro por el cuello hacia la salida y lo tiro para afuera. Cuando volvió a la mesa, todo el mundo estaba boca abierta. Humo estaba impresionado. Le dijo a Tray que el quería que fuera su hombre en DC, y que actuara como un miembro extendido de la familia Dinero Negro. Tray logro entrar.

Pero no iba ser lo que el pensaba. Los sueños musicales de Tray nunca pasaron. Es mas, Tray nunca ni se acerco a un estudio. En vez, cuando Humo Negro y el grupo venían a DC, a Tray lo llamaban como seguridad. Cuando alguien del Dinero Negro tenia un problema en DC, llamaban a Tray como el bravo. En vez de artista, Tray se convirtió en matón.

Eso no era lo peor, la realidad es que Tray no era ningún pandillero. El había guardado todo ese dinero que gasto en Humo y los demás aquella primera noche en el club. Así que ahora cuando esperaban querian que Tray corriera con los gastos, lo dejaban con cuentas que le tomaba meses para pagar. Y el tipo del bofetón, era un viejo amigo de la escuela. Desde el tercer grado Shawn haría lo que quisieran por dinero. Cuando creció, nunca cambio ese comportamiento, no solo por su reputación, pero porque la gente seguían encontrando locuras para que el haga. Cuando alguien necesitaba un escondite para sus drogas, llamaban a Shawn. Si alguien tenia tarjetas de credito robadas que querían usar en la tienda, llamaban a Shawn. Cuando Tray tuvo la buena idea de hacerle creer a Humo que el era bravo, pues llamo a Shawn.

"Uno hace lo que es; uno se convierte en lo que hace."
Robert von Musil (1880-1942)

Ahora Tray era el tonto. Lo llamaban a tratar con gente con cual el no se metería ni en sus sueños. Finalmente, le prometieron un trato grande si pudiera tratar con un problema de drogas. Solo seis meses después de conocer al grupo Dinero Negro, Tray fue encontrado muerto. Nadie se enterró quien era responsable. Los vendedores le habían pagado a otro que lo hiciera.

Que fue el primer error de Tray?

Que pudo haber hecho para cambiar su situación ya que estaba metido?

Cuantas veces se meten gente en problemas por crear reputaciones que no merecen?

Cuantas veces se meten gente en problemas tratando de merecer reputaciones que otros han creado por ellos?

Ten cuidado a lo fácil que se desarrolla una reputación.
Lo que hagas una vez se te esperara que hagas de nuevo.

El Cuarto Camino

Un joven hermano me dijo recientemente que sentía que era imposible salir de la pobreza "al menos que fueras uno de los buenos." Dijo que los "malos solo terminan saliendo de la escuela y cayendo presos", mientras los buenos hacen bien pero son considerados flojos y la gente abusan de ellos. El estaba hablando de lo que Anne Ferguson llama los dos tipos de Negros en la escuela: El Buen Estudiante y El Busca bulla.

Así que, cual camino es mejor? Ser un Buen Estudiante o un Busca bulla?

Azeem

Azeem se crió en apartamento 203B de los proyectos Winter Hill Housing en Cleveland. Su madre era una ex adicta al crack, quien se pasaba bebiendo. Todo lo que sabia era la pobreza. Cucarachas en el cereal, ropa de segunda mano, tíos entrando y saliendo de la cárcel y por estilo. El papa de el estuvo cuando el era chiquillo, pero después de perder su empleo en la fabrica, se volvió a las drogas y desapareció.

Azeem iba a la escuela completamente no preparado. Muchas veces no había dormido la noche antes, aveces no se había bañado, y su ropa siempre lucia arrugada y sucia. Su mama casi nunca estaba en la casa y como resultado nunca se le chequeaba la tarea y nunca tenia víveres para la escuela. Las maestras lo regañaban y los otros estudiantes se burlaban de el. No solamente Azeem no estaba preparado físicamente, el no entendía mucho de lo que le enseñaban. Las partes que no entendía no las encontraba interesantes.

Cuando llego a los ocho años, ya había aprendido a pelear para callar a los otros niños. Para los once años, se había atrasado dos veces y había perdido interés en la escuela. El no veía como le podía ayudar en la vida, el veía a sus tíos – algunos graduados de secundaria – trabajando porquería de trabajos en comida rápida.

Así que al cumplir los quince anis dejo de ir. Se junto con unos vendedores de drogas mayores que el en su vecindario y empezó a tracalar. Al tiempo estaba ganando buena plata y se consiguió un apartamento con uno de sus socios mayores. Por fin podía comprarse ropa de marca y zapatillas nuevas, y solo necesitaba saber como usar una escala y contar. Le iba bastante bien y se había acabado de comprar un auto cuando su grupo completo fue arrestado por narcotrafico. No solamente había toneladas de evidencia contra el, algunos de sus socios estaban soplando para salvarse ellos mismos. Azeem, sin saber mejor, escogió un abogado sin mucha habilidad que no solo le costo todo lo que había guardado, sino que también le consiguió una convicción y sentencia de seis años.

Shahid

Shahid creció en apartamento 306C de los proyectos Winter Hill Housing. Como Azeem, Shahid creció en la pobreza a una madre soltera que también era ex-adicta de drogas. Su papa estaba detrás de las rejas sirviendo una larga sentencia por un robo armado que había cometido cuando Shahid era todavía un infante. En ese canto de Cleveland, el numero de hombres desempleados hacían crímenes así – y los encarcelamientos – bastante común.

Shahid sabia mucho de la pobreza y no sabia mucho mas. Al cumplir los diez años, lo mas lejos que había viajado era al otro lado de Cleveland. No obstante, a esa misma edad, el estaba en el programa de honor en su escuela y esperaban que participara en el concurso de ortografía estatal. Rechazado por otros en su vecindario, el se metió a los libros y a fondo. Estudiaba todas las noches, entre medio de los tiroteos y sirenas.

Mientras los otros muchachos peleaban y tracalaban afuera, el se quedaba adentro y trabajaba en sus reportes y proyectos para la escuela. Saliendo de tanta limitación, mucho del trabajo se le hizo difícil, pero era un estudiante modelo y las maestras lo querían mucho. Hacían lo mejor para protegerlo de los abusadores como Azeem, pero Shahid usualmente corría a su casa para evitar los muchachos mayores de su vecindario.

El le creía a los maestros cuando le decían que la educación y el trabajo fuerte igualaría al éxito, y estaba convencido que su dedicación le conseguiría un buen trabajo algún día. Así que el no solo trabajaba en sus asignaciones, el trabajaba para complacer a los maestros también. El se quedaba tarde después de clases para ayudar a repasar papeles y limpiar salones. Durante la escuela, podían contar con el a soplar a los estudiantes que hacían trampa o planeaban cortar clases, y los maestros lo premiaban con alabanzas y halagos.

Pero cuando Shahid termino la secundaria, su familia no tenia el dinero para mandarlo al colegio, y no había hecho lo suficiente bien en los SAT's para recibir beca completa. Ahora con 19 años y necesitado de dinero para mantenerse, agarro un trabajo en McDonald's. Después de embarazar a su novia se metió en un hoyo. Bregando con una familia, no podía ni pensar en el colegio, y nunca salio de la industria de servicio.

Marcus

"No puedo tolerar la explotación de los Negros por Negros,
de igual manera que no la puedo tolerar por los Blancos."
Louis Farrakhan

Marcus creció en el apartamento 406A de los proyectos Winter Hill Housing. La historia de Marcus empieza igual que la de Shahid. Sin embargo, Marcus se le paso a Shahid en lo académico y el ser alcahuete de los maestros. Como resultado de el ser un estudiante tan respetuoso y cortes, uno de sus maestros lucho fuerte para conseguirle una beca a un colegio local.

Aquí es que el cuento de Marcus se vira al de Shahid. Marcus termino el colegio al frente de su clase. Fue reclutado por varias firmas corporativas grandes, y escogió la posición con el mejor salario y beneficios. El estaba haciendo buen dinero usando su inteligencia para desarrollar programas y subir las ganancias de su compañía. Su compañía era una que antes

tenia varias fabricas en el área de Cleveland, pero las había cerrado para subir las ganancias.

Resulta que esto era una de las razones principales por cual habían tantos pobres y desempleados en Cleveland. La compañía de Marcus estaba en el proceso de tumbar a los proyectos Winter Hill Housing para hacer espacio para viviendas mas lucrativas. Las familias allí serian forzadas a situarse fuera de la ciudad o estar sin hogar. Esto iba ser especialmente difícil para los muchos que no tenían autos para moverse. Quizás Marcus sabia todo esto, pero o se le había olvidado hace tiempo o simplemente no podía arriesgar hablar. El le gustaba el dinero que ganaba en esa posición y no estaba interesado en arriesgarlo por nada.

Marcus simplemente hacia lo que le decían, y no protestaba. Estaba mas feliz cuando complacía a sus superiores, algo que estuvo haciendo toda su vida. Con su asistencia, la compañía logro sacar todos los residentes de Winter Hill Housing, incluyendo su propia madre. La mayoría de los residentes fueron situados a una comunidad construida adyacente a un sitio de desperdicios tóxicos. Como se esperaría, muchos de ellos desarrollaron enfermedades de los efectos de vivir tan cerca a químicos peligrosos. La mama de Marcus fue diagnosticada con cáncer el día que le dieron su promoción.

Así que, quien fue exitoso? Después de leer esto, parece que ningunos. Eso hace que todo se vea bastante desesperado, no?

En verdad, no, en este libro (las dos partes), planteo un cuarto camino. Porque, si, esos tres caminos resultaron ser fracasos, todos a su manera. Y en el barrio, usualmente escogimos uno de esos tres caminos. Como Azeem, nos rebelamos contra todo en la sociedad y nos dirigimos al crimen, solo a terminar muerto o en encarcelado. O como Shahid, tratamos lo mejor que podamos, pero no tenemos mucho con que trabajar, así que terminamos trabajando una mierda de trabajo en una mierda de vida. O como Marcus, salimos del barrio, nos hacemos muy exitoso, pero terminamos sirviendo los intereses de los gringos que nos hacen miserable para empezar.

Aun los raperos y jugadores que suben a la cima, terminan siendo peones de gente que ellos no les importa. Así que si casi todos terminan un esclavo de una forma u otra, cual es la salida? Cual es el cuarto camino?

Pelea contra la esclavitud. Pelea por libertad. Dedica tu vida a confrontar lo que esta mal en la sociedad, y el mundo. Así, aunque termines muerto, en cárcel o en un trabajo que paga el mínimo, era con un propósito. No te moriste en vano. Y si te haces exitoso, que pasa mucho con la gente con la determinación a pelear, y la inteligencia de saber como pelear, entonces te puedes mirar en el espejo y no odiarte como lo debe hacer Marcus.

Siempre hay otra manera.

Ley y Orden

Las 42 Declaraciones de Ma'at

Que crees era la tasa del crimen en Antiguo Egipto? Los Negros vivían en uno de las etapas mas altas de la civilización sin necesidad de prisones o policía. La gente de Antiguo Egipto vivían por un código, conocido como Ma'at.

Ma'at era el concepto de orden divina de Antiguo Egipto – gobernando la ley, moralidad y justicia. Mas tarde en la mitología de Egipto, Ma'at fue hecha una diosa. Ma'at fue vista como encargada con regulando las estrellas, las estaciones, y las acciones de los mortales y los dioses, después de haber puesto el orden del universo del caos.

Así los ciudadanos Egipcios subscribían a unos principios de guía que se usaban para declarar la rectitud de sus vidas al morir. Estas son las "42 Declaraciones de Ma'at" de acuerdo al antiguo Libro de los Muertos de Egipto:

No he cometido pecado.
No he cometido robo con violencia.
No he robado comida.
No le he robado a un Dios.
No me he llevado comida.
No he cerrado los oídos a la verdad.
No ha hecho que alguien llore.
No he asaltado a nadie.
No he robado el terreno de nadie.
No he falsamente acusado a nadie.
No he seducido la esposa de nadie.

No he robado.
No he matado mujeres o hombres
No ha estafado ofrendas.
No he dicho mentiras.
No he mal dicho.
No he cometido adulterio.
No he sentido pena sin razón.
No soy engañoso.
No he sido escuchador indiscreto.
No ha estado enfadado sin razón.
No me he contaminado.

No he aterrorizado a nadie.
No he tenido enojo excesivo.
No me he comportado con violencia.
No he actuado de prisa o sin pensar.
No ha exagerado mis palabras cuando he hablado.
No me he puesto en un pedestal.
No he hablado con enojo o arrogancia.

No he usado malos pensamientos, palabras o hechos.
No le he robado o faltado el respeto a los muertos.
No me he comportado con insolencia.

No he desobedecido la ley.
No he mal dicho a un Dios.
No he causado la ruptura de paz.
No he trabajado el mal.
No me he pasado los limites de lo que me concierne
No he contaminado el agua.
No he maldicho a nadie en pensamiento, palabra o hecho.
No he robado aquello que le pertenezca a un Dios.
No he destruido propiedad que le pertenezca a un Dios.
No le he quitado comida a un niño.

Las Únicas Leyes Que No Puedes Romper

El Universo esta escrito en leyes de matemática. Casi todos los científicos modernos y de la antigüedad han dicho esto, de una forma u otra. Entender estas leyes y vivir por ellas, te pone en armonía con la gran esquema de las cosas. Hasta que hagas esto, vas en contra la marea y tendrás problema tras problema. Cada sistema en el universo, no importa de que grande o pequeño, esta gobernado por las mismas leyes o principios. Y adivina que esta en el mismo centro de todo eso? Tu. Solo Piénsalo:

< El Átomo (Protones, Neutrones y Electrones)	< La Familia > (Hombre, Mujer y Niño)	El Sistema Solar > (Sol, Luna y Estrellas)

Matemática Viva

Si, yo hacia poesia. No te rias. Es buena terapia. Debes tratarlo. Pero quizás apestes. Aquí hay una pieza que escribi sobre la matemática de nuestra situación.

Yo desearía que no estuviéramos dividido así...
Peleando por una fracción de un pastel en el cielo que no existe.
En vez de hacer dinero en múltiples con estos cerebros de millones.
Caemos como moscas, restado del juego.
Atrapado en el infierno, o en una celda, sumarlo a nuestro dolor.
Por eso gritamos, tragedias nuestro nombre.
Nuestros Papas fueron faltando de la ecuación temprano.
Y buscamos respuestas, como si tuviéramos 12 pero cumplimos 30.
desearía que pudiéramos ver, que no siempre fue así.
Nacidos en un juego sucio, muriendo aun niños.
Hombres muertos andando, eso hizo la esclavitud de nuestro héroes.
Le decían que eran nada, absolutamente cero.
Menos que nada, se convierten negativos.
Engendrado, ademas regado, fue heredado.
Sueño Americano, menos nosotros hermanos, mas Satanás.
Pesadilla Americana....nueva mañana...Moreno despertado.

Solo toma uno, parado fuerte sin caer.
El cambio es instantáneo, ecuación resuelta.

El código RBG

Hay algunas leyes que son como guías de como vivir, y no reglas de lo que uno no debe hacer. Observando estas guías, evitas problemas para ti y otros. En las calles, muchos hablan de un 'código G', pero pocos te pueden decir que envuelve, ademas de "no soplar". Después de todo, principios como 'ningún daño a mujeres y niños' y 'familia primero' son considerados viejos y fuera de fecha por aquellos que no tienen idea de que realmente se trata el juego en primer lugar. Desgraciadamente, son estos mismos idiotas que ponen las tendencias que nuestra gente siguen hoy día. Por eso es que algo como un 'Código RBG' es esencial en estos tiempos. Puedes interpretar RBG como 'Red, Black and Green' (Rojo, Negro y Verde), 'Revolucionary But Gangsta' (Revolucionario Pero Gangster, o le que te guste. Lo fundamental es que no importa tu lucha, estas atado primero a ser un hombre contra un sistema que busca destruirte. Por esa razón este código le pertenece a todos en esa lucha. Aquí están los cinco principios básicos, como stic.man, del grupo 'dead prez', explica:

1. No Andes de Soplon.

Ya hemos hablado bastante de esto (vea Campaña Deja De Mentir). Integridad y honor es la fundación. Sin ello somos nuestros peores enemigos.

2. Protegete a ti, a tu familia y a tu comunidad a todo tiempo.

Estudia las artes marciales, seguridad, defensa propia armada, participa en campañas contra la brutalidad policíaca, apoya presos políticos, estudia y practica el estilo de vida mas saludable que puedas. Ama tu cuerpo, protege lo y dale cosas buenas. Dale de comer a tus hijos cosas saludable lo mas que puedas. Usa sabiduría antes de violencia. Pero definitivamente haz lo que tengas que hacer cuando necesario. Previniendo daños es mejor que reaccionar a ellos.

3. Cada uno, enseña uno.

Mantente humilde. Aprende constantemente. Siempre re-evalúa lo que crees que sabes. No afuerzes tus ideas a otros. Vívelos y se el ejemplo viviente. La gente no son estúpidos; si ven que esta funcionando para ti, tienen la habilidad de seguir tu ejemplo, si quieren. Aprende habilidades que son útil para tu vida y tus metas. Lee. Escribe. Habla. Ten metas mensuales para nuevas habilidades que quieres adquirir. Comparte lo que aprendes con aquellos que quieren aprender lo que tu tengas.

4. Se organizado.

Convierte sueños a planes, y planes a realidades, organizando los pasos (escribirlos), y manteniendo enfoque y disciplina hasta que llegues a la meta. No hagas nada sin pensarlo todo hasta la victoria, paso a paso. Planifica, trabaja, chequea el plan. Trabajar = Éxito.

5. Se productivo.

Haz movidas de dinero. Haz movidas de poder. No dejes que otro día te pase sin usar toda tu energía para poner tu plan en acción. No estés ocioso. Parate, vete y lucha. La prueba esta en el pudin. Respeto viene de enseñar y probar. Lo que quieres ver pasar en el mundo esta en quien? En ti.

Memoriza, internalisa, y viva esto. Estos son códigos de la calle, de la gente. No importa que vecindario, la lucha es la misma.

**Algunas leyes son guías para la mejor vida,
no reglas para lo que no puedes ser.**

Ley Americana

Por supuesto, observando solo nuestros códigos no nos salvara. No estamos en Egipto ya, así que Ma'at no va a funcionar en una corte criminal. En los E.U., si no sabes las leyes, te vas a encontrar en algún lío tarde o temprano. Como dicen, "Ignorancia de la ley no es un pretexto."

Que tan bueno conoces las leyes? Tengo varios volúmenes de el código oficial de Georgia en mi biblioteca en casa. Cuando ha estado en situaciones, me he podido consultar para consejos legales. Hasta hoy día, nunca he sido convicto de nada mal. Solo una vez le pague a un abogado, y eso fue por que mi carrera estaba en peligro, y no pude arriesgar tomar ningún chance.

> **Lo Sabias?**
>
> En Nueva York, la penalidad por tirarte de un edificio es la muerte.
> En Massachusetts, es ilegal irte a la cama sin primero darte un baño.
> En West Virginia, si tropiezas un animal con el auto, es legal llevártelo a la casa para la cena.
> En Kentucky, es ilegal cargar helado en tu bolsillo trasero.
> En Mexico, no se puede tirar fuetes en la Semana Santa.
> Conoce tus leyes!

Mi hermano Wise es mas adepto cuando viene a la ley. No puedo contar cuantas veces el ha entrado por solo un día o menos. Como? El no solo investiga la leyes y sus derechos, pero el conoce el juego a un nivel mas alto. Vez, la mayoría de la gente en el poder pertenecen a organizaciónes fraternales como los Masones. Wise entraba al tribunal y se empeñaba en un ritual Masonico silencioso que la mayoría de los que observan ni notan ni entienden. Después de pararse de cierta forma, cruzar sus brazos de cierta forma, y moviendo la cabeza en ciertas direcciones, le dan un cantazo en la mano y ningún tiempo preso. Cuando eso no funciona, el se asegura de haber preparado todo para que no hubiera forma que pudieran justificar mantenerlo bajo custodia.

Así que, que sabes tu?

El Partido de Panteras Negras

El partido del las panteras negras fue fundado en Oakland, California en 1966 por Huey P. Newton y Bobby Seale. Inicialmente, ellos llamaban por una resistencia armada a la opresión racista en el interés de los Negros recibir justicia.

Su Programa de Diez Puntos expreso la agenda de ellos:

1. Queremos el derecho a determinar el destino de nuestras comunidades.
2. Queremos empleo para nuestra gente.
3. Queremos un fin al robo de nuestras comunidades cometido por los capitalistas.
4. Queremos viviendas decentes, apto para seres humanos.
5. Queremos educación decente para nuestra gente que expone la naturaleza real de esta decadente sociedad Americana. Queremos educación que nos enseñe nuestra historia verdadera y nuestro papel en la sociedad presente hoy día.
6. Queremos cuido de salud completamente gratis para toda gente oprimida.
7. Queremos un fin inmediato de la brutalidad policíaca y asesinato de toda la gente oprimidas en los Estados Unidos.
8. Queremos un fin a toda guerra de agresión.
9. Queremos libertad para cada persona oprimida que este en una prisión o cárcel de ciudad, condado, estado o una federal. Queremos juicios por jurado de nuestros pares para cada persona cargado con supuestos crímenes bajo las leyes de este país.
10. Queremos tierra, pan, vivienda, educación, ropa, justicia, paz y el control de la tecnología moderna en manos de la gente.

En Mayo de 1967, en uno de los eventos de las Panteras altamente publicas, Bobby Seale con 23 hombres y seis mujeres todos armados, marcharon a la Legislatura Californiana a protestar un proyecto de ley pendiente de control de armas, cual lenguaje era dirigido directamente a los miembros del partido abiertamente armados. "Habían 30 o 40 medios siguiendo detrás de mi y todos estos legisladores metiéndose debajo de sus escritorios," dijo el. "Por supuesto, teníamos armas cargadas, y terminamos en el piso de la Legislatura, y yo mire a todos esos tipos debajo de sus escritorios y dije 'Perdona, chicos, estamos en el lugar equivocado. Quería la sección de espectadores.'"

Como el grupo había hecho su investigación sobre las leyes de armas de California, nadie fue arrestado por portar las armas, pero miembros fueron cargados con alterar la paz. Seale le dieron seis meses por un delito menor.

Seale, ahora con 70 años, dijo que una de las primeras cosas que hicieron las Panteras, era seguir a los policías y observar sus acciones. "Era una cosa real tener esa disciplina con nuestras clases (de educación física) y entonces enseñarles como limpiar sus armas y luego tener 14 miembros con abrigos de cuero negro patrullar la policía," dijo Seale. "Siempre teníamos solo a uno que hablaba, y conocíamos las leyes sobre portar armas."

La Constitución de los E.U. y la Declaración de Derechos

Empecemos con lo básico. La Constitución de los E.U. es el documento supremo de la ley en este país. Es básicamente la biblia cuando se habla de leyes, ninguna decisión legal debe contradecir o ir en contra. La Constitución y sus Enmiendas dictan como el gobierno Americano se supone que corre hoy. Cuando una corte va hacer una decisión que iría contra ella, críticos llaman eso anti-constitucional.

Simplemente, debes conocer la Constitución para saber que es y no es permitido a un nivel nacional. Y los estados individuales? Por supuesto hacen sus propias leyes. La parte de la Constitución que necesitaras mas es la Declaración de Derechos. Estos diez derechos son garantizados por la Constitución de los E.U., y hasta que la 'Guerra contra el Terror' nos robe todas las libertades constitucionales, todavía son validas. Ellas son:

1. Derecho a libertad de expresión, religión, prensa, asamblea, y a peticionar el gobierno y pedir cambios.
2. Derecho a portar armas y formar milicias.
3. El gobierno no puede forzarte a hospedar soldados.
4. No puede haber búsquedas irrazonables. Tampoco captura de gente, hogares o propiedad irrazonable.
5. Derecho a juicio justo, no puede ser juzgado mas de una vez por el mismo crimen, ni tener que hablar o incrementarte en un juicio.
6. Derecho a juicio publico y veloz por jurado de sus pares. También el derecho a un abogado, a saber con que crimen te acusan, a confrontar su acusador y a cuestionar testigos.
7. Derecho a juicio por jurado, para personas con desacuerdos sobre algo con el valor de $20.

8. Derecho a una finanza no excesiva, ni castigo cruel y inusual.
9. Derecho a otros derechos no declarado en esta Declaración.
10. Poderes que la Constitución no le da al gobierno Federal están reservadas para los Estados o la Gente.

He incluido un cebador titulado 'Que Hacer Si Te Para La Policía' en el Apéndice. Vale la pena memorizarlo, o por lo menos mantener una copia a mano. Y si eso no te satisface tu hambre para este tipo de información, puedes encontrar mas en:

http://flag.blackened.net/daver/anarchism/stopped.html

Conoce las leyes; conoce tus derechos; conoce el sistema o sea su victima.

Los Ciclos de Vida

JUSTIN SUTCLIFFE

En su libro 'Cooked: From the Streets to the Stove...', el reconocido Chef Jeff Henderson escribe de sus experiencias como un vendedor de crack mayor antes de ser sentenciado a 18 años en prisión. Lo siguiente es un egreso de su libro, describiendo su método para limpiar su dinero de drogas:

> Yo conocía esta muchacha Paula que corría un lugar de cambiar cheques. El primero y el quince de cada mes todo el mundo cambiaba sus cheques de bienestar. La noche antes, yo iba a su casa y llevaba cien mil en billetes de uno, diez y veinte para los de cincuenta y cien limpios que ella acababa de sacar del camión de dinero. Yo le daba algo y mi dinero estaba limpio. Tendría los billetes nuevos que lo hacia mas fácil hacer tratos, y sus clientes recibían el dinero que mi gente había conseguido en la calle. Por supuesto, dentro de una semana, muchos de los clientes de el sitio de cambiar cheques traían ese mismo dinero a nuestras casas de crack de nuevo y llevábamos ese dinero al gringo, comprando toda esa mierda brillante que un tracalero tiene que tener. Y si nos agarran, el DEA coge toda nuestra mierda y lo venden en subasta. Es un juego jodido.

Vamos a revisar el ciclo:

⇩ Drogas están disponibles fácilmente en las comunidades pobres.

⇩ Gente pobre, sufriendo de problemas en sociedad, se convierten en adictos y compran drogas con cheques de bienestar y dinero de seguro social, dejando poco para proveer para sus niños.

- ⇩ Jóvenes crecen pobres y desatendidos, viendo que tienen poco y hay otros que tienen tanto.
- ⇩ Estos jóvenes siguen el sueño Americano vendiendo drogas para hacerse ricos.
- ⇩ Vendedores de drogas gastan la mayoría de su dinero en cosas materiales comprada de negocios gringos y terminan no poseyendo casi nada, pero enseñando tanto que no pueden estar bajo el radar.
- ⇩ Vendedores de drogas son fácilmente agarrados y como no han ahorrado suficiente dinero para abogados, terminan en el sistema de prisiones.
- ⇩ El sistema de prisiones trae billones de dolares en ingresos, mientras las pertenencias de los vendedores de drogas son subastadas por el gobierno.
- ⇩ El gobierno usa dinero del contribuyente para pagar agencias y programas que se dirigen a parar el esparcimiento de drogas, pero solo encarcela a vendedores de drogas.
- ⇩ Mientras tanto otras agencias gubernamentales están metiendo drogas al país y poniéndolas en mano de los distribuidores locales.
- ⇩ Las drogas se hacen mas fácilmente disponible en mas comunidades pobres.
- ⇩ El ciclo repite.

Puedo hacértelo aun mas simple:

- ⇩ Vendemos drogas porque somos pobres y miserables.
- ⇩ Las drogas hacen que la comunidad empeore, mientras gastamos nuestro dinero en mierda frívola.
- ⇩ Por eso, mas niños nacen pobre y miserables.
- ⇩ El ciclo repite.

O como dijo Kanye West dijo, 'Vendedor de crack, compra Jordans, adicto a crack compra crack, y el gringo recibe de todo eso."

Cuando lo piensas, hay muchos otros 'ciclos' en el barrio, ademas del juego de drogas. Aquí hay diez de ellos:

El Ciclo de Falta de Padre

En 'Amen', Lil Wayne esta casi llorando cuando rapea:

> Todo lo que se de mi papa real es que tenia dinero/No cuenta de banco, ese dinero de bolsa de papel/Quizás me de un poco de dinero pa' guillar/Pero aun no seria un papa pa' mi/Pero mira como crecí, espero que este feliz por mi/Por eso es que cuando lo veo actúo bien cómico/Porque es chiste para mi/No me mande textos, no me llames no me hables a mi

Todos sabemos como va esta. No tienes papa cuando te crías. Juras que nunca harás eso cuando tengas hijos, porque sabes lo mal que se siente. Entonces metes la pata y embarazas a alguien, y es hora de ser hombre. Pero no tenias idea como eso de ser padre se sentía. Y nadie te enseño como ser padre. Y te atrancaste con una muchacha ignorante con quien no puedes mantener una relación estable, en el primer lugar. Tu no haz terminado de correr las calles todavía! Y que es lo que haces? Corres. Igual que hizo tu papa.

O tratas de estar allí...pero no puedes salir de las calles. Así que caes preso antes de que tu niño terminara la elemental. Igual que hizo tu papa.

El Ciclo de Embarazo Adolescente

Este va de mano con el previo. Y el embarazo adolescente no se trata solo de las hembras. Se toma dos para ese baile. Y no se si las clínicas dejaron de regalar condones, pero apuesto a que se te haría difícil conseguir algún joven que ande con uno. Como si HIV no fuera mas popular en el barrio que una gringa con el culo grande. Pero luego para enfermedades. Vamos a mirar porque algunas de nuestras abuelas tienen 35 años. Si tus padres te tuvieron en su adolescencia, hicieron dos cosas de seguro:

1. Chingaron.
2. Te chingaron la vida.

Piénsalo, que bien crees que un niño pueda criar a un niño? Mierda, la mayoría de los muchachos que conozco no pueden criar una mascota. Y que pasa como resultado? La mama de la mama cría el niño, que se cría pensando que esta mierda esta bien. Entonces que? El o ella hace lo mismo que hizo los padres.

El Ciclo de la Adicción

Cualquier droga corriendo por el cuerpo cuando se crea una criatura (hombre o mujer) entra a su bebe. Si eres alcohólico, su bebe tiene un gene de alcohólico. Si te metes el perico, guarda dinero para poder mandar tu niño a rehabilitación. Y si tu bebe te ve haciendo cualquier droga, hay un chance bueno que ellos estarán haciendo lo mismo, también. Y lo mas seguro empezaran mas joven que cuando tu empezaste.

El Ciclo de la Deuda

Conozco gente que tienen sus autos en el nombre de su mama, y sus teléfonos en el nombre de su bebe. Por que? Porque nuestro crédito apesta (chequea el tuyo en www.annualcreditreport.com). No aprendimos a manejar dinero ni de la escuela ni de nuestros padres, así que terminamos endeudados ya para los 21. Luego le pasamos la deuda y los malos hábitos de gastar a nuestros niños. No solo eso, pero el mal manejo de dinero es contagioso entre amigos y relaciones también.

El Ciclo del Abuso

"Los niños nunca han sido bueno para escuchar a los mayores, pero nunca fallan a imitarlos."
James Baldwin

Si veistes a tu mama recibiendo golpes, vas a tener problemas. Al menos que estés trabajando fuerte para evitar hacer todo lo que vistes mal en tu juventud, le vas a terminar pegando a tus novias, también. Y un día, uno de sus niños te va a matar como tu querías hacer cuando tu eras un muchacho.

Y ni se diga lo del abuso sexual. Sabes cuantos de nuestros jóvenes siguen sufriendo por algún amigo de familia o familiar perverso (visita www.familywatchdog.us para una lista de ofendedores sexuales en tu área, y fotos).

El Ciclo de la Mal Educación

Padres que tuvieron un tiempo difícil en la escuela hacen una de dos cosas: (1) Empujan a sus niños a que hagan un mejor trabajo que ellos, o (2) no les importa un carajo y los niños se dan cuenta. Como quiera que sea, es difícil enseñarle a un niño como hacer la tarea si no sabes como hacerla. Como resultado, gente que no son educados tienen niños que no son educados. Y gente sin educación atraen amistades sin educación. Finalmente, gente sin educación entran en los trabajos para que ellos cualifican, que no pagan lo suficiente para mandar a nadie al colegio.

El Ciclo de Violencia Vengativa

"Diente por diente, ojo por ojo." Martin Luther King dijo que esa filosofía nos dejaría todos ciegos. Adivino que si. Cuando piensas en las guerras de pandillas en L.A., la única manera que podía ver treguas es cuando las pandillas decidían no vengarse por uno de sus muertos. Es la única forma que para. Sino el ciclo continua hasta que la perdida de sangra los mancha a todos. A veces la única forma es sentarse con el otro y decidir no llevarlo al próximo nivel. No dije que era fácil, solo dije que es la única forma.

El Ciclo de Reincidencia

"Es como un ciclo, algunos salen, otros entran/Cumplen un tiempo, salen, y al rato vuelven."
Nas, en Raekwon's 'Verbal Intercourse'

Básicamente, reincidencia quiere decir lo mismo que ser un ofendedor repetido. Una vez te acostumbre al hacer sucio, es difícil cambiar, porque el dinero no es tan rápido y fácil, y tampoco tan excitante. Pero si tu tienes una felonía en tu registro, se pone mas difícil romper el ciclo. Para ese entonces tus opciones son limitadas a los tipos de trabajos fuertes que emplean a convicto, o haciendo dinero en la calle de nuevo. Y entonces, estas arriesgando la ley de "Tres Fallas", y ahí es donde el ciclo se detiene para los que siguen volviendo.

El Ciclo de Enfermedad

HIV, Herpes, Sífilis, aun cáncer de humo de segunda mano. Lo contraemos y lo pasamos a otros. Es como si estuviéramos jugando papa caliente, excepto que siempre te quemas. Sabes que te va mal cuando se te pega la gonorrea de una chica que se acostó con un chico, que se acostó con una chica a quien tu le pegaste esa misma gonorrea hace seis meses (ahora vete a chequear).

El Ciclo de la Feminidad

Odio hablar de esto. Siempre hace que la gente se incomode. Si no estas listo para confrontar la realidad, brinca esta parte. Pero si lo estas, vamos a ser real de por completo. La mayoría de nosotros fuimos criado por mujeres. O papa no estaba, o no era fuerte, o no le importaba un carajo. Como resultado nos criamos debajo de mamas, abuelas, tías y primas. Mientras tanto, los hombres caían victimas al sepulcro, la cárcel, o adicción a drogas. Con el numero de hombres fuertes Negros cayendo en nuestras comunidades, pasamos mucho mas tiempo influenciado por mujeres que por hombres. Algunos se volvieron gay por eso. Otros siguen hombres machos, pero reaccionan emocionalmente como mujeres. Aunque vemos el enfado como fuerte y masculino, enojarse sobre estupideces es cosa de mujer. Brincando a conclusiones: cosa femenina. También el chisme. Y todas emociones locas no son cosa de un hombre Negro fuerte. Así que tratamos de tapar esas emociones escondiéndolas, aun de uno mismo. Pero no sirve de nada. Todavía no tiene idea como bregar con las cosas como hombre. Si papa se hubiese quedado por ahí (vea parte 2, "Dando Pelas y Formas Femeninas").

Pero hay esperanza. Hay formas de romper estos ciclos y otros. Todo lo que necesitas es conseguir el punto de viraje. Ese es el punto donde hay suficiente bueno presente para traer un cambio en el retrato completo. De acuerdo a un sociólogo llamado Thomas Crane, para adolescentes Negros, cuando el porcentaje de 'modelos ejemplares' en una comunidad cae debajo de cinco por ciento, salirse de la escuela y otros problemas se multiplican. Pero cuando gente que se les pueden decir 'modelos ejemplares' son cinco por ciento o mas de una comunidad, todos esos problemas empiezan a caer. Solo tienes que ser parte de ese 5%. Y no se necesita tanto para ser un 'modelo ejemplar'. Solo tienes que ser un tipo responsable que no esta cayendo victima a los ciclos de mierda. Y por no caer victima a los ciclos, te conviertes en parte del proceso de cambio que rompe los ciclos por completo.

Rompe los ciclos de auto-destrucción, o sea rotos por ellos.

Películas para Ver

Lone Wolf and Cub

La serie de películas 'Lone Wolf and Cub' son películas de samurai y la tema central es de ser irrompible---nunca arqueando abajo para nadie y no dejando que alguien rompa su espirito. Si se puede conseguir, la serie de la tele es bastante profunda y le demuestra el grado de la corrupción en el gobierno y uno puede considerar los paralelos a nuestro propio gobierno y sociedad.

Una Vida de Lamentos

"Hombres de mal juzgo ignoran lo bueno que tienen en sus mano, hasta que lo pierden."
Sophocles

Faheem Najm era joven cuando aprendió a lamentarse. Les había sacado las pilas del sistema de navegación por satélite del barco de su papa. El las necesitaba para su 'Walkman'. No sabia el que ese pequeño acto egoísta le pudo costar la vida a su padre. Cuando el Sr. Najm no volvió esa noche de una excursión en su barco, la familia pensó lo peor. Como un acto tan pequeño pudiera tener unas consecuencias tan graves?

El papa de Faheem finalmente llego al otro día. Espero hasta que saliera el sol para ubicarse. La experiencia asusto tanto a Faheem, que lo mantuvo lejos del agua por el resto de su vida. Ahora como adulto, Faheem es mas reconocido como T-Pain. Tiene una flota de autos y hasta su propio avión, pero permanece uno de las pocas celebridades en Florida que no brega con botes.

"Esperando una llamada de la familia, no del depósito.
Teléfono en mi mano, nervioso, confinado a una esquina.
Gotas de sudor, pensares secundarios en mente.
Como me quito el estrés y vivir con estos lamentos.
Esta vez....estrés...dejar esta mierda...joder."
Jay-z, "Regrets"

Haz perdido alguien cercano a ti? Haz pensado que hubieras hecho si lo hubieses sabido antes? Haz pensado que pudiste haber hecho para prevenirlo?

O haz hecho algo que parecía pequeño para ti, pero resulto muy dañino a otro? Haz pensado que pudiste haber hecho diferente?

O haz cometido algún error en tu propia vida que quisieras volver y arreglar?

Te atormentas pensando de lo que pudo ser, hubiese sido o debió haber sido?

Te encuentras todavía pensando en errores, no importa cuanto tiempo ha pasado? Pues, no estas solo. La mayoría vivimos con lamentos. Tenemos cosas que deseamos hubiésemos hecho y que hubiésemos dicho. Algunos no podemos dejar de pensar en todas las oportunidades que dejamos pasar que pudieron haber cambiado nuestras vidas.

Después que rompieron N.W.A., Dr. Dre y Easy-E tuvieron peleas constantes, mientras que Dre y Ice Cube rehusaban hablarse. Esto siguió hasta el día que Dre y Cube se enterraron que su ex-socio se moría de SIDA. Los anteriores miembros de N.W.A. solo podían expresar su pena y amor hacia un hombre en su cama de muerte.

"Jerry Heller trato de escaparse.
Yo me tuve que ir, mientras otros fueron violados.
Ese mismo se viro y me dijo jodete.
No jodete tu, porque yo estoy con Chuck D.
Y estoy a punto de hacer una película, una clásica.
Cuando caí en la pantalla, era magia.
Nunca pensé que vería a Eazy en un ataúd.
Gracias por todo, eso es en todo."
Ice Cube, "Growin Up"

Después que rompieron los Hot Boys, B.G. nunca tuvo una buena palabra para Baby, aunque Baby fue como un padre y mentor a todos los raperos jóvenes en el grupo. El odio de B.G. se mantuvo intenso hasta el día que Baby perdió su hermana en un choque de autos, y pudo ofrecerle sus condolencias y una tregua.

"De todos los tipos con quien estaba cuando hacia mal,
3 en federal, 1 haciendo vida, y 2 muertos.
Sabia que había mas a la vida, que vender cocaína y tiroteos sin medida.
Pero que vale saber mejor si no les dije nada?"
T.I., "Still Ain't Forgave Myself"

Como se sentiría ser uno de esas celebridades multi-millonarias que pasa la mayoría del tiempo iluminado y promoviendo mierda...empujando a la gente Negra hacia cosas que no haces...entonces al clímax de tu carrera – ser tumbado por los mismos blancos que ayudaste? Ahora estas preso (o muerto) deseando que nunca te hubieras metido a esa mierda que ellos querían de que rapiara. Como dijo Tupac:

> Si de verdad estamos diciendo que el rap es un arte, entonces tenemos que ser mas responsable por nuestra lírica. Si vez que todos están muriendo por los que dices, no importa si no los hiciste morir, lo que importa es que no los salvaste.

Jay-Z dijo algo similar del huracan Katrina en "Minority Report":

> Raperos tontos, porque tenemos par de Porsches/MTV paso a grabar nuestro castillo/Se nos olvido los desafortunados/Seguro que le di una plata, pero no di de mi tiempo/así que en realidad, no di ni un centavo/o un carajo, solo puse mi dinero en las manos/de la misma gente que dejo mi gente plantado/Solo un bandido, los deje abandonados/Maldito dinero que dimos era una curita.

Así que cuanto tiempo vas a botar mirando hacia atrás y pensando lo que pudiste haber hecho? El mejor momento es siempre ahora mismo! Si puedes salvar a alguien, hazlo ahora. Si pueder prevenir algo, previene lo ahora. Si le puedes decir que baje la velocidad, dilo ahora, y dile porque. Si quieres llamar una tregua, llamala ahora. Si quieres reconciliar – sea un viejo enemigo, un padre que es un extraño, o una relación pasada que se amargo – hazlo ahora! Sino tendrás lamentos.

No vivas con lamentos. El mejor momento es ahora.

"Justicia" Juvenil

"Martin Lee, inocente, no tuvo ni un chance.
Le pegaron en ese campamento hasta que murió en la ambulancia.
Ese nene tenia solo 15 años. Que se joda lo que dicen que el hizo.
Así que como se supone que me sienta, cuando la policía esta matando niños."
Rich Boy, "Let's Get This Paper"

Martin Lee Anderson tenia 14 años cuando lo asesinaron. Pero no fue asecinado por otro joven Negro, como acostumbramos a escuchar en las noticias. En su primer día en el campamento de jóvenes presos, del Bay County Sheriff's Office, Martin colapso mientras hacia una serie de ejercicios fuertes. Entonces fue maniatado y golpeado al frente de una enfermera. Murió al próximo día. Un año mas tarde una corte decidió que la muerte de Martin no fue culpa de nadie, y los 8 empleados del campamento fueron absueltos. Martin había sido sentenciado al campamento por violar probatoria, entrando a una escuela y llevando se el auto de la abuela.

Nacionalmente, jóvenes Negros representan 15% de la población juvenil. Sin embargo, representan 26% de los arrestos juveniles, 44% de los jóvenes detenidos en facilidades juveniles, 46% de los que siguen a corte criminal, y 58% de los jóvenes admitidos a prisiones estatales para adultos. Es mas, 12% de adolescentes Negros van a prisiones para adultos, mientras solo 1.2% de los adolescentes gringos van a prisiones para adultos.

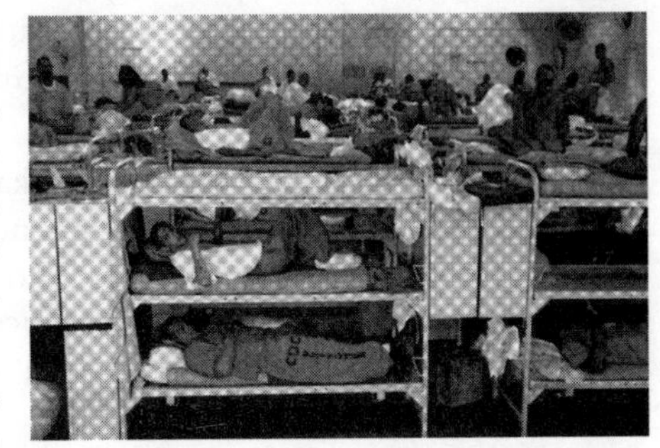

El Consejo Nacional de Crimen y Delincuencia reporto que jóvenes Hispanos y Negros son mas probable ser arrestados, detenidos, mandados a corte para juicio, y convictos. Igual que adultos Hispanos y Negros, también les dan castigos mas fuertes.

Jóvenes Negros tienen seis veces las probabilidades de que gringos a ser sentenciados a prisión por cortes juveniles. Cuando cargan con crímenes violentos, negros tienen nueve veces mas probabilidad de ser sentenciados; por ofensas de drogas, son mandados a prisión en un asombroso 48% veces mas a menudo que gringos cargados con los mismos crímenes.

Para hacer las cosas peores, la tasa de reincidencia en ofensores adolescentes promedia 82 a 83 por ciento. Jóvenes negros no solo son arrestado y sentenciado mas que todos los demás, pero una vez que entran, no saldrán por mucho...nunca jamas.

Haz estado adentro ya? Si no, cuales son tus chances de ser tomado, basado en lo que haces día a día ahora mismo? Si ya haz entrado, cuanto haz cambiado en tu vida para que tus chances de volver sean cerca a cero?

Y si no haz cambiado nada, que tipo de juego crees que estas jugando?

Es difícil, pero no imposible, para que un hombre se rompa de un ciclo que empieza desde una edad joven.

Los Ciclos de la Historia

"Aquellos que no aprenden de la historia tendran que repetirla."
George Santayana

La historia corre en ciclos también, excepto con un pequeño viraje. Explico.

El pasado es una forma para predecir el futuro, porque gente y sitios quizás no vuelven, pero los principios nunca se van. La misma mierda que paso en 2000 BC esta pasando en 2000 AD. Y la gente que son exitosos son los que pueden ver los patrones. Le gente que fracasan en estos tiempos son los que los cogen sin preparar y no tienen pista de los que esta pasando. He podido predecir casi todo lo que Bush y sus amigos han hecho con su guerra en estos últimos años. Por que? Porque hicieron la misma mierda en la 2da Guerra Mundial. No me crees, lee sobre ello.

En esos tiempos tenían pilotos kamikazes. Ahora son "secuestradores suicidas". En aquel entonces los Japoneses estaban tratar de unirse con los Negros y había que aplastarlos. Ahora, son los Musulmanes y Árabes que hay que destruir. En aquel entonces, Hitler bombardeo su propio edificio para culpar a la gente que el quería atacar. Ahora....pues, sabemos esa parte, verdad?

Pero anque hay ciclos para ver, no son círculos que terminan donde empezaron. Eso significaría que estamos repitiendo la historia. Eso no es lo que pasa. En vez, la historia es renovada, como el crecimiento de nueva piel en el lugar de células muertas. De esa forma es como un espiral.

Los principios se quedan igual, pero las cosas se ponen mas grande, o achican, o mejoran, o empeoran. A menudo, las cosas parecen que están progresando, pero una examinacion te enseñara que nada a cambiado. La clave es poder mirar a lo que realmente paso entonces y poder ver lo que realmente pasa hoy. Manten en mente, mientras mas las cosas cambian, mas se quedan igual.

Un buen ejemplo de esto es cuando miramos a relaciones entre las razas. Constantemente nos dicen que las cosas van mejorando para la gente Negra. Pero si lo piensas bien, lo único que ha realmente cambiado es que los gringos son mejores a esconder su racismo, y los negros están mejores con que se les caguen encima.

Como no notamos esto? Fácil, no vemos los patrones. No vemos los ciclos. No vemos el espiral. Terminamos repitiendo nuestros errores en vez de renovar nuestro acercamiento y haciendo algo diferente, usando el conocimiento que hubiésemos ganado la ultima vez que pasamos por esta mierda. Aquí tienen otro ejemplo.

Rap de Pandillero

Retrospectiva a los anos 80s. Con la ayuda de unos cuantos ejecutivos gringos de la industria de música, el rap de pandillero se convirtió en "lo próximo." Al principio, grupos como NWA rapiaba de los problemas en el barrio y las fuerzas que los causaba. Le llamaban rap de realidad. Pero después que se fue Ice Cube y dejo de escribirles a los otros, NWA fue influenciado por el gerente Jerry Heller y grupos de interés como la Liga de Defensa Judía mas que nadie. Al tiempo, dejaron atrás el contenido político y le dieron duro al sexo, la violencia y poco mas. Otros actos que siguieron y copiaron el formato hicieron lo mismo.

El alzamiento del rap pandillero efectivamente aplasto la popularidad de el movimiento de hip hop consciente de los 1980s. Artistas como Public Enemy, X-Clan, Poor Righteous Teachers, KRS-One, Rakim y muchos que rapiaban sobre temas sociales y el alzamiento de gente Negra eran muy populares durante esa era. Después que llego el rap pandillero, la industria de música manejado por gringos, pudo cambiar la actitud de los jóvenes Negros de pelear por cambios al pelearse entre ellos mismos por nada. Lo hicieron por medio de la música.

Entonces, con la llegada de nuevos artistas como Nas y Wu-Tang Clan, el publico una vez mas se intereso en la rectitud y Dioses Negros, palabras que escuchaban en su radio. Para aplastar a esto, la industria soltó otra nueva tendencia en el hip hop: rap brillador. Aveces llamado rap bling, el rap brillador es pesado en lo material y ligero en sustancia. Raperos hablando de joyería y autos pronto le pasaron en números aun a los que hablaban de pistolas y crimen. En la comunidad Negra, ventas de platino subieron. Comprando casas y otras inversiones solidas fueron ignoradas.

Hacia adelante a los anos 90s. Música sureña del club se rego por el mundo como un fuego. Aunque música 'crunk' y 'snap' eran mas sobre bailar que otra cosa, continuo la tendencia de raperos haciendose ricos sin decir absolutamente nada. Al mismo tiempo, la música 'trap' se jacto de reclamos poco realistas del narcotrafico, mientras raramente mencionaban las partes malas del juego.

Veinte años después de haber salido de NWA, Ice Cube tuvo algo que decir sobre el progreso del hip hop, cuando fue entrevistado recientemente en Flow TV (www.flow.tv):

> Solo creo que el rap y la nación de hip hop ha usado el rap para escapar de sus problemas y no para confrontar o analizar ni discutir o exponer sus problemas.
>
> El dinero, festejo, los clubes, el sexo, la ropa, tu sabes, todas esas cosas que nos hacen sentir bien, y no las cosas que nos hacen sentir mal. Es como si estuviéramos corriendo en sitio, sabes, corremos y corremos pero nunca llegando a ningún lado. Sabes, estamos haciendo pasos, pero ningún progreso.
>
> Y creo que ha habido un esfuerzo consciente por el gobierno de dejarnos atrás si no podemos alcanzar, y a hacernos estúpidos, para que siempre seamos el labor barato del mundo. Para que sepa, yo creo que todo eso esta de juego, y que esta entre nosotros para salirnos de esta situación.

Y ahora que? Si haz puesto atención, veraz que las líricas de rap están de nuevo contando verdades, y la gente Negra están despertando al racismo que nunca verdaderamente se fue. Que es lo próximo?

Si estudias la historia, sabrás que ha pasado en el pasado, y lo que viene en tu futuro. Podrás ver hasta que saldrá de tu propio futuro. Y espero que seas lo suficientemente inteligente hacerlo mejor esta vez, en vez de repitiendo viejos errores.

La historia se repite, pero tenemos que renovarla, no repetirla. Serias un tonto para seguir haciéndolo como ya se había hecho.

Como luchar Contra Un Cargo Criminal

Me han parado y registrado docenas de veces. Me han arrestado unas cuantas. Hasta he ido a juicio. Nunca he sido convicto. Siempre ha sido lo suficiente inteligente para bregar las cosas con éxito. Si eres lo suficiente inteligente para leer este libro, también lo debes de hacer. Aquí unas sugerencias:

Si te interrogan, no admitas a nada. Aunque te digan que tu socio es soplon, mantén la boca cerrada. Eso de que el fue chismoso, ahora debes de soplar es el truco mas viejo en el libro. Espera un abogado.

Dependiendo de de que tan fuerte sea la evidencia, mide tus opciones con tu abogado. Si crees que debes declarar, declara, pero mantén en mente que la evidencia muchas veces no es tan fuerte como ellos lo hacen ver, si tienes un abogado decente. Y a veces un trato de declarar (con el abogado equivocado) puede ser la peor movida que hacer. Por eso Plies dijo:

> Dinero habla y la mierda anda mil millas/Si no tienes un abogado pagado, no vayas a juicio/Los gringos se deben favores te hacen un trueque/ "Nos das ese, te damos aquel" sabes de que te hablo/Tipo agarro 30 por declaración/Como carajo te toca 30 por entrar a una casa?/Gringos jugando juegos sucios, esto esta de locos

Mantén en mente que hay docenas de cosas que las policías y las cortes puedan hacer mal. Cualquier de esas cosas puede resultar en tu caso ser disuelto. Aprenderlas y busca por ellas.

Si escoges pelear, haz el trabajo. No cuentes solo con tu abogado. Si es un defensor publico, están sobre cargados y lo mas seguro ni te conocerán hasta el día del juicio. Al menos, que tu lo vayas a ver a el. Reúnete con el y haz todo lo que puedas de tu parte.

Eso quiere decir conseguir tus testigos. Eso incluye gente que vieron el incidente que se cuestiona, ademas de testigos de carácter que pueden apoyarte como persona. Si eres un bastardo que no sirve para nada, no te molestes en buscar testigos de carácter.

Escribe que fue lo exactamente paso. Lee sobre casos similares. Estudia al ley ahora (es mejor que estudiarla desde la biblioteca de la prisión). Reúnete con tu abogado y discute que le puedes ofrecer para ayudarlo con su caso. Ellos también quieren ganar, ellos solo no tienen el tiempo de hacer todo lo que haría Johnny Cochrane.

Si eres convicto y sentenciado, haz tu tiempo con la cabeza alzada. Termina algún grado escolar o algo. Yo se que no le puedo decir nada a un hombre que esta confrontado con 20 años, pero eres un idiota si te vas a la fuga por evitar seis meses. Viviendo como un fugitivo no es fácil, y no es divertido. No lo recomiendo.

Antes de salir, estés seguro de que son tus planes y síguelas lo pronto que salgas.

Haz de ver tu oficial de probatoria una prioridad. El o ella pueda que sea un culo, pero es un culo con el poder de mandarte de nuevo a la cárcel. Te consejo que no fumas o juntar con aquellos que no debes. Y si no puedes dejar de fumar, por lo menos ten el sentido de no hacerlo antes de ver el oficial, y de tomarte el jugo desintoxicante como se supone.

Encuentra un trabajo. No importa si es en comida rápida. Limosneros no pueden ser quisquillosos. Un trabajo le da fe a la gente, como tu oficial de probatoria que no estas de vuelta haciendo lo sucio para sobrevivir.

No repitas el ciclo. Yo se que es difícil ser legitimo con una felonía en tu registro, pero hay agencias que ayudan a ex-convictos conseguir trabajo. Se trata de cuantas ganas quires algo diferente.

La vida nunca es tan desesperada. Hay forma exitosa de bregar con cualquier situación.

PELÍCULAS PARA VER

Blood In, Blood Out; Gomorrah; Eastern Promises; Carlito's Way; Cocaine Cowboys

'Blood In, Blood Out' es una película chida de la cultura y el racismo que confrontan los latinos, particularmente en la prisión. El tipo principal es un joven medio blanco/mexicano.

'Gomorrah' hace un trabajo bastante bueno en demostrar que tan mugriento es el juego. Se trata de la organización de crimen llamada La Camorra en Nápoles, Italia durante épocas contemporáneas. Esta película no es para todos por que no es la película típica del gángster. No hay nada realmente glorioso de las temas.

'Eastern Promises' es una pelicula del crimen sobre los bajos fondos ruso de la organizacion Vory V Zakone. Enseña a los paralelos del juego de ajedrez y te enseña como se ponen a jugar los jugadores en un juego bastante mugriento y lleno de informantes y tiburones quien se disfrazan como amigos.

La de 'Carlito's Way' es buena en demostrar las consecuencias del juego y cómo los instintos del tracalero pueden ayudarle a sobrevivir…o a morir. Los documentales más contemporáneos Cocaine Cowboys son bastante bueno en demostrar cómo es el juego y cómo los Latinos están implicados en los bajos fondos. La segunda parte se trata más de la loca Griselda Blanco y le da luz en cómo los latinos se comportan con los negros. No es realmente un punto grande, pero a menos fue mencionado. Además, 'The Black Hand: The Bloody Rise' and Redemption of "Boxer" Enríquez, A Mexican Mob Killer es sin una duda el mejor libro acerca de la mafia, de la vida de la prisión, y de la vida de las pandillas mexicanas. Y mientras que estamos a propósito de películas y de libros, tambien deben leer el libro Rebel Without A Crew, la historia de Robert Rodriguez y cómo él fabrico su primera película cual que lo mando al exitoso mundo de Hollywood. El es tipo mexicano que dirigió las películas 'El Mariachi', 'Sin City', y 'Grindhouse'.

AMOR REVOLUCIONARIO

El inmortal Che Guevara (vea *Parte Dos*) sobre ser revolucionario:

> Deja me decir, con el riesgo de aparecer ridículo, que el verdadero revolucionario es guiado por un sentido fuerte de amor. Es imposible pensar en un autentico revolucionario sin esta cualidad...Uno tiene que tener una dosis grande de humanidad, una dosis grande de un sentido de justicia y verdad, para evitar caer a los extremos, hacia el intelectualismo frío, hacia aislamiento de las masas. Cada día debemos luchar para que este amor hacia la humanidad viviente sea transformado a hechos concretos, en actos que servirán de ejemplo.

Empece con esta cita porque tener un amor por la gente, un amor por ti y los tuyos, un amor que lleva a un hombre a pelear por proteger a otros, ese tipo de amor es el amor mas real que hay. La mayoría no conocemos la profundidad de un amor así, así que no satisfacemos con nuestras relaciones caracterizadas por amor de perritos, lujuria e amartelamiento.

Yo he hecho todo eso. Pero mi amor ahora es un amor revolucionario, y la mujer que amo ahora es dedicada a los mismos principios por las cuales yo pelearía y hasta moriría. Como resultado, nuestro enlace es mas fuerte que los amores previos que he experimentado, muchos cuales – ya verán – no eran amores verdaderos.

Sobre la Vida de Soltero

Entrada de Gaceta: Julio 16, 2006

He llegado a unas realizaciones en las ultimas semanas. Hace poco salí de una relación cometida. La gente usualmente dicen que un mes no es suficiente para estar acabado con algo tan profundo como esta ultima relación. La curación y el cerrar se toma tiempo. Estoy completamente recuperado? Quizás no. He aprendido de mi pasado que mirar hacia atrás muchas veces hace que las percepciones aparezcan como error al recordar. Así que no tomo autoridad de decir que estoy seguro de algo en el presente. En otras palabras, lo que se sienta tan ahora, puede que se vea tan ignorante luego. Todavía puedo decir, sin embargo, que estoy casi seguro que sigo para adelante.

Pero la vida de soltero? Es diferente ahora.

He llegado a ciertas conclusiones. Por una, yo estaba en una relación de prospectas y posibilidades, no realidades. Tenia gran expectaciones de que venia, mientras luchaba por el infierno del presente. Muchas veces, la zanahoria al final del palo, el oro al final del arco iris, era lo que me mantenía. Es verdad que con las cosas que amas, tendrás que pasar unos infiernos, para verlo salir bien...pero aveces amamos lo equivocado. Y nada bien va salir de eso.

Hay muchos amores falsos allá afuera. Amando a alguien por:

- ❒ como te hacen sentir
- ❒ como se ven
- ❒ lo que hacen por ti
- ❒ gratificación sexual
- ❒ lo que puedan ser en algún futuro
- ❒ las cosas que dicen
- ❒ el hecho que te acepten...

...estos no son ejemplos de amor verdadero. Amor verdadero es afectuoso y no basado en motivos egoístas. Mirando a otra persona o relación, como inversión es no amarlos ahora.

En el pasado, ame raramente, pero cuando las condiciones estaban bien, yo me tiraba de lleno. Por supuesto eso me llevo a mucha desagrado y tristeza. Como hombres inteligentes, buscamos cambiar nuestras mujeres enseñándoles. Por cierto, que un hombre inteligente quire enseñarle a todo el mundo, pero somos especialmente exigentes y insensibles cuando viene a la transformación de nuestras mujeres. Gente solo cambian y crecen por si mismos. Si quieres que una mujer llegue al auto-conocimiento, suple la demanda. No demandas y suplas.

Ademas, nunca he disfrutado el sube y baja de las emociones envueltas en estar enamorado. He realizado que aceptando y amando a lo tuyo (nuestra gente entera), sufrimos menos por las cosas del amor individual y personal. Soy mucho mas comprensivo y acogido de las fuerzas únicas y limitaciones de las mujeres que conozco en estos días. Ahora las llego a conocer sin medirlas para ver si pueden ser mi mujer. Y hasta he pasado oportunidades para sexo, porque ya se el desencanto que viene con sexo vacío.

Vez, en mis relaciones previas, yo aprendí a amar a alguien que no era mi tipo físicamente. No a decir que era fea, pero no hacia nada para mi cuando se trataba de lo físico, no había factor de lujuria. La gratificación del sexo era basado en las emociones envueltas.

Era sexo como producto del amor, no amor como producto del sexo.

Así que ahora no le saco nada al sexo casual. Estoy menos entusiasta por las muchachas que son mi tipo físicamente y mas interesado en la compatibilidad de nuestras personalidades. Esto es algo que yo no consideraba lo suficiente en el pasado. Como se ve no es suficiente, su cerebro no es suficiente, lo que importa es si sonríen a las mismas cosas o no, o si trabajaran para las mismas cosas.

También, he aprendido a examinar mucho mas de cerca lo emocional y la psicología de la gente con cual estoy envuelto. Mucha gente esta en negación, y en emociones negativas como miedo, inseguridad, falta de confianza, ansiedad, depresion, etc....Esas son asesinos de relaciones. Y matan lentamente. No sabrás porque tu mujer siempre esta desconcertada. A veces no es por tu. Yo no soy perfecto, pero no soy nada como los hombres que ha escuchado mis amigas describir. Por mucho tiempo, no pude entender porque mi cabeza siempre estaba puesta en el bloque por alguna cosa o otra. Al final, no es siempre nosotros. A veces realmente son ellas.

Ahora si tu eres el tipo de muchacho que engaña a su novia, eres pato escondido, le pega, nunca llegas a tu casa, o fumas crack en secreto, no estamos en el mismo barco. Me estoy refiriendo a los buenos muchachos que se meten en malas relaciones con mujeres doloridas que han estado con hombres malos. Que puedes hacer? Aprendes y sigues para adelante. Pasara al instante? Por supuesto que no, pero la sabiduría es tratamiento y entendimiento es la cura.

Hasta que estés preparado para meterle al 'amor real' y una 'relación real', usa los consejos en la próxima sección.

Amor real toma tiempo...y mucho tanteo.
Si no estas preparado, no juegues con ello.

22 Guías Para Bregar con Mujeres

En un libro porvenir, vamos a entrarle mas a fondo a la tema de las mujeres, amor y relaciones. Hasta entonces, aquí tienen unos guías para bregar con el sexo opuesto:

1. **Primero es lo primero.** Arreglate a ti mismo primero. Arregla tu mente, tu dinero. Cuando tengas esto, las mujeres llegan a ti. Y cuando estés preparado, la mujer correcta llegara también.
2. **No apures.** Muchos hombres no conocen la mujer correcta hasta llegar a sus últimos anos de los 20 o mediado de sus 30 anos. Hasta entonces, vas a pasar por bastantes "experiencias de aprendizaje" que te prepararan. No compras todos los autos guías para probar, así que no te cases con la primer mujer que ames.
3. **Vigila por donde metas esa cosa.** Solo hay uno por cliente. Si temes lo que puedes contraer o que clase de mama sera, pues no te preocupes de que se rompa el condón. Solo deja ese coño en paz.

4. **Pon atención.** Ve a las mujeres. Escúchalas. Preguntales que piensan y que les gusta. Ajusta tu juego para que no estés vendiendo manzanas a las que quieran zanahorias.
5. **Se confidente.** Nadie quiere un perdedor. Ser 'ese tipo' empieza con creer en ti mismo. Una mujer quiere un hombre en que ella puede creer, y por eso un matón le puede quitar una mujer a un pendejo con buen corazón en un segundo.
6. **Deja que ella te escoja a ti.** No necesitas competir. Si ella sabe lo que quiere, y tu lo eres, solo tienes que enseñarle. A la chingada con tener que pelear por su atención.
7. **No escojas una tipa linda y bruta.** Olvida de que este buena. Preocupate por lo bruta. Lo de bruta te hará olvidar lo linda en poco tiempo, como sea.
8. **Tu niña tiene que tener algo pasando por ella.** No escojas una tipa pelada, sin escuela con un culo perfecto. El culo no durara, pero lo de pelada si.
9. **Asegura que tengan algo en común de que hablar.** Si no están interesados en las mismas cosas, no va a funcionar. Si tu quieres ir a África y ella se cree que África es todo fango, vas a estar miserable.
10. **Asegura que ella quiere lo mejor para ti.** Cualquier muchacha que no quiere que dejes de fumar, o dejes de tracalar, no le importas un carajo. Te esta usando a corto plazo mano. Ponte listo.
11. **Sube tu juego.** No sigas muchachas jóvenes. Son simples y no quieren mucho...es mas no saben ni lo que quieren. Trata con una mayor a ver si puedes con eso.
12. **Amarrate.** No me importa un carajo si la amas. Amarrate. No hay coño tan bueno que vale una muerte lenta.
13. **No la compres.** Si ella espera que pagues todo, eres un pendejo. Para eso te vas con una prostituta. Es mas barato y no argumentan.
14. **Deja esas gringas en oaz.** Es es todo.
15. **No dejes que una mujer te arruine la vida.** Si te tiene peleando con tu hermano, dale la patada. Una buena mujer no te trae pleito.
16. **No cambies.** Cada mujer intentara cambiarte, pero no te respetara si te cambias cada vez que ella lo pide. Crecé a tu paso. Una mala mujer tratara de llevarte de estudiante a matón falso en un minuto, o de un matón real a un nene lindo. Mientras tanto, tus socios te miraran como si eres un pendejo.

17. **Haz lo correcto.** Si ella dice que no, respeta el no. Si te zafas y haces un bebe, no corras. Si esta enferma, ve a verla tan rápidamente como si fuera para sexo.
18. **Ve a ver el árbol de donde cayo la fruta.** Si su mama es gorda, quizás tendrás que esconder los dulces de tu novia. Si su mama es una pilla mala, quizás debes vigilar tu cartera en la noche.
19. **Karma puede ser una putada.** Si sigues cagándote en la gente, es solo natural que se cagaran en ti. Trata a la gente con respeto. Aun si lo que estas haciendo es mintiendo, no les mientas. Si tienes 8 mujeres, no te hagas el Sr. Fiel.
20. **No pierdas sueño.** Si va engañarte, te va engañar. Si crees que te engaña, que haces con ella? Haz lo que se supone y escoge bien, y no tendrás que preocuparte por lo que ella este haciendo detrás de tu espalda.
21. **Lee un libro.** No hace daño ser educado. Aun una chica que quiere un matón, quiera un matón inteligente que uno bruto.
22. **Asegura que haz encontrado tu 'mejor mitad.'** No una nueva mama que te cuide o una hija para criar.

Buenas relaciones están construidas en principios sólidos.
Y buenas relaciones son la clave a una vida buena.

Come Para Vivir

Lo siguiente es un egreso de un articulo de ABC News de Abril 2001, titulado, 'Mujer Contrae Gusano Parásito en su Cerebro de un Taco de Puerco':

> Lo que suena a ciencia ficción fue demasiado verdadero para Dawn Becerra, quien encontró un gusano parásito en su cerebro después de haber comido un taco de puerco mientras estaba de vacaciones en México. Doctores creen que el taco contenía Taenia solium, un parásito que es sorprendentemente común en países de América Latina y es transmitido por comer carne de puerco mal cocinado. Becerra dijo que el entremés la dejo enferma por tres semanas. Y poco después empezó a tener ataques fulminantes.
>
> ...Doctores en la Clínica Mayo descubrió que Becarra tenia una lesión en su cerebro, causada por el gusano parásito. El Noviembre pasado, le dijeron que si ella quería tener una vida normal sin los ataques, tendría que tener cirugía.
>
> ...Como un huevo, el gusano se ato a la pared intestinal, y eventualmente se movió a su sangre y a su cerebro, dijo Dr. Joseph Sirven, quien opero a Becarra.
>
> ..."De pronto me di cuenta que me iban a operar el cerebro y sacarme un gusano de el," dijo ella.

> … "La parte fascinante de esto es que es mucho mas común de que cree la gente," noto Sirven.
> ...La Organización de Salud Mundial dice que neurocysticercosis es una causa común de epilepsia en África, Asia, y Latinoamérica.

Es el 2008 y la gente sigue comiendo puerco?

Por supuesto, hay muchos problemas mas grande que tenemos que tratar, pero el puerco es uno para discutir, porque no solo nos enferma, pero dice mucho de como seguimos pensando. Aquí es como piensa la mayoría que sigue comiendo esos cantos de enfermedad:

1. Sabe bueno.
2. No me ha matado.
3. No puede ser tan malo para mi.

Pero podemos empezar a cocinar ratas en salsa de curry, o mierda en salsa de barbacoa, y decir lo mismo. El puerco ha sido sucio y enfermizo desde su apariencia en el planeta, y siempre sera así. Nunca se suponía que se usara como comida.

Vamos a mirar algunos básicos:

- El puerco tiene un estomago y órganos de excreta muy limitados. Otros animales, como vacas, tienen mucho mas en sus cuerpos para ayudar a digerir su comida. El puerco no. Eso quiere decir que el puerco esta lleno de mierda.
- El puerco es un basurero, así que come cualquier tipo de comida, incluyendo insectos, gusanos, animales muertos pudriéndose, excreta (incluyendo lo de ellos), basura y otros puercos.
- El puerco es tan sucio por dentro que es el único animal que puedes darle veneno y no matarlo.
- El puerco no tiene poros para sudar. Por eso se mete en el fango y en su mierda para mantenerse fresco. También es porque lo sucio se queda adentro del puerco.
- Cada libro sagrado y religión ponen el puerco como animal sucio. Desde Antiguo Egipto, al Viejo Testamento (Levitico 11:7,8, Genesis 1:29, Isaias 65:2-4, Isaias 66:15-17) al Koran (Surah 2:172-173) aun en el Nuevo Testamento, donde Jesús manda unos demonios que salgan de un hombre y que se metan en un ganado de cerdos.
- El Honorable Elijah Muhammad enseño que el puerco se usaba como en 2000 BC a limpiar las cavernas sucias donde vivían los Europeos en aquel entonces. Desde entonces, los puercos fueron criados a limpiar las calles de España y los alcantarillados de

Chicago. Esto trabaja porque los puercos se comen lo que sea, incluyendo la mierda.

- Una dieta pesada en carne roja, especialmente el puerco, es uno de los factores significantes detrás de las tasas altas de cáncer, enfermedad cardíaca, la presión alta, artritis, y diabetes en la comunidad Negra. Quieres una cura para cáncer? Deja de comer mierda. Eso es un punto de empezar.

Mas hombres Negros mueren de comer la comida equivocada que del homicidio. Pero cuando empiezan a llegar estos problemas? Cuando es demasiado tarde. En algún punto, estas bien enfermo, tomando pastillas, y el doctor te dice "deja de comer carne roja." Doctores le dicen lo mismo a las mujeres encintas, lo que le hace a uno preguntar: Si es malo para uno al estar encinta, no sera siempre malo para uno?

La carne de cerdo contiene:

- Cantidades excesivas de histamina y componentes imidazole que traen picazón e inflamación.
- Mesenchymal mucus conteniendo sulfúrico, que lleva a hinchazón y depósitos de mucus en tendones y cartílago, resultando en artritis, reumatismo, etc. El sulfúrico también ayuda causar tendones firmes y ligamentos que serán reemplazados por tejidos mesenchyral suaves como el puerco. El sulfúrico también causa la degeneración de cartílago humano.
- Altos niveles de colesterol peligroso y grasa saturada, que lleva a las piedras vesiculares, obesidad y enfermedad de corazón.
- El gusano Taenia sodio, encontrado en la piel. Ocurren en el intestino humano y no solo son capaz de regarse a otros órganos, pero son incurable después de pasar cierta etapa.
- El gusano Trichinac nematode – que causa trichinosis. Es una enfermedad que uno agarra de comer carne de cerdo que no se ha cocinado bien. Le da calambres, dolores, rigidez, luego nausea y vómitos; entonces dolores de cabeza y desordenes nerviosos. El gusano Trichinac puede conejar por tejido e invadir órganos vecinos, o ir directo a la sangre. Después de este punto, pueden invadir el cerebro o el sistema nervioso, como en la historia previa. Aproximadamente 1 de cada 6 personas en los E.U. y Canadá lo tiene y ni lo sabe.
- Muchas otras criaturas como el gusano kidney, el lungworm, el gusano thorn-headed, y el roundworm.

También hay enfermedades comunes al puerco, como:

- papilloma genital

- porcine encephalomyelitis infecciosa
- swine erysipelas
- cholera de hog
- influenza hemophilus
- plaga swine

Con algunas de estas enfermedades, el animal (y los humanos afectados por comerse su carne) pueden que no presente ni una sintoma.

Durante la esclavitud, los dueños y sus familias tiraban sus sobras y partes no usadas a los esclavos. Los esclavos, teniendo solo harina de maíz y maleza para comer, la usaban para hacer algo de la nada. Los esclavos encontraron como comer los intestinos, las orejas, las caras, genitales, rabo, pies y hasta el cerebro del puerco. Pero una vez se acabo la esclavitud, estábamos condicionados. Igual que esclavos libres mantuvieron su religión de esclavo, mantuvieron su comida de esclavo.

La parte mas irónica es que la mayoría de los Negros – antes de la esclavitud – nunca habían comido cerdo ni oraron a un Jesús blanco. Hoy día, el cerdo y productos de cerdo están en casi todo. Por ejemplo, la gelatina usada para hacer Jell-O viene de hervir huesos de puercos y quitando le el colágeno.

Esta mierda sucia y enfermiza es una industria de 10 billones de dolares. Porque tu crees que – aunque hay miles de Americanos enfermos todos los días por comerla – nunca escuchamos de lo malo que es para nosotros? Es fácil: el FDA se preocupa por cuanto dinero algo hace antes de preocuparse por lo que le esta haciendo a la gente estúpida que no lee...o no les importa. Por eso las guías del FDA para comida empacada requiere:

- No mas de 50 fragmentos de insectos o 2 pelos de roedores por 100 gramos de mantequilla de maní.
- No mas de 10 huevos de moscas en 100 gramos de jugo de tomates.
- No mas de 150 fragmentos de insectos en una barra de chocolate de 8 onzas.

Es mas, un estudio de investigación de la Universidad de Ohio en Diciembre de 2005, encontró que Americanos comen, sin intención, 1 a 2 libras de partes de insectos por año.

Por eso es porque, aunque sabemos que comer carne roja como vaca y cerdo lleva al cáncer y enfermedad cardíaca, el cerdo es promocionado como la 'otra carne blanca.' Cerdo no es una jodida carne blanca.

Mucha gente te lo dirán, mi abuelo comía cerdo y cumplió 76 anos. Pero no mencionan que el abuelo esta en una silla de ruedas, o en tratamiento de diálisis. Anque si el abuelo que come cerdo esta de buena salud, y que de la abuela o las tías que tienen los tobillos tan hinchadas que parecen medias, y necesitan cinco medicamentos todo los días para seguir viviendo?

Así que vamos a ser real. El cerdo no te va a matar hoy. Ni la semana que viene. Pero tampoco la heroína. En la vida las cosas tienen consecuencias a corto plazo y consecuencias a largo plazo. No puedes ignorar los efectos de largo plazo de algo solo porque nada va a pasar en las proximas dos semanas. Todo te alcanza tarde o temprano. Y quien quiere morir una muerte lenta por un canto de jamón?

Todas decisiones tienen consecuencias a largo plazo.
Piensa a largo plazo mas que piensas a corto plazo.

CON QUIEN PELEAS?

Puedo usar 20 paginas para hablar de lo estúpido que nos vemos constantemente peleando con nosotros mismos. Estoy hablando de todos, desde las celebridades millonarias a los pastores a los tipos en el bloque. Si haz escuchado de Willie Lynch (vea "Enfermedad Mentales en Nuestras Comunidades") debes entender como empezó todo esto. Pero es 2007 y todavía no podemos juntarnos. Maldito sea, no voy a usar 20 paginas en esto, porque ya alguien lo hizo muy bien. Aquí en el segundo verso en "B.A.N. (The Love Song)" de David Banner:

> Esto es para los Bloods y para mis Crips/Tira tu señal al aire, una nación en este madre/Somos muy rápidos para matarnos en los barrios de donde vinimos/Los AK47s cuando llegan los federales los escondimos/Cuando hay un pedofilo caminando por nuestras calles/Les viramos el otro cachete y dejamos que se valle/Pero Dios me dio una visión y ahora es que yo veo/Que pasaría en el barrio si cada pandillero/Se juntaran, bandera roja y azul/Subiendo una nación de hombres Negros, pero que triste es/Tenemos demasiados cobardes que soltaran las balas/Porque pueden ver niños morir mientras ellos reciben paga/ Hijo de puta...culo chingado cabrón

No lo pude decir mejor yo mismo. Pero esto no se trata de solo las pandillas. Se trata de todos los cabrones que no pueden ver los problemas que enfrentamos...y no es el uno al otro. Si pudiéramos unirnos por aunque fuera un año – no sabes que cada barrio alrededor de E.U. cambiaría? No sabes que todos los E.U. tendría que cambiar? No sabes que el mundo completo se alzaría con nosotros y el mundo completo cambiaría?

Todos están en el mismo barco de esclavos.
En vez de preocuparte por el hombre a tu lado, preocupate por los que están encima de ustedes dos.

TRAIDOR DE RAZA

Lo mas seguro es que tienes un par de amigos gringos. O que eres uno del los 17 gringos que compraron este libro. Tengo algo que compartir comoquiera que sea.

Frederick Douglass, después de públicamente separarse de los abolicionistas blancos por cual una vez trabajaba, dijo: "Ninguna gente que a dependido solamente...en los esfuerzos de esos identificados de cualquier manera con el opresor...se ha parado en la actitud de Libertad."

Yo estoy de acuerdo. Yo no quiero estar con los gringos, ni quiero que los gringos estén conmigo. No odio a los gringos. Es mas, tu puedes estar si eres gringo...pero me tomaría un tiempo para decirte como.

Cuando poste un blog en MySpace sobre el Jena 6 (vea "El Árbol Blanco"), recibí docenas de comentarios positivos de gente Negra. Solo una persona blanca respondió, y esto fue lo que dijo:

> Siento que has virado el odio que le tienen algunos blancos a los negros contra todos nosotros. Yo estoy muy consciente de que todavía hay racismo por todo el mundo, y que no mucho ha cambiado en estas ultimas décadas...
>
> Pienso que lo que le esta pasando a esos jóvenes en Louisiana es horrible. Y creo que los blancos deben de tener consecuencias fuertes por sus crímenes de odio. Pero tu lo haces ver como si los negros deben alejarse de los blancos. Así eso como te sientes? Estas agarrando el racismo que esos blancos expusieron y diciéndole a los negros que hagan lo mismo. Básicamente les estas diciendo que están mal por ser amistoso con los blancos, o por amarnos. No juzgues a una raza completa por lo que hacen alguna gente en Louisiana...
>
> Por favor no estés contra todos los blancos por lo que han hecho algunos. No todos somos falsos. No estamos lleno de odio...Yo se que mi opinión es solo la de una pinche puta gringa, pero no pude resistir el desahogo de mis sentimientos. Tu tienes estatus de celebridad. Así que por favor no lo uses para enseñarle a la gente a odiar. Aun después que

> tu gente han sido perjudicados. Debes estar enseñando a la gente que se sobrepongan.

Ella hasta se valido explicando que estaba casado con un hombre Negro, y describió una vez que ella se sintió que los policías estaban discriminando contra ella porque la pararon por estar manejando en un vecindario Negro. Ella estaba siendo completamente sincera. Desde entonces me he dado cuenta que muchos gringos, especialmente aquellos que se creen ser de 'mente liberal' piensan así. Así que aquí esta mi respuesta:

> Primero, que no te veo como una "pinche puta gringa." Estoy por encima de ver la gente así. Creo que lo que dijiste tiene mucho pensamiento y consideración en el.
>
> Sin embargo, continuo opinando en contra de tu posición. Hay una dinámica fundamental que tienes que entender. Cual es, que hay diferentes niveles de discriminación/racismo. Esta la 'discriminación interpersonal' y esta la 'discriminación institucional'.
>
> El primero, cualquiera puede experimentar, como te ha pasado a ti. Yo puedo rehusar le un trabajo a un blanco, porque son blancos y eso seria 'discriminación interpersonal'. Pero el sistema eventualmente me pararía o me persiguiera por el. La 'discriminación institucional' es mucho mas grande que tu y tu familia.
>
> Es el sistema sobre todo lo demás, un sistema global de supremacía blanca, un sistema que dicta y gobierna los asuntos de la mayoría de este mundo. Tu no lo puedes escapar. Tu, como una mujer blanca, no puedes huir de tu privilegio y tu participación en este sistema de opresión al menos que estas preparada a pelear y morir por el abatimiento de ese sistema. Porque si no tomas esa postura, tu como una mujer blanca, das tu consentimiento silencioso, especialmente así porque tu – de muchas formas – continua de beneficiarte de el.
>
> Hay un diario en linea que he visto últimamente, www.racetraitor.org. El idea de su publicación es que "la traición a la blancura es lealtad a la humanidad." Los autores y editores, presumibles blancos, ven la "blancura" como una construcción...una representación simbólica de "algo mas" hacia la gente de color. Aquellos que son "blanco" están naturalmente contra aquellos de color. Es parte de ser "blanco", igual que ser de la "realeza" quiere decir que eres parte de un sistema de gobernar, sin importar que haces en tu vida personal.
>
> Hasta que yo vea la gente blanca peleando y muriendo por el abatimiento de los sistemas opresivos del mundo, yo los continuare viendo como participantes pasivos y beneficiarios de un sistema malvado. Y no quiero decir peleando para salvar algún animal en Africa (en vez de la gente) porque eso es otra dinámica del pensamiento racista también. Aprecio tu respuesta. Espero que puedas entender de donde vengo.

No es necesario decir que nunca me contesto. Ahora, tu podrás estar pensando "Supreme, suena como si tuvieras un problema con todos los blancos!" Si leyeron mi respuesta, pueden ver que eso no es verdad. Yo digo mucho de la gente blanca en este libro, pero yo tengo un grado en historia, una biblioteca en mi casa de mas de mil libros, y he viajado por todo el mundo. No estoy inventando nada de esto. Todo lo que digo esta respaldado por hecho históricos o políticos. Y mi meta no es caerle a toda la gente blanca.

Sin embargo, no voy a juntarme con un grupo de blancos solo porque ellos quieren darles ropa a unos pobres refugiados. No considero a una persona blanca, chevere porque nunca ha dicho la palabra 'nigger' o porque escucha hip hop. Ni me importa un carajo si tienen su pelo en dreads.

Lo que yo quiero saber es "Que estas haciendo para eliminar la supremacía blanca?" Porque si no estas haciendo nada sobre eso, entonces eres parte del problema. Yo veo a mucha gente decir que están contra el racismo, pero no veo muchos que regalen su dinero porque ese dinero vino de la esclavitud. Yo vi muchos blancos Americanos y Europeos cuando fui a África. Pero no estaban con los hermanos y hermanas como lo estaba yo. Ellos iban para la playa (las mismas donde esperaban los barcos para esclavos), o jugaban con los animales en safari. Aun cuando vi algunos en mi visita a las mazmorras de esclavos, todos se fueron tan pronto cuando el guía empezó a hablar de lo horrible que fue la esclavitud.

Entonces ensañame alguna gente quien están tratando de cambiar el sistema y peleando al lado de la gente Negra, y esos si seran chévere conmigo. Enseñame alguien que esta preparado para perder su vida para la lucha de gente de color, y esos están bien conmigo. No es como si nunca hubo tal cosa.

En los 60s, las Panteras Negras trabajaban con un grupo radical blanco llamado Weather Underground. Los Weathermen eran un grupo subterráneo mayormente blancos dedicados a cambios sociales, por cualquier forma necesaria. Ellos eran críticos fuertes del "privilegio de piel blanca" y abogaban por política de identidad racial. Mientras el malestar en vecindarios pobres negros intensifico en los principios de 1970s, Bernadine Dohrn dijo, "Jóvenes blancos tienen que escoger su lado ahora. O pelean al lado de los oprimidos, o seguir en el lado del opresor."

Ahora de que lado esta la mayoría de la gente blanca hoy? Piénsalo, los E.U. es solo 12% Negro. Cuando alguien blanco esta siendo juzgado injustamente (raro), veras que como un 12% de los protestantes son Negros, por lo menos si sabemos de la situación.

Pero usualmente los blancos no tienen mucho que protestar, excepto salvar a algún animal, parando la guerra o derechos gay. Y los E.U. son como 70% blancos. Pero eran blancos los 70% que protestaron los Jena 6? Por que no?

La verdad es que aun los blancos les tienen miedo a otros blancos burlándose por respaldar a los Negros. Así que no espero mucho de ellos. Pero no espere que me muerda la lengua tampoco.

Si eres blanco y quieres ser parte de la lucha, tu necesitas dejar de pelear por arboles y pájaros y empezar a estudiar que le paso a la gente como los Weathermen y el Symbionese Liberation Party (buscalos), ademas de los movimientos "anti-racismo" que todavía están vivos en partes de los E.U. y Europa.

Para la gente de color: De todos los gringos que tu estas 'por ellos', cuantos de ellos están realmente 'por ti'?

Para los 17 lectores blancos: Estas preparado a pelear y sacrificar para pelear la supremacía blanca? Puedes aceptar que la supremacía blanca es un sistema muy real y poderoso que afecta a todos, incluyéndote a ti? Estas preparado a tener tu familia y amigos cortarte de sus vidas por tu dedicación a gente que no son blancos y su sobrevivir? Si así es, pues estas bien conmigo. Si no, ve y lea 'The Heart of Whiteness: Confronting Race, Racism and White Privelege por Robert Jensen o White Like Me: Reflections on Race from a Privileged Son por Tom Wise...para empezar.

Debemos "jurar alianza" solo a aquellos que pelearan con nosotros y por nosotros.

Como Sobrevivir Una Familia Disfuncional

Pensé que proveería un guía para los jóvenes sufriendo del síndrome HJ (Hogar Jodido):

1. Recuerda, son solo humanos. No pueden ser perfectos, y lo mas probable ni se acercaran. Tu función es hacer mejor que ellos.
2. El síndrome HJ te puede hacer increíblemente fuerte o increíblemente débil. Victima o victorioso, esta en ti.
3. Gente enferma pueden tener hijos. Los hijos de gente enferma no tienen que estar enfermos también.
4. A veces hay que aceptar la gente tal y como son, y luchar con su locura de la mejor manera posible sin volver te loco también.
5. Gente que llevan el caos por dentro crean caos a su alrededor, y gastan mas tiempo culpando a otros que resolviendo las situaciones. No siempre es tu culpa.
6. Aveces puedes sustituir. Cuando un padre esta fallando en su deber, encuentra alguien decente quien pueda llenar los vacíos.
7. Sabemos que los hijos de alcohólicos usualmente terminan alcohólicos, y los hijos de relaciones abusivas usualmente le

terminan pegando a sus parejas. Rompe el ciclo. Si es lo que esta matando tu familia, no lo hagas parte de tu vida.

8. Irse de la casa funciona para alguna gente, pero también crea otros problemas (como conseguir comida, ropa y cobijo).
9. La depresión es un camino largo y tortuoso que solo va hacia abajo. Destino final: suicidio. Así que no tomes ese camino. Esfuérzate a ver el lado positivo de la vida.
10. Encuentra alguien que este peor que tu. Aconsejarlo y se su apoyo. Te hará sentir mejor de muchas formas.
11. Evita confrontaciones. Sabes que no puedes ganar argumentando con cierto tipo de gente, así que no te molestes. Tragate el orgullo, y sigue por delante.
12. Si tienes que hacerlo, evita interacciones al menos que sean necesarias. Aveces es mejor ni cruzar caminos. No quiere decir que tienes pretextos para estar en la esquina todo el día. Se productivo con tu tiempo alejado.
13. Demasiado control no es bueno, pero tampoco es demasiada libertad. Un hogar sin estructura produce vagancia y fracaso, lo cual puede ser tan malo como una casa que corre como una prisión. Así que disciplinate si nadie mas lo hará.
14. Encuentra un pasatiempo. Sea rapiando, dibujando, o creando robots, hay maneras de cambiar estrés y frustración a energía creativa.

La vida nunca es desesperada.
Aun los peores ambientes pueden producir la mejor gente, después que sean lo suficientemente fuertes para llegar a salir.

Asesinando a Cuatro Diablos

Shaka Zulu

En el siglo 19, los Zulus serian unos de las pocas gente Africanas que pudieron contra la tecnología superior del ejercito Ingles, en la batalla de Isandlwana. Shaka Zulu no solo reemplazo las armas y escudos de su gente con diseños mas efectivos, pero introdujo tácticas y formaciones militares que los Ingleses no habían visto antes. Ademas, aquellos que se juntaban con Shaka, como lo hacían la mayoría, tenían que dejar atrás sus afiliaciones tribales. No solo se juntaban con los Zulu; se hacían Zulu.

Disciplina fuerte y el combate cercano distinguía el ejercito de Shaka. Para endurecer a sus hombres les hacia dejar de usar sandalias entrenando y peleando descalzos, cubriendo mas de 50 millas en un día para sorprender el enemigo. Uno de los atributos mas notables del liderazgo de Shaka es que en sus conquistas, no perdonaba a nadie, ni tan siquiera los niños. Viendo su potencial como rivales futuros, Shaka no dejaba oportunidades para represalias.

Que podemos aprender del ejemplo histórico del gran Shaka Zulu?

Psicología Occidental

De acuerdo a Freud, la mente es compuesta de tres componentes: el Id, el Ego, y el Super-ego. El Ego representa al ser, y el Id son los instintos primitivos que yesca nuestros deseos subconscientes de chingar y correr y encontrar comida. El Super-ego es la consciencia alta del hombre que lo dirige a hacer lo correcto y seguir sus morales y valores.

> **Lo Sabias?**
> La palabra 'gimnasio' viene de la palabra griega 'gymnazein', cual quiere decir 'hacer ejercicios desnudos'. Si te preguntas que hacían los maestros Griegos con sus estudiantes jóvenes varones mientras desnudos, estoy seguro que lo puedes figurar.

Filosofía Griega

El filosofo Griego Aristotle dijo que el hombre tiene un lado primitivo y animalesco a el, un lado que opera solo de instinto, y como un animal, solo desea comer, beber, dormir, cagar, pelear y chingar. El lado lógico del hombre es donde las decisiones racionales se hacen, y donde el lado mas débil es domado y disciplinado.

Entretenimiento

Piensa en las viejas caricaturas y Películas donde el protagonista tiene un diablo en su hombro tratando de convencerlo que haga algo que no se supone que haga. Eventualmente, el tipo tiene que tirarlo del hombro o ignorarlo hasta que se desaparezca.

Budismo

El Buda enseño que la única forma para llegar a la salvación y encontrar paz verdadera, era quitarnos las emociones negativas por medio de dejar atrás los deseos mundiales. Después de soltar esas actitudes, podemos ver claro y encontrar la felicidad.

El Koran

El Islam enseña que hay tres tipos de 'jihads', o luchas: la lucha política que ocurre entre grupos de gente, la lucha interpersonal que ocurre entre individuos, y la lucha interna cual es la lucha dentro de uno. Mahoma le hizo claro a sus seguidores que la lucha mas grande era la que ocurría dentro de uno.

La Biblia

Pereza. Ira. Gula. Codicio. Celo. Odio. Lujuria. Suena familiar? Son los Siete Pecados Mortales de la biblia. Por que son mortales? Estos son las cosas que pueden matarte...algunos te pueden matar de cantazo, mientras otras te destruirán lentamente. Algunos ni sabemos que nos estamos matando! Y una vez lo sabes, entonces que? Que haces con algo que te va a matar? Lo destruyes!

La Biblia nos cuenta de espíritus malvados infectando a los hombres, particularmente el cuento de Legión porque tiene tantos males en el. En la parábola, Jesús expulsa esos espíritus y los manda a un rebaño de cerdos que se tiran al océano a su muerte.

Cuando piensas en la palabra 'espíritus', puede decir muchas cosas. Puede referirse a actitudes emocionales (Estoy de buen espíritu hoy). También se puede referir a un alcohol fuerte. Y que le pasa a la gente cuando beben alcohol fuerte? Todas las emociones le salen.

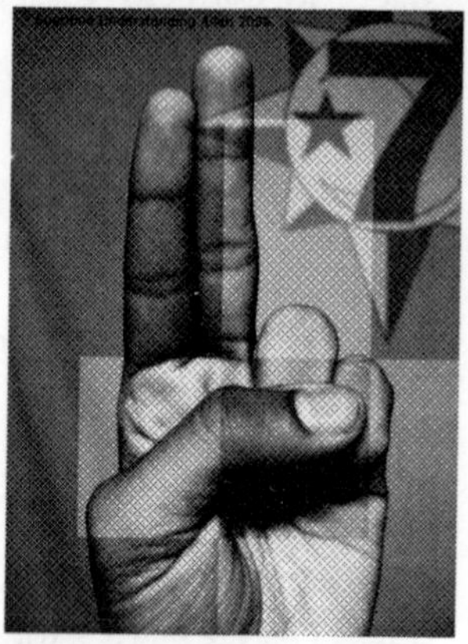

El Templo de Ciencia Moro

Las lecciones del Templo de Ciencia Moro del Noble Drew Ali, enseñan que el ser bajo del hombre, es lo que lo prohíbe de actuar como su ser verdadero, su ser alto, Dios.

La Nación de Dioses y Tierras

En las 120 lecciones de la Nación de Dioses y Tierras, hay una lección que habla de el asesinato de cuatro diablos. Lo que Allah le enseño a sus jóvenes 5% era que estos cuatro diablos no eran necesariamente personas, pero que simbolizaban vicios del hombre. Dioses y Tierras no enseñan que el diablo mismo esta en el hombre Negro, solo que las debilidades que producen un diablo están en nosotros. Permitidos a crecer y madurar al punto de permanencia, nos convertimos (mentalmente) como el diablo mismo.

Reviso

Algunos estamos adictos a una pastilla, un polvo, o una mata y no lo podemos admitir. Algunos estamos siguiendo el dinero como si pudiera comprar la felicidad (pero seguimos miserables). Algunos somos extremadamente inseguros o llenos de odio hacia otros (realmente a nosotros mismos). Algunos de veraz, de veraz, de veraz nos gusta el sexo...hasta el punto donde chingamos lo que sea que tenga un hoyo...si estamos lo suficientemente desesperado.

Y aveces, no podemos reconciliar con esas debilidades, así que las justificamos. Hablamos sobre nuestros malos hábitos como si estuvieran bien y no un problema...sabiendo en nuestros corazones que nos estamos matando. La mayoría glorificamos nuestras aventuras sexuales, ignorando las muchas malas experiencias que hemos tenido...o como el sexo nunca nos alegro por mas de unos minutos. La mayoría de nosotros lucharan con esos demonios por toda una vida, y algunos nunca ganaran.

El simple hecho de la vida es que todos tenemos debilidades. Todos tenemos vicios internos. Y los tuyos no son iguales a los de tu mejor amigo, así que es una guerra que tendrás que pelear por si mismo...puedes encontrar apoyo, pero jamas encontrara alguien que pelee esa pelea por ti.

Que podemos hacer? El primer paso es identificar tus debilidades. Nombrar a tus diablos, los vicios mas significativos que tienes (ahora). En serio.

Mis vicios/debilidades son: ______________________________

____

____

Estos son las cuestiones que siguen surgiendo una y otra vez en tu vida. Puede que no estés consciente de ellos. Esa es la naturaleza de una serpiente. Pero si permites que la serpiente viva, te seguirá mordiendo hasta que probablemente te mate, porque la dejaste.

Así que corta la grama bajita y la cabeza de la serpiente se vera. Preguntale a la gente que son tus vicios y preparate a escuchar cosas que no te agraden. Para algunos son cuestiones obvias como nuestras adicciones y dependencias. Pero aun esas tienen tandas, como hemos aprendido. Seguro que corres detrás del coño, pero porque? Que crea esa necesidad en ti, a un nivel mas grande que en otra gente? Aveces no puedes matar la víbora porque crees que le estas cortando la cabeza, pero solo le estas cortando el rabo.

Tienes que matarla y no dejar nada. Hasta el día que eso pase, tu debes vivir con el intento de matar a esa culebra/diablo cada vez que sube su cabeza fea. Tienes que ir mas allá de cuando Jesús dijo, "Vaya detrás de mi Satanás!" y tienes que matar a ese cabrón.

Formas de Matar Una Víbora	Formas de Matar un Vicio
Asfixiarla.	No deje que respire/desarrolle.
Sobrealimentar.	Complacerla hasta que sea demasiado y no quieras mas.
Envenenarla.	Permite que una mala experiencia te haga rechazarla.

Cortale la cabeza.	Trabaja fuerte para eliminarla.
Quema el terreno.	Empieza de nuevo.
Mata los bebes.	Elimina pensamientos y comportamientos relativos

La lucha mas grande es por dentro. Eliminar tus malos hábitos puede ser una de las cosas mas duro que hagas, pero sera una de las mas importantes.

TIENES UN PROBLEMA DE IRA?

Puedo nombrar una docena de vicios, malos hábitos y debilidades que mantienen al hombre Negro de su grandeza. Esta la irresponsabilidad, que viene de crecer realizando que tu vida estaba jodida aun antes de que tu llegastes aquí...asi que, que carajo hay que puedas hacer? Hay orgullo tonto, que viene de nuestro deseo de ser mas de lo que somos porque nos sentimos pequeños en este mundo agrio...solo para hacernos las cosas peores. Esta la envidia y los celos que resulta de una combinacion de ser criado por mujeres y nunca teniendo lo suficiente para sentirnos satisfechos con nuestras vidas. Esta el codicio, que llega a muchos de nosotros porque odiamos tener tan poco y constantemente nos dicen que tener mas nos hará feliz.

Pero hay una debilidad que nos destruira mas rápido que los demás. No es lujuria ni el ser perezoso. Tu sabes cual es: *Ira.*

Piénsalo...nos matamos sobre la ira. Perdemos trabajos por la ira. Terminamos sentenciados a vida en prisión después de la ira. Tenemos una jodida ira.

Porque? Mira alrededor, y es obvio. Todos somos bastante cheveres cuando somos niños (al menos que somos abusados desde temprano). Pero ya para el 3er o 4to grado, nos damos cuenta las realidades. Sabemos que los maestros nos mienten sobre de que útil es la mierda que nos enseñan...Sabemos que los adultos nos mienten cuando dicen que la escuela y trabajo fuerte es igual al éxito (cuando alrededor de nosotros lo que hay son adultos pelados)...Sabemos que el mundo nos miente con sus promesas de libertad, justicia e igualdad. El hombre Negro en América sabe que esta jodido desde una edad temprana.

Eso te hace cosas, aunque lo sepas o no. Por uno, te crea una actitud de "No me importa un carajo" (vea "A Quien Carajo le Importa"). Por otro, enoja a uno contra uno mismo, hacia el otro y hacia el mundo entero. Nunca realmente figuramos como desquitarnos con la gente que nos han puesto en este jodido predicamento en el primer lugar, así que le tiramos a los mas cercanos. Primero, torturamos a nuestras mamas por traernos a una vida tan jodida y dándonos tan poco para defendernos. Nueve de diez madres están completamente no preparadas para criar un nene Negro en un mundo con el propósito de destruirlo. Muchas no tienen idea de que se puede hacer para mantenernos libre de caer como otra victima. No es su culpa...simplemente no tienen la formula mágica.

Después que quemamos los puentes con la familia, terminamos guerreando con cualquiera que sentimos que nos hace algún daño. Pisa me el zapato o cruza mi camino sin pedir disculpas y se jodió la cosa. No estamos muriendo por 'Jordans', estamos muriendo porque estamos enojados con nuestras vidas y de que el mundo este constantemente cagándonos encima, y el tipo que piso los 'Jordans' solo fue lo ultimo que no pudimos aguantar.

No hay nada malo con tener ira contra una situación jodida. Eso es natural. Lo malo es desquitarse con gente que no tuvieron nada que ver con eso. Lo que esta mal es ignorar lo que estas haciendo para mantenerte jodido, mientras culpando a los demás. Lo que esta mal es dejar que tu vida se pierda porque tienes ira. En vez de botar tu vida en algo que los reporteros llamaran 'trivial' y los de la iglesia llamaran 'ignorante', aquí esta lo primero que necesitas hacer, seguido por otras sugerencias para ayudar bregar con la ira.

1. Figura porque tienes ira, y con quien. Deja los demás fuera del lío.
2. Cuando tengas ira, dile a la gente antes de que te empiecen a molestar y hagan las cosas peores.
3. Respira hondo y cuenta. Antes de hacer algo estúpido, respira y cuenta por 20 segundos. Evitaras mucho pleito así.
4. Si vas a destruir algo, asegurate que no le pertenece a otra persona. Tu ira no tiene que ver con ellos.
5. Si crees que violencia es tu única opción, mide la consecuencias. Podrás matar a alguien en la calle sin que nadie se enterré? No lo creo.
6. Escucha alguna música, escribe algo, o haz ejercicios. Convierte tu energía negativa a otra cosa. Si nada mas funciona, corre hasta que te canses.
7. Encuentra a alguien con que puedas hablar cuando estas con estrés o enojado. Mira lo que hacen para calmarte.
8. Cuando al fin realices de donde viene tu ira de toda la vida, discutelo con el como un hombre.

De todos los vicios, la ira destruye mas rápido.

Yo Fumo, Yo Bebo

Mi Perspectiva

Yo empece a tomar cuando tenia como 13 años, empezando con los viajes secretos al sótano donde encontré unas botellas viejas de Jack Daniels whisky. Los primeros tragos fueron tortura, pero me acostumbre mas con cada viaje nuevo que hacia. Cuando empece a tomar 'malt liquor' el año siguiente, tenia una tolerancia tan alta al alcohol que necesitaba una botella de 40 onzas completa para sentirla. El beber parecía remover el dolor...por lo menos por el momento. Cuando empece a fumar, la yerba hacia lo mismo. Así que pase la mayoría de mis años de adolescencia bebiendo y fumando. Aun cuando deje de fumar yerba, no pude soltar los cigarrillos.

Tuve muchas experiencias malas durante ese tiempo. Par de veces quede achocado. Hice algunas cosas que lamento. Respondí con violencia en momentos que estaba muy tomado para defenderme. Creo que también arruine unas amistades y relaciones. E hice mucha mierda estúpida que no tenia sentido. Yo siempre me río cuando la gente dice que la marihuana los ayuda a pensar, porque eso dice mucho del tipo de mente con la cual están trabajando. Como dice Project Pat en 'Purple':

> Tipos se montan y se embalan con etiquetas por fuera/La policía se dan cuenta, los paran, a la cera/Que brutos tienen pistolas y las bolsas afuera/Ventanas lleno de humo todos dormidos, ni que fuera...

Pero no iba a parar. Par de veces tosí sangre por tanto fumar. Aun después de eso seguí. Estaba trancado. Todavía estaba miserable, pero peor de todo, sentía que no podía funcionar sobrio. Me sentía ansioso y intranquilo cuando no me había fumado un cigarrillo. Yo – igual que todas mis amistades – tuve una dependencia química. Igual que los adictos que le servíamos.

Como con la religión, mota, tabaco y alcohol eran drogas que usábamos para aguantar con el dolor diario y el estrés de vivir en un estado de fracaso y opresión constante. Porque esperar hasta los 21 años para beber, o decir no a las drogas cuando la vida esta tan jodida y promete no cambiar? Porque evitar los cigarrillos cuando crees que es mas probable que mueras de un balazo que de cáncer? Como rapea Lil Wayne en "Monsta":

> Y uno bebe como el que era Fred Sanford/Y uno fuma como si no hubiera cáncer/Y se que este mundo es falso y frío/Mantengo la cabeza arriba como si mi nariz estuviera sangrando

Yo simplemente no podía ver por las nubes de humo y el empañar de la botella. No podía ver que mi forma de escapar el dolor realmente me causaba mas dolor. Veía a la mota y el licor como si fueran mi medicina, cuando solo me enfermaban mas. Yo no podía verlo, porque nunca estuve lo suficiente sobrio para pensar seriamente sobre mi vida y que hacia. Muchos días, odiaba lo que mis adicciones me estaban haciendo. Odiaba como me sentía, pero sentía que las necesitaba. No podía escaparme, aun cuando le decía a los demás que podía. De cierta forma, el licor y la mota se estaban apoderando de mi.

"Tratan de resolver problemas fumando mota/ Pero solo están embalados y los problemas se empelotan."
Project Pat, "Purple"

Ese era el problema verdadero. Estaba perdiendo el interés en la realidad. No quería ser parte de esa mierda ya. Hasta andaba intoxicado en la escuela. Es mas, no pase educación de manejar porque manejaba borracho en el simulador. Cuando llevaba licor a la escuela era atrevido. Llevaba ginebra en una lata de Sprite y esperaba que nadie se diera cuenta que el olor venia de mi. Era loco y estúpido, y era porque estaba perdiendo contacto con la realidad. Por supuesto, no había nadie para tratar de decirme algo diferente. Nadie se acerco a mi a decirme como en la canción de Wu-Tang "A Better Tomorrow" para decirme:

> No puedes...festejar toda la vida, beber toda la vida, fumar toda la vida, joder toda la vida, soñar toda la vida, estafar toda la vida....porque tus semillas saldrán iguales.

Cuando llegue al colegio en Atlanta, escuche los cuentos de los que fracasaban en las clases por estar festejando demasiado. Eso se me pego, porque casi ni salí de la secundaria. Para el tiempo que salí de Jersey, yo bebía solo, que es un signo seguro de que tienes un problema.

Después de unos años me sali de todos mis vicios. Pero empecé por dejar el licor fuerte y la mota. Fue difícil las primeras semanas, pero encontré otras cosas para hacer con mi tiempo libre. Sabia que estaba haciendo lo correcto cuando empecé a ver la vida con mas claridad que antes. Estaba enfocado. Todavía me daba estrés, pero encontré otras formas de aguantarlo. Fui de dependiente a independiente. Y cuando hice eso, empece a ver que la miseria que trataba de escapar no era solo mi problema. Empecé a ver que todos estamos sufriendo. Y determine que no iba correr del dolor, sino pelear de cara como un hombre.

Lo Sabias?

Aun un poco de alcohol dado a un escorpión, lo volverá loco y se picara hasta morir.

El fumar es una industria de billones de dolares, aunque se conoce que mata la mitad de sus consumidores. Es mas, los E.U. produce mas tabaco que trigo.

Lo que sea que el padre o la madre este fumando o bebiendo (antes y durante el embarazo) se convierte en parte del sistema de recién nacido.

De una forma, nunca me hice hombre hasta que deje que otras cosas tuvieran poder sobre mi, y agarre el poder yo mismo.

La Perspectiva de Frederick Douglass

De acuerdo a Frederick Douglass, sus experiencias en la esclavitud le enseño como a los Negros los mantienen en sus condiciones por métodos que todavía funcionan hoy. El recordaba que los esclavos recibían sus únicas vacaciones de Navidad hasta el Nuevo Año, y estos días se usaban en formas diferentes.

"El dinero que botan en whisky, correría un gobierno."
Malcolm X

Los "sobrios e industriosos" se mantenian ocupados durante sus días libres, encontrando formas de hacer dinero, buscando comida, o ayudándose en hacer herramientas o ropas. Grupos mas pequeños planeaban intentos de escapar o rebeliones. Pero la mayoría estaban muy lavados del cerebro para ver el tiempo libre como un tiempo de ser libre. Después de todo, explica Douglass, "Consideramos este tiempo como nuestros por la gracia del amo, y la usábamos o abusábamos de ella como quisiéramos."

Así que mientras algunos trabajaban para mejorar sus vidas durante el tiempo libre, y algunos pocos trabajaban para adquirir verdadera libertad, la mayoría de los esclavos se comportaban como...pues, esclavos. Douglass recordaba:

> La mayoría gastaban los días en deportes, jugando de pelota, luchando, boxeando, corriendo, bailando y bebiendo whisky, y ese ultimo modo era el mas que le gustaba al amo.
>
> Un esclavo que trabajara durante el tiempo libre era considerado por los amos, no merecedor de esos días...no estar borracho durante ese tiempo libre era vergonzoso.
>
> Eramos inducidos a beber, yo con los demás, y cuando se acababan los días, tambaleábamos de la suciedad y encenagarse, cogíamos un respiro hondo y nos fuimos a nuestros trabajos, sintiendo...feliz de salir de aquello que creíamos era la libertad, de nuevo a los brazos de la esclavitud...
>
> Era casi igual ser esclavo al amo que esclavo al whisky y el ron. Cuando el esclavo estaba borracho, el dueño no tenia temor de que planeara una insurrección, o que se escapara al norte. Era el esclavo sobrio y pensativo que era peligroso y necesitaba la vigilancia del amo para mantenerlo un esclavo.

Los débiles necesitan una droga para escapar por el momento, solo a volver a su miseria. Sintiéndose mas fuertes pero intoxicados, no pueden ver lo suficiente claro para pelear con lo que le esta causando la miseria.

Cual es tu droga preferida y como te esta ayudando?

En vez de destruirte, destruye lo que te esta destruyendo.

PORQUE LOS POBRES SE QUEDAN DÉBILES

"Todos creen que Dios esta a su lado. Los ricos y poderosos saben que el es."
Jean Anouilh

Cuando el escolar Comunista Karl Marx dijo, "La religión es el opio de las masas," quiso decir que la gente pobre de todo el mundo usan la religión para ayudarlos pasar la miseria de ser pobres y impotentes...como una droga (opio). La gente rica no pone mucha atención en le religión, porque no tienen esos tipos de problemas. Te hace pensar, quien crees que nos da la droga que nos impide alzarnos para cambiar nuestras condiciones miserables?

"Los descendientes de los que crucificaron a Cristo... han tomado la propiedad de las riquezas del mundo, una minoría han tomado la propiedad del oro del mundo, la plata, los minerales, agua, las buenas tierras, gasolina, bien, las riquezas, y han concentrado las riquezas en una pequeña cantidad de manos."
Hugo Chavez, discurso de la Navidad, 2005

Vamos hacer un reviso rapidísimo de la historia:

Históricamente, la gente en el poder han controlado la idea de Dios ademas de que es lo que Dios quiere. Han usado la religión como un método de control social. Inventan un sistema de creencia que les dice a los demás como se deben comportar...o sino...Así es que empieza.

Entonces, la gente común siguen ese pensamiento porque no les gusta pensar por si mismos. Algunos tienen miedo desafiar o cuestionar esas ideas. Después de todo, el sistema los amenaza por pensar con sus propias mentes!

La gente común buscan al Dios de sus gobernantes para la salvación. Figuran, si trabaja para ellos y son exitosos, pues yo debo seguirlo también.

La gente pobre que no pueden salir de la pobreza y desesperación necesitan algo que lesde esperanza. Si la realidad no tiene nada para ofrecer, la fantasía podrá.

Opios como heroína y morfina son narcóticos y sedativos. No solo reducen el dolor y sufrimiento, pero hacen sentir a uno como si fuera feliz y en ectasia. De la misma manera, religión le da a gente sufrida, sus únicos vistazos a la felicidad.

Las personas en el poder continúan a explotar las masas en el nombre de su religión, como los vendedores de drogas que no usan su producto, pero se enriquecen de las debilidades de los usuarios.

"La religión es excelente para mantener a la gente común calladas."
Napoleon Bonaparte

Dondequiera que la gente están oprimidos, usualmente creen que hay una mejor vida esperándolos cuando mueren. Así que el sufrimiento es recompensado, después que no pelees para atrás, lo cual usualmente no es promovido en la religión.

A veces, para subir el llamado emocional de una religión, una personalidad carismática es atado al sistema de creencias, no importa cuanto la religión ha sido pervertida de lo que esa persona intentaba. Estas figuras ofrecen una figura central, como un padre, que los escucha, apoya, y salva. Todo sin nunca estar ahí.

Como resultado de creencias así, la gente común se convierten crédulos, y están dispuestos a creer todo lo que les diga la clase gobernante.

Esto es muy bueno para la clase gobernante, quien usa esta ventaja para seguir oprimiendo y quitarles sus libertades con su aprobación.

En algún punto de este progreso hacia abajo de la sociedad, sale otro reformador de entre la gente común, trata de enseñarles su historia verdadera, proveerles un sistema real de valores, y animarlos a resumir la lucha por su libertad y auto-determinación.

Ese individuo usualmente lo matan, meten preso o es declarado loco por la clase gobernante que hubiese expuesto y derribado.

Después de un periodo extendido ha pasado, cuando las discusiones del individuo son seguras de nuevo, la clase gobernante lo hace un héroe...para todos. Su intento y agenda original se nublan y la clase gobernante cambia su mensaje para conformar a sus ideas.

Eventualmente una nueva religión es construida alrededor de este mártir. Y el ciclo continúa.

Empezamos de nuevo!

La idea total de un Dios en los cielos, cristiano o cualquiera, no ayuda a la gente salvarse de sus sufrimientos. No importa tu religión, contando con un Dios que trabaja misteriosamente no va a arreglar tus problemas.

Ahora, vamos a tratar a nuestra realidad de hoy día y pensar en lo siguiente:

La misma gente que nos dieron nuestra idea de Dios uso la religión como una forma de mantenernos pasivos y serviles mientras nos agarraban nuestros terrenos, derechos y hasta nuestra gente.

Los Europeos han usado la religión de esa misma manera dondequiera que han ido y se han apoderado. En todas partes del mundo donde los blancos han ido a poner colonias, luego apoderándose de las regiones completas, primero han mandado a misioneros para ganarse a la gente.

Dibuje aquí la foto del Jesús blanco que recuerdas de tu niñez.

"Mira la descripcion que dio Josephus el historiador:
"Bajito, oscuro, con una barba poca desarrollada" era Jesús.
Tenia los Romanos temiendo revolución.
Llevarlo a la corte y acusarlo falsamente fue su solución.
Después de ser asesinado por Pilate como va' ser,
De los mismos Romanos blancos el cristianismo llego a nacer."
Ras Kass, "Nature of the Threat"

En algunos instantes, no tenían intenciones de aparecer benéficos. Forzaron la conversión, aunque la idea de 'civilizar el salvaje' y 'limpiar el pagan' era la mentira que usaban para justificar su terror. Durante la esclavitud, les quitaron a los Negros su idioma, su cultura, y su conocimiento de Dios, a menudo infligiendo castigos brutales a aquellos que se rebelaban.

En vez nos dieron su Dios, que se parecía a ellos (y todavía sigue así), y nos hicieron creer que ellos eran mas cercano a Dios que nosotros (que mal estuvimos!). También nos dijeron que los esclavos que peleaban contra la esclavitud iban al infierno, mientras que esclavos que aguantaban sus azotes en la Tierra recibirían su recompensa al morir. No sabíamos que el infierno esta allí mismo en ese suelo Americano.

Después de mas de 400 años, todavía creemos en las mismas religiones de chuleta, con unos pocos cambios aquí y allí. Nuestra gentes están tan locos por sus religiones que están dispuestos a pelear y a morir por las mismas creencias que se usaron para esclavizarnos a todos.

La gente blanca casi ni cree en su propia religión, su Dios o sus principios éticos. En el nombre del cristianismo, han ordenado la esclavitud, han ido a la guerra y matado millones de inocentes, y han perseguido y torturado millones mas. Mientras tanto, la sesión de iglesia promedia en una iglesia blanca es como unos 45 minutos, y a los gringos no los ves esperando que Dios o Jesús los ayude. Ahora mira ver en tu comunidad!

Dicen que en cada bloque del barrio hay una casa de drogas y otra de esperanza...y que las dos venden lo mismo.

Mira a tu alrededor y dime si me equivoco. No solo puedes comprar drogas a 100 pies de cualquier iglesia en el barrio, te puedo garantizar que hay una tienda de licores en el próximo bloque...quizás hasta al lado.

"La gente van a la iglesia por la misma razón que va a la barra: para aturdir,
para olvidar su miseria, para imaginarse, por unos minutos aunque sea, libres y felices."
Mikhail Aleksandrovich Bakunin (1814 -1876)

Si, la iglesia hace algunas cosas buenas aquí y allí. Cada pastor no es un pillo ni mentiroso. Mucho de ellos tienen buenas intenciones. Pero es difícil encontrar una iglesia que no tiene su congregación dormidas y soñando...o debo decir "viciosos". Por supuesto, que no pueden despertar la gente si planifican mantener el edificio grande y los salarios de todos. Ni mencionar las limusinas y mansiones.

Así que, cual es tu droga favorita?

La religión es una droga para el pobre y débil. Los poderosos la usan para mantener las cosas como están. Debemos ser mas realistas en encontrar soluciones a los problemas.

No Hay Mejor Precio Que Gratis

Se dice que la gente Negra no pueden rehusar nada que sea gratis. Yo creo que hay gente blanca que saben esto. Estoy seguro que hubieron unos blancos en los barcos de esclavos gritando: "Pulseras gratis! Pulseras y cadenas gratis!"

Eso es un chiste. Bueno, no por completo (vea "Codicio y Ignorancia"). El punto es: nada que valga la pena tener llega de gratis. Todo viene con un precio. Sexo? Ya sabes que esos precios suben a diario. Aun si no esta cobrando, vas a gastar tiempo, atención y te costara unos pelos grises antes de llegar.

Dicen que algún día cobraran hasta por el aire. Espero que los gordos que respiran fuertes tengan que pagar mas que este culo flaco.

Si lo piensas bien, el aire no es gratis. Tus pulmones tienen que trabajar a obtenerlo. No te llega sin ningún esfuerzo de tu parte. Y así es con todo. O hay un costo o alguna cogida.

Si algo parece un trato decente, tendrás que poner de tu parte. Las detalles siguientes te enseñaran a sacarle lo mas de la vida cuando tienes lo menos en tu bolsillo. Pero si eres vago, o pones las cosas para luego o nunca, ni te molestes en leer esta parte.

Comida Gratis

Hay mejores formas que comer del basurero. Por supuesto que hay estafas como comiendo en un restaurante y saliendo antes de que llegue el cheque. O metiendo un pelo o mosca en tu comida para que te la den de gratis. Pero también hay comida gratis después de reuniones en hoteles. Muchos sitios como Dunkin Donuts te dan lo que no se vendió durante el día, si eres buena gente con los que trabajan allí. En todo caso, puedes ir a un mall y agarrar todo los ejemplos gratis que te den.

Educación Gratis

Puedes empezar en la biblioteca y construir tu mundo de allí. No estoy exagerando. Yo conozco gente que no tenían hogar que se pasaban en la biblioteca todo el día. La próxima vez que los vi, habían empezado un negocio con sus conocimientos. No es imposible. También hay programas, organizaciones, y colegios comunitarios que no te cobraran por atender. Kantis Williams, autor de Playing Your A Game, habla sobre como el pudo conseguir 3 grados colegiales sin gastar un centavo. Si trabajas fuerte, puedes ir aun a Harvard de gratis. Puedes atender eventos culturales en tu ciudad, cuales usualmente son una buena fuente de conocimientos utiles.

Vivienda Gratis

Conozco par de personas que se han quedado en casas y edificios vacantes por meses a la vez. Usualmente no es muy seguro, pero tampoco es quedarte en la calle. Algunos edificios vacantes todavía tienen luz y agua, así que puedes estar bien por un tiempo. También puedes pasar una o dos noches en el aeropuerto. En todo caso, te puedes juntar con una gorda con su propio sitio, por lo menos estarás calentito.

Dinero Gratis

Hay becas, cesiones, estipendios y prestamos disponible para todo tipo de cosas. Matthew Lesko hasta tiene una serie de libros 'Free Money'. Si no eres lo suficiente bendecido para figurar como recibir ese tipo de dinero, hay otras formas ademas de la tracala y el crimen. Como cuenta mi hermano Justice de su experiencia en la secundaria:

> Yo aprendí que era mas fácil pedirles a cuatro personas una peseta – y recibirla – que pedir un peso de una persona. Una peseta no es nada. Pero se acumula. Así que todos los días, lograba mi peso y me iba detrás de la escuela a jugar durante el almuerzo. Muchas veces llegaba a la escuela con nada y terminaba con $20. No arriesgaba nada porque no era ni mi dinero. Y cuando ganaba podía pagarles a todos lo cual los hacia sentirse bien de prestarme.

Entretenimiento Gratis

No estoy hablando de colarte en conciertos y teatros de Películas, aunque creo que todos hemos hecho algo así. Hay docenas de eventos gratis pasando en tu ciudad cada semana. Y lo mas seguro lograras expandir tus horizontes por estar allí. Si te gusta el rap, ve a un evento de palabra hablada en vez de un concierto. Si te gusta mirar a mujeres, ve a un espectáculo de diseño en vez de al club de strip. En todo caso puedes ir al parque y atender la reunión familiar de extraños.

Misceláneo Gratis

Te puedo contar como conseguir gasolina, electrónicos, ropa, sesiones de estudio, comida, mascotas y condones, todos gratis, pero si te lo tengo que decir, es probablemente porque no tienes un carajo. Si quieres algo, tienes que poner algún esfuerzo. Levantate de ese culo y ve búscalo. Si no sabes donde buscarlo, aprende a hacer las preguntas que te llevaran a como y donde conseguirlo.

Nada que vale la pena tener es gratis. Pero si pones suficiente pensamiento, tiempo, y trabajo puedes ahorrarte el gastar dinero.

GUERRA GUERRILLERA

La Guerra de Vietnam es una de los pocos conflictos militares en la cual los E.U., con su militar superior, perdió. La guerra empezó con las fuerzas revolucionarias Comunistas de Vietnam del Norte atentaron apoderarse de Vietnam del Sur que era apoyado por los E.U.. Este conflicto, durando desde 1959 hasta el 30 de Abril, 1975, concluyo con la victoria de el militar de Vietnam del Norte después de 15 años. Como es que un ejército de soldados pobres de la jungla, mayormente gente común y adolescentes, le gano a la militar Estadounidense?

Hubieron unos cuantos factores envueltos: estrategia, envolvimiento, armaduras e inteligencia. El hilo común de todo esto era el ser inventivo. Los Vietnamitas no eran ricos, ni muy entrenados. No tenían misiles ni cohetes, y algunos no tenían ni pistolas. Pero por ser inventivos, pudieron superar las posibilidades.

Estrategia

Para empezar, la guerra fue declarada en cada fronte: diplomática, ideológica, económica y militar. La base estratégica para revolución se conocía como Dau Tranh. Dau Tranh estaba dividida en esferas políticas y militares:

Dau Tranh Política

Dan Van: Acción entre tu gente: Este elemento envolvía los Viet Cong motivando y educando sus soldados viejos para la pelea, ademas de la gente común, cual se necesitaba su participación y apoyo.

Binh Van: Acción entre el militar enemigo: Este elemento envolvía los Viet Cong trabajando para desanimar las tropas del enemigo y bajar su moral y deseos de pelear. Ellos pudieron lograr que muchos soldados enemigos se fueran de sus ejércitos, algunos que hasta se juntaron con ellos.

Dich Van: acción entre la gente del enemigo: Este elemento envolvía el esfuerzo de regar disgusto, derrotismo, disidencia, y deslealtad en la población del enemigo. Parte de esto envolvía trayendo los reporteros para enseñar a los medios las atrocidades de la Guerra Vietnam. Cuando los Americanos de aquí vieron la violencia, millones pararon de apoyar la guerra y empezaron a protestar.

Dau Tranh Militar

Estas fases podían coexistir y solapar.

Preparación (fase de organización y propaganda)

Guerra guerrillera (grupos pequeños con pequeñas armas haciendo cosas grandes con poco dinero)

Ofensiva general (guerra convencional envolviendo tanques, etc.)

Como parte de la fase ultima, había énfasis puesto en Khoi Nghia o "levantamiento general" de las masas, juntándose con las fuerzas de liberación. Este levantamiento de las masas barrería los imperialistas y sus marionetas quien ya estuviesen debilitado por las guerras guerrilleras y móvil.

Los Viet Cong emplearon guerra terrenal extensa. En guerras previas, el militar de E.U. marchaba y atacaba en grandes formaciones. En Vietnam, soldados se enfrentaron con una nueva forma de pelear. El Viet Cong atacaba al enemigo en batallas pequeñas, mucho de ellos ataques de sorpresa en las junglas. Esto se conocía como guerra guerrillera (guerrilla siendo "pequeña guerra" en Español). En guerra guerrillera, los Vietnamitas conocían su terreno mejor que los soldados extranjeros, y usaban esos conocimientos para su ventaja.

Los Viet Cong también pelearon muchas batallas 'abrazando' al enemigo, o peleando tan cerca al enemigo que los aviones Americanos evitaban tirar bombas por miedo a matar de los de ellos.

Aun de retirada, los Viet Cong emplearon muchas estrategias efectivas:

Fragmentando (rompiéndose en grupos pequeños)

Dispersando (saliendo cuando descubierto, aveces tirando paquetes para demorar las fuerzas enemigas que paran a inspeccionarlos)

Escondiendo (en túneles subterráneos y bases y campamentos escondidos en la jungla)

Engañando (usando ataques señuelos para dirigir la atención de fuerzas enemigas en dirección equivocada)

Demorando (unidades traseras virando hacia los enemigos para pelear mientras los otros escapan)

Los Viet Cong también crearon unos sistemas de túneles extremadamente complejos e intricas por regiones vastas de Vietnam del Sur. El sistema de túneles fue construido durante 25 años, empezando en los anos 1940s. Los túneles permitieron que el Viet Cong controlara invisiblemente un gran área rural. Los túneles eran ciudades subterráneas con cocinas, almacenes, fabricas de armas, hospitales y centros de mando. Aveces eran de muchos pisos y podían tener hasta 10,000 personas. Esta gente vivían bajo tierra por años. Tenían bodas, daban a luz, y iban a la escuela. Esencialmente, solo salían de noche a cuidar de sus cultivos.

Para las tropas, los túneles eran bases de pelear, capaz de proveer apoyo continuo. Las bases estaban bien escondidas de los aviones Americanos. La planificación y construcción de estas túneles tomo una cantidad increíble de esfuerzo y pensamiento. La gente cavaron en el barro duro con herramientas de mano. Cada campesino de la región tenia que cavar tres pies de túnel al día. Había hasta un folleto que especificaba como los túneles se iban a construir. Instalaron ventiladores para poder escuchar cuando venían los helicópteros. Ventiladores pequeños se usaban para aire. Por supuesto, habían muchas trampas y puertas escondidas.

Envolvimiento

Guerra guerrillera exitosa requiere el envolvimiento de todos segmentos de la población. En adición a las tropas de soldados entrenados formalmente, el Viet Cong también entrenaba unidades guerrilleras locales. Las unidades guerrilleras eran responsables para ataques de sorpresa, emboscadas, y guerra en las junglas. Gente adinerada y dueños de negocios proveían provisiones y dinero, aveces secretamente.

Agricultores y campesinos también estaban envueltos y contribuían como pudieran, suministrando comida, víveres o inteligencia. Aun mujeres locales, muchas de ellas prostitutas se ofrecían a hombres de las tropas del enemigo para que no violaran a las mujeres inocentes y niñas de los pueblos.

Al principio, guerrilleros locales solo recibían un entrenamiento militar básico y mínimo, pero mientras progresaban recibían entrenamiento avanzado. Habían docenas de centros escondidos – muchos debajo tierra – por todo Vietnam del Sur para entrenamiento de liderazgo, armas, y comunicaciones. Para asegurar que los guerrilleros entendían porque peleaban, cada entrenamiento incluía instrucción política. En adición a estos entrenamientos, otras estrategias se usaban para desarrollar a todos que estaban envueltos:

Células de Tres Hombres: Todos los soldados estaban agrupados en células de tres. Esto permitía apoyo mutuo y asistencia entre soldados, y también monitoria. En crear fuertemente alineados grupos de tres, los Viet Cong desanimaba que soldados traicionaran sus unidades.

Criticas y Auto-criticas: Ellos tenían sesiones diariamente para mejorar la disciplina, control y cohesión. Individuos tenían que confesar sus propias fallas o errores, ademas de pensamientos débiles o incorrectos. Lideres se criticaban a los soldados individualmente, y eran criticados por sus camaradas. Un soldado tenia que admitir sus fallos y debilidades para poder crecer.

Armamentos

Para los medio-60s, la mayoría de las tropas principales del Viet Cong tenían rifles AK-47 de los Chinos. Como morteros eran mas barato que pistolas grandes, eran usadas extensivamente. Los Viet Cong también usaban diferentes ametralladoras ligeras y medianas de origen Chinas y Rusas. Ocasionalmente usaban ametralladoras pesadas. Como las pistolas pesadas eran raras, los Viet Cong aprendieron como inutilizar un helicóptero Americano con rifles disparando a los rotores.

Fuerzas locales diseñaban armas primitivas que eran extremadamente peligrosas, como las trampas 'punji'. Una trampa 'punji' eran pequeños hoyos, el piso del hoyo se cubría con estacas 'punji' que fácilmente traspasaban la suela de una bota de cuero. Esas estacas las cubrían con mierda de animal para causar infección y envenenamiento de la sangre.

Muchas armas, incluyendo trampas y minas, estaban hechas en los pueblos. Los materiales variaban desde hojalatas a alambre descartadas, pero la ingrediente mas importante era proveído por el enemigo, en la forma de bombas fallidas esparcidos por el campo Vietnamita. Despúes de los ataques del aire, voluntarios locales recuperaban las bombas fallidas y creaban nuevas armas.

Los inventivos Viet Cong también creaban trampas explosivas de cocos relleno de pólvora, bolas de fango, granadas en latas y bicicletas viejas.

Inteligencia

Los Viet Cong también usaban maneras inventivas para acumular inteligencia sobre el enemigo. Algunos ejemplos son:

un reparador de bicicletas en el camino que reportaba sobre el transito militar

un agricultor contando el numero y tipos de aviones que aterrizaban cerca de su finca

una campesina afuera de su caseta reportando del tamaño y composición de tropas enemigas por señales cuando se acercaban

Como el Viet Cong envolvía a todos en la comunidad? Por que no rechazaban a nadie inútil? Por que no usaban solo otros pobres?

Como usaron lo poco que tenían, y hacer lo mejor con ello? Como podemos hacer lo mismo en nuestra vida diaria y nuestras bregas para éxito?

Que estrategias usaron los Viet Cong que otros ejércitos, como los de E.U., no uso? Como los ayudo?

Los mas exitosos son los mas inventivos. Tu sobrevivir depende de que bien usas lo que tienes para hacer lo que debes.

IDEAS DETERMINADAS

De acuerdo al Honorable Elijah Muhammad, la raza blanca fue producida como resultado de un sistema de cría selectivo hecho por gente Negra. La gente Negra, el enseño, estaban bajo el mando de un científico negro llamado Yacub.

El cuento de Yacub empieza mas de 6,000 años atrás cerca de la ciudad sagrada de Mecca. Yacub nació en una sociedad donde 30% de la gente estaban insatisfechos con el liderazgo de Mecca. Aun entre esta gente, quien eran Negros, habían disputas internas, conflictos y tensiones.

Al llegar a adulto, Yacub agarro la oportunidad para reunir los segmentos insatisfechos de la sociedad para que lo siguieran. El enseño que el traería una nueva sociedad, hasta un nuevo mundo. El hablo contra el rey, y prometió cambios. Miles de personas se juntaron con el. El rey le dijo que no podía continuar ese tipo de enseñanza en o cerca de Mecca, pero que el le permitiría a Yacub tener el control de una pequeña isla en el mar Aegean.

Yacub se llevo casi 60,000 seguidores y empezó a preparar su nueva sociedad de acuerdo a las reglas mas estrictas. Yacub regimentó un sistema de control de natalidad y eugenesia que era para producir un tipo nuevo de gente, una gente nunca antes visto. En su isla, Yacub solo permitía uniones entre gente que exámenes de sangre indicaban que tendrían niños mas claro. Otros era rechazados y se les decía que sus exámenes de sangre indicaban que no eran compatibles.

El mandato que las parejas casadas produjeran niños en generación rápida, pero se quedaban con solo los niños mas claros. Todos los niños mas oscuros eran matados o dejados a morir en el bosque. A las madres de los bebes abortado se les decía que ellos se fueron a un paraíso en el cielo y que allí las esperaban.

Yacub no construía prisiones para su gente. Si alguno de sus seguidores desobedecían, o revelaba el secreto de lo que pasaba, la penalidad era muerte. Naturalmente, todos complacían por miedo de las consecuencias.

Entonces un día, Yacub mismo murió. Pero sus seguidores estaban tan bien entrenados e indoctrinados tan dentro de las enseñanzas de Yacub, que continuaron sin su dirección. Después de seguir este proceso de cría selectiva por 48 generaciones, mas de 600 años. Los seguidores de Yacub finalmente produjeron una generación de gente con piel blanca y ojos azules, que son rasgos recesivos.

De acuerdo a Elijah Muhammad, el plan de Yacub ha continuado por 6,000 años. Es mas, mirando a la historia, puedes ver que la gente blanca han usado los mismos métodos y técnicas dondequiera que van.

Y tu? Cuan lejos hacia el futuro puedes planificar?

Estas donde planeabas estar hace cinco años? Tenias un plan hace cinco años? Tienes uno ahora? Que tan detallado es?

Cuantos factores has tomado en consideración? Es un sueño o fantasía? O es realista, permitiendo para las posibilidades que cosas pueden y van a ocurrir – ir mal (pasa a menudo)?

Como dicen, la gente no planea a fallar – fallan a planear. Si no lo haz hecho, haz un plan de cinco años. Lo escribes. Chequea lo regularmente para ver como te va. Si tu plan es suficientemente fuerte, ni necesitaras chequear después de un tiempo...solo ira fluyendo.

Un plan fuerte puede continuar sin el que hizo los planes.

Con Quien Estas?

Hay tres tipos principales de relaciones, entre cosas vivientes en la naturaleza. Son comensal, simbiosis o parasitario. Manteniendo en mente que los seres humanos son seres vivientes operando entre las leyes de la naturaleza, hace sentido que esas mismas relaciones ocurra entre nosotros.

Relaciones Comensal (beneficio/nada):

Un ejemplo de esta relación en la naturaleza es el pequeño cangrejo que vive dentro de la almeja. El cangrejo recibe cobijo y comida, mientras la almeja meramente tolera su presencia.

Otro ejemplos es la pequeña novia que vive en tu casa, pero no paga ninguna cuenta. Ella recibe cobijo y comida, mientras que tu toleras su presencia.

Relación de Simbiosis (beneficio/beneficio)

La anemona de mar, donde vivía la familia de Nemo, demuestra un ejemplo de esta relación. En cambio a los beneficios que recibe un anemona de las actividades de limpieza del pez payaso y los camarones limpiadores, ellos reciben un hogar para ellos en vez de un espigón de sus tentáculos.

Parásitos de piel puede ser terrible para los peces. En rizos de coral, peces grandes van a unas 'estaciones de limpieza' conocidas, allí se abren las aletas y sus bocas donde unos residentes peces 'wrasse' se come sus parásitos y piel muerta. Así que recibe una buena comida en cambio a limpiar el pez grande.

Yo odio lavar platos. Yo se que cuando yo cocino, si invito a mi hermano True Master a comer, el lava los platos. El come bien y yo tengo platos limpios.

Relaciones Parasitario (beneficio/daño)

Ejemplo, el crustáceo Sacculina riega unas tiras que son como un hongo, por todo el cuerpo del cangrejo que es su hospedero, para extractar nutrientes, debilitando o eventualmente matando el cangrejo.

Mi socio Marcus estaba en una relación con una chica muy necesitada que se llamaba Deborah. Deborah se sentaba en casa todo el día comiendo papitas y helado, mirando tv. Cuando Marcus llegaba de trabajar, ella no le cocinaba mierda, ni le sobaba la espalda – se quejaba. Estaba deprimida y miserable, y no pudo evitar hacerlo miserable también. Eventualmente, la energía negativa de ella lo bajo también y el también estaba deprimido y miserable. Nunca la hecho de allí, porque estaba trancado. Debió ser el coño. Como sea, creo que esta muerto ahora.

Mira a tus relaciones, sea con familia, amigos, novias, socios, etc. Cual relaciones son de simbiosis? Bueno. Cuales son comensal? Dependiendo quien se beneficia, puede ser bueno. Ahora...cuales son parasitario? Por que sigues en esas relaciones?

Si tus relaciones no son saludables, busca nueva relaciones.

Patinador Negro

Stevie Williams creció en un vecindario áspero en Filadelfia. Mientras la mayoría de sus pares se metían al hip hop y baloncesto, el joven Stevie se intereso en el patinaje. Recibió su primer patinete a los 11 años y al tiempo no se veía por ahí sin ella. Pero un patinador negro no era algo muy común en el vecindario donde el crecía. Así que mientras su gente lo molestaban por 'tratar de ser blanco', el y sus amigos los molestaban en el parque de patinaje como los 'nenes sucios del barrio' ("dirty ghetto kids"). Sin embargo, eso no lo paro.

A los 15 años, Stevie Williams metió todas sus fichas. Se fue de su casa para San Francisco donde otros patinadores lo estaban siendo en grande. Su meta era usar sus habilidades impresionantes para conseguir patrocinio y reconocimiento como un patinador profesional. En vez, se encontró sin hogar y durmiendo en las calles. Aunque a veces no tenia de que comer, el continuo patinando diariamente, y gano una reputación fuerte en la comunidad de patinaje.

Hoy día, el es un patinador profesional, con bastantes patrocinadores pagando por su talento. El mas grande de estos es Reebok, que entro en una asociación multi-millonaria con su compañía para producir ropa y calzado. El nombre de la compañía, Dirty Ghetto Kids.

"Nos decían así," Williams le dijo a los medios. "Así que pensé: 'Esta bien, vamos a enseñarles lo que estos nenes sucios del barrio pueden hacer.' Y ahora esa misma gente que se reían y me decían así, ven el nombre porque es tan grande que no se lo pueden perder."

Williams, el primer patinador profesional que auspicia Reebok, se fue contra el grano para seguir su sueño:

> Yo quería ser mi propio hombre...Así que, lo hice...He puesto mi vida en juego para esto. Me tire al fuego y estaba caliente. Aveces cuando voy manejando por las calles de San Francisco, pienso: 'Yo dormía en ese banco.'"

Que tiene que ver un patinador Negro contigo? Todo. La historia de Stevie no es solo uno de éxito por seguir un camino diferente. Si que enaltece su éxito, pero para entenderlo completamente, tienes que pensar en los demás en su cuento. Específicamente, que paso con los que se reían de el? Que hicieron con sus vidas los que lo desanimaban? Si has vivido en un barrio, debes saber la contestación a esa, el barrio no tiene buena tasa de éxito.

El cuento de Stevie nos recuerda que a menudo debemos aventurar y irnos contra el grano, y así encontrar nuestro llamado y tener éxito. En algunos momentos, tenemos que ser el único en la muchedumbre en hacer lo correcto o decir lo que necesita decirse. En otros momentos, simplemente tendrás que pelear solo porque todos nos han abandonado o se han vuelto en contra. En un ambiente inhumano, debes ser tu propio hombre, te lo debes.

"No te separes de la comunidad.
En un sitio donde nadie se comporta como ser humano, tienes que esforzarse al ser humano."
Rabbi Hillel

Es difícil. Muchos de nosotros no podemos cumplir con algo que suena tan simple. La fuerza de la manada es como la corriente de la marrea, y nos perdemos en ella y nos traga vivo. Sin saber lo que es ser su propio hombre, o nos aventuramos y nos olvidamos de las raíces, o nos paramos ahí y nos olvidamos de nosotros mismos.

Como rapio T.I. en 'Prayin for Help':

> Tantos salen del barrio/ en vez de devolver algo hacen por ellos mismos/tantos jugandose en vez de leer y estar educándose

Es desafortunado, pero es verdad que la gente no puede hacer lo que es lo correcto. En un grupo de 100, solo 5 pueden ser sus propios hombres. Espero que eres uno de los 5.

Que sueños has botado por las opiniones de otros?

Cuantas veces has dejado que otros te convenzan que no persigas algo que te interesaba?

Te preocupas lo que piensen otros, antes de pensar en lo que tu quieres por ti mismo?

Se tu propio hombre. Permitiendo que otros decidan el camino de tu vida, es camino seguro al fracaso.

Exiliados

"Los efectos de la humanidad mas valiosos han sido los no conformistas. Si no fuera por ellos, aquel que rehúsa estar satisfecho con la continuación de las cosas como son, y insiste atentar encontrar nuevas maneras de mejorar las cosas, el mundo tuviera poco progreso, de seguro."
Josiah William Gitt

Los Negros Intocables de India

Mas de 3,000 años atrás, India era una civilización Negra. Es mas, los historiadores Griegos llamaban a India 'Etiopía oriental', porque la gente se parecian a los de Etiopía en África. Los Negros de India crearon una civilización asombrosa, completa con caminos pavimentados, inodoros y un alcantarillado.

También vivieron en paz...eso es, hasta 1500 BC, cuando invasores blancos llamados Aryans entraron y se apoderaron a la fuerza. Ellos destruían los pueblos, mataban los guerreros , y violaban a mujeres y niños. Una vez tenían control, pusieron una nueva sociedad y una nueva religión...los dos por sus reglas.

Crearon un sistema de clase basado en el color de la piel. De acuerdo a ese sistema, conocido como el sistema varna (color), los Aryanos blancos se pusieron en la cima como 'Brahmins' (los sacerdotes), y pusieron los demás debajo de ellos. Aquellos nacidos de las violaciones eran mas altos que los mas oscuros, que estaban al fondo como 'Sudras' (los esclavos).

Pero había otro grupo de gente en la sociedad India. Esa gente ni se incluían en el sistema. Eran los que rehusaban el sistema nuevo, y seguían peleando contra los Aryans. O se iban a las junglas a vivir libres como hacían los Maroons durante la esclavitud Americana. Esta gente las dejaban fuera del sistema y tratados como exiliados. Eran asesinados, golpeados, violados, y robados, no solo por los Brahmins, sino por las otras clases también.

"Nadie te puede sentir inferior sin tu consentimiento."
Anna Eleanor Roosevelt (1884-1962)

Ese sistema es el que esta en practica en India hoy día. Los exiliados del sistema están allí también. Esta gente Negra han experimentado mas racismo que ninguno de nosotros. Han decidido mantener la unidad y seguir peleando. En India, los llaman Intocables, porque se consideraban muy impuros para tocar o estar alrededor. Pero ellos se llaman Dalits, sin romper, porque sus espíritus siguen sin romper. Los Dalit son considerados la comunidad mas grande de gente Negra en el mundo fuera de África. Hasta hoy día continúan siendo tratados tan mal como a los Negros en los E.U. en los 1950s. Si otro Indio matara un Dalit, lo mas seguro no seria juzgado por el crimen. Así de malo es para ellos. Pero los Dalit rehúsan meterse a un sistema corrupto que no esta diseñado para ellos. Como los Maroons, rehúsan ser parte de una mierda.

Estarías dispuesto a sufrir y sacrificar, para mantener tus valores y lo que sabes es lo correcto?

Te juntarías como los Dalits o los Maroons o prefieres meterte donde cabes?

Jim Jones y el Culto Suicidio

El Jim Jones original empezó como un predicador en Indiana en los años 50s. El creo un seguimiento manipulando a seguidores que creyeran todo lo que les decía. Decía quel era una encarnación de Jesús,

Lo Sabias?

Poco despúes de la llegada en Boriken (Puerto Rico), los españoles esclavizaron a la gente indígena de Taino (como su carta de España los animó a hacer). Los nativos que no permitirían que los españoles los esclavizaran los llevaron a la lucha. Cuando llegaron los españoles a Boriken la primera vez era lleno de oro, tanto que Ponce de Leon ' regalo' los jefes indios a los conquistadores para trabajar como esclavos en sus campos y minas de oro. Era prácticamente imposible guardar voz pasiva bajo tales condiciones terribles y los nativos se pararon a defenderse. Los caciques de Taíno bajo dirección de Agüeybaná II (sobrino del primer Agüeybaná y conocido como "El Bravo ") llevaron una ofensiva contra las ciudades españolas situadas en el lado occidental de Puerto Rico. La batalla de Villa de Sotomayor era la primera y unico éxito que los Taíno tenía, matando casi cada español que vivia allí y destruyendo el pueblo. Pero incluso con su resistencia fuerte a las armas del español, también cayeron víctima a la viruela , una enfermedad que los nativos no podrían oponerse fácilmente. La población Taino se cayó perceptiblemente, debido a la enfermedad, a la guerra, al avasallamiento, al suicidio , y al éxodo a otros lugares. Con todo eso los Taino sigieron luchando. En un punto, 16 jefes fueron capturados, engañados por compañero Taino, y fueron entregados a Hispaniola (ahora República Dominicana y Haití), por acusación de conspiración. Los rebeldes restantes retiraron al centro montañoso de la isla o a las pocas Antillas en donde se aliaron con sus enemigos anteriores los Caribe Sin embargo, Los Taino no fueron destruidos. Hoy, por lo menos los 61% de todos los puertorriqueños llevan la ADN de Taino. Oh, y todavía hay una ciertos Tainos de sangre pura en las montañas. Lo mismo con los Maya, y cada uno que intentaron destruir, físicamente, cultural, o psicologicamente.

Akhenaton, Buda, Lenin, y el Padre Divino y ejecutaba sanaciones milagrosas falsas para atraer nuevos miembros. Miles de negros y blancos se juntaron a la iglesia integrada del predicador blanco, El Templo de la Gente. Le llamaban a Jones 'Padre' y creían que su movimiento – y Jim Jones mismo – representaba la solución a los problemas de la sociedad.

En 1977, Jones y casi 1,000 miembros del Templo se mudaron a las junglas de África cuando el IRS empezó a investigar la iglesia por evasión de impuestos. Una vez Jones y los otros se mudaron a 'Jonestown', ex miembros empezaron a salir a la luz. Hasta entonces vivían con el temor de irse del culto. Jones les había hecho que se deshicieran de sus cosas y cortara contacto con sus amigos y familiares, dejándolos sin nada a que volver si se iban.

Pero algunos ya no podían y se escaparon y contaron de las golpeadas que habían recibidos o atestiguado, ademas de un plan de suicida en masa. Como la mayoría de los seguidores de Jones eran pobre y negros nadie les creía.

En Noviembre 18, 1978, eso fue lo que paso.

913 de los que vivían en Jonestown (incluyendo a 276 niños) murieron en un suicidio en masa, ordenado por el líder del culto, Jim Jones. Algunos seguidores obedecieron las instrucciones y se tomaron el Flavor Aid de uva, encajado con cianuro. Otros fueron inyectados con el cianuro o disparados a la muerte. Jones mismo lo encontraron en una silla con un tiro en la cabeza. Solo habia unos pocos sobrevivientes para contar lo que paso.

Que hubieses hecho tu? Te hubieses ido o estuvieras muy preocupado por lo que te pasaría?

Por que es tan fácil ser seguidor y tan raro que pensemos por nosotros mismo?

Ser dejado afuera de algo, no es siempre algo malo.

Busca Bullas

Había una isla donde un grupo de gente estaban creando un caos. El rey de la isla junto a todos y les dijo, "Cual es su problema? Por que no quieren seguir las reglas que están puestas?"

Ellos le respondieron, "Queremos hacer lo nuestro."

El rey dijo entonces, "Pueden hacer lo de ustedes, solo que no lo pueden hacer aquí. Así que te proveeré con lo que necesites y pueden hacer lo que quieran en aquella isla allí."

Así que se fueron en sus barcos con sus provisiones. A mitad de camino un hombres saco una lezna del bolsillo y empezó a cavar en el piso del barco. Los otros lo miraron por un momento y después no le hicieron caso...hasta que el barco empezó a coger agua. Todos les gritaron al hombre, "Vas a hundir el barco, que demonios haces?" El hombre miro hacia ellos y dijo, "Estoy haciendo lo mio."

Sin decir que lo tiraron de barco!

No puedes siempre hacer lo que te place.
Ni deberías dejar que otros hagan lo que les place en tu compañía.

No Te Quieren

"Es todo de un hombre real, yo lo mantengo real/ Y no me voy a vender por Girbaud o ningún irreal."
Scarface, "Smartz"

El diseñador una vez popular Francois Girbaud, hizo un pequeño regreso en los últimos años, pero fue con la gente equivocada.

Los Negros.

"En algún lugar, la compañía estaba corriendo demasiado en una dirección, demasiado a lo de hip hop," Sr. Girbaud, 62, le dijo al radio Transom. El tenia puesto una camisa de collar negro sobre unos mahones negros caídos, que estaban adornado con una cadena de plata que chocaba con sus rodillas mientras andaba y hablaba.

Girbaud se quejo:

> Estar solo conectado con el mundo hip hop es otra marca; hay gente como Russell Simmons o Damon Dash o Puff Daddy o de esos. Yo no soy gente de rap. Seguro, introducimos el mahon caído, introducimos el 'stonewashed' y todo eso en los añis 60s y 70s, y nunca me enfoco solo a lo étnico. Es estúpido.

Pero Girbaud no paro allí; el dice que el camina "por los proyectos hoy" y todo lo que ve son "los mismos mahones de 5 bolsillos." Fue mas lejos: "tengo que hablar así" - dio una señal pandillera - "y hablar así" - dio otra señal pandillera - "y mover así" - se agarra los huevos - "y es ridículo." Si seguro. Si acaso vez a un viejo blanco en los proyectos en unos Girbauds, puede ser Francois mismo. Rompanle el culo racista que lleva.

Este ataque vino solo semanas de enterrarnos como se sentía Cristal de sus nuevos clientes negros. Preguntado por una revista si la asociación con Cristal y el "estilo de vida bling" podría ser un detrimento, el director de Cristal, Rouzaud contesto: "Es una buena pregunta, pero que podemos hacer? No podemos prohibir que la gente lo compre. Estoy seguro que Dom Perignon o Krug estarían encantados de obtener su negocio."

Traducción: "Al diablo negros!!!"

No Quieren tu Dinero!

Dictado No-Urbanos. Tres palabras que básicamente quiere decir que una compañía no esta interesados en el consumidor urbano. Una etiqueta DNU quiere decir que una compañía no quiere su mercadeo y anuncios puestos en medios que reclaman una audiencia urbana (Negra) como su dirección principal.

Starbucks
Jos. A Bank
CompUSA
Weight Watchers
Keebler
Life Savers
Continental Airlines
Northwest Airlines
HBO - Apollo Series
Paternal Importers
Calico Corners
OMScot
Pepperidge Farms
Ethan Allen
Busy Body Fitness
Mondavi Wines
Builders Square
Don Pablo
Lexus
Arub Tourism
América West Airlines
Kindercare
Grady Restaurant
Eddie Bauer

Jay-Z como ya sabemos, lidero un boicot bastante exitoso de Cristal en la comunidad negra. Mucho clubes de hip hop ya no mantienen Cristal, y ahora ofrecen Dom Perignon y Krug. La ultima vez que le mandaron una botella de Cris a Jay, la vacio en el piso del VIP.

Pero como sabes si a Dom Perignon le gustan la gente Negra? Cuanto dinero tu crees que han puesto en la comunidad Negra? Cuando fue la ultima vez que una de esas marcas que supuestamente aman a los Negros (Lincoln, Chevy, Coca-Cola, etc.) lo probo? La verdad es, esas marcas no le importas nada mas que las marcas con DNUs. Solo necesitan tu dinero y lo saben.

Como un político que necesita el voto Negro para ser elegido, Lincoln no esta vendiendo en la comunidad blanca. Los blancos no quieren su mierda ya. Pero los Negros si. Así que ahora todos su anuncios llevan

música de hip hop y hablan de todo el cromo que le añadieron a sus trocas.

No estoy diciendo que debemos hacer nuestra ropa y correr patinetas hecha en casa al trabajo. Soy el ultimo en decir algo así. Yo guío un Mercedes-Benz, pero no me las hecho por el. No uso camisetas Benz ni busco nuevas maneras de celebrar la jodida compañía de Benz. Y de seguro no pague precio total por el. Solo digo que debemos de dejar de mamar le el pito a estas compañías, especialmente si no les importamos.

Creo que debemos tener a esas compañías a un estandarte mas alto. Hacer que apoyen caridades en el barrio. Hacer que gasten mas dinero para ayudar a la comunidad Negra, mientras poner a compañias como Girbaud y Cristal casi fuera de negocio. Lo hicimos con Hilfiger, verdad?

Si usando pulseras de $200 que decían "Negro Sucio" fuera la ultima moda nueva, te comprarías 2 o 3 para llevarlas puestas?

Que tan difícil es para ti evitar tendencias?

Que va a coger para que nosotros pensamos mas duro en como y donde gastamos nuestro dinero?

Deja de tratar de ser aceptado donde no te quieren, y comprando lo que no te sirve.

Reviso

El principio para este capitulo era **Crear una Cultura de Éxito**: Transformar una visión fuerte a un estilo de vida fuerte y una agenda de largo plazo.

Aquí están los principios y lecciones que cubrimos en este capitulo:

Cambio
Rompe los ciclos de auto-destrucción, o sea rotos por ellos.
No vivas con lamentos. El mejor momento es ahora.
La historia se repite, pero tenemos que renovarla, no repetirla. Serias un tonto para seguir haciéndolo como ya se había hecho.
Es difícil, pero no imposible, para un hombre romper de un ciclo que empieza a temprana edad.
Siempre hay otra manera. Aun cuando las circunstancias aparentan dejarte sin opciones, tienes opcion.

Collectividad
Debemos "jurar alianza" solo a aquellos que pelearan con nosotros y por nosotros.
No puedes siempre hacer lo que te place. Ni deberías dejar que otros hagan lo que le place en tu compañía..
Todos están en el mismo barco de esclavos. En vez de preocuparte por el hombre a tu lado, preocupate por los que están encima de ustedes dos.
Consistencia
Un plan fuerte puede continuar sin el que hizo los planes.
Ten cuidado a lo fácil que se desarrolla una reputación. Lo que hagas una vez se te esperara que hagas de nuevo.
Direccion
Se tu propio hombre. Permitiendo que otros decidan el camino de tu vida, es camino seguro al fracaso.
La vida nunca es desesperada. Aun los peores ambientes pueden producir la mejor gente, después que sean lo suficientemente fuertes para llegar a salir.
Disciplina
Todas decisiones tienen consecuencias a largo plazo. Piensa a largo plazo mas que piensas a corto plazo.
O te cultivas o seras cultivado. Si no te puedes entrenar, nunca estarás encargado.
En vez de destruirte, destruye lo que te esta destruyendo.
Amor real toma tiempo...y mucho tanteo. Si no estas preparado, no juegues con ello.
La lucha mas grande es por dentro. Eliminar tus malos hábitos puede ser una de las cosas mas duro que hagas, pero sera una de las mas importantes.
Independencia
Ser dejado afuera de algo, no es siempre algo malo.
Deja de tratar de ser aceptado donde no te quieren, y comprando lo que no te sirve.
Influencia
La religión es una droga para el pobre y débil. Los poderosos la usan para mantener las cosas como están. Debemos ser mas realistas en encontrar soluciones a los problemas.
Se consciente de tus influencias. Como cualquier cosa, puedes estar envenenado por exponerte.
Interaccion
Si tus relaciones no son saludables, busca nueva relaciones.
Orden
Conoce las leyes; conoce tus derechos; conoce el sistema o sea su victima.
La vida nunca es tan desesperada. Hay forma exitosa de bregar con cualquier situación.
Algunas leyes son guías para la mejor vida, no reglas para lo que no puedes ser.
Inventividad
Nada que vale la pena tener es gratis. Pero si pones suficiente pensamiento, tiempo, y trabajo puedes ahorrarte el gastar dinero.
Los mas exitosos son los mas inventivos. Tu sobrevivir depende de que bien usas lo que tienes para hacer lo que debes.

Armaduras

IDENTIFICA TUS FUERZAS

"La gente mas fuerte del mundo no son los mas protegidos;

son los que tienen que luchar contra las adversidades y obstáculos – y superarlas – para sobrevivir."

Sin la ayuda de pistolas, cuchillas, esteroides o una pandilla de matones corriendo contigo, tu solo eres infinitamente fuerte. Dentro de ti hay el potencial infinito para grandeza sin precedente. Como dicho antes, la decisión esta en ti para actuar sobre ese potencial o dejar que se marchite y muera dentro de ti. Todos nacimos grande, pero pocos vivimos así.

Cuales son tus fuerzas?

Pueden ser estas fuerzas y talentos que un día te lleven a la grandeza. También puede ser que hay una parte tuya sin descubrir que solo saldrá cuando estés preparado para ver y desarrollarla.

Pero las condiciones en la cual vivimos nos dan un gran sentido de impotencia. Vemos a la vida como una serie de problemas en vez de oportunidades, y porque nos cansamos de luchar, muchos la dejamos a mitad.

Desde esos sentidos de impotencia y desesperación, desarrollamos otras emociones, actitudes y comportamientos que siguen nuestra auto-destrucción. Enseñamos nuestra frustración inmensa con nuestra opresión cuando peleamos, escapamos a las alturas de varias drogas, cuando nos perdemos por completo y ya no intentamos ser exitoso.

Pero al hacerlo, reforzamos nuestra impotencia aun mas.

En vez podemos invertir el ciclo negando nuestros temores y cultivando poder infinito dentro de nosotros.

EXAMEN CINCO: INFLUENCIAS Y CONSCIENCIA

1. Que porcentaje de las noticias de gente Negra es negativa en tono?

a) 8%

b) 60%

c) 50%

d) 25%

2. Cuantas familias Negras pobres y familias Blancas pobres hay en los E.U.?

a) 5 millones Negras, mas de 2 millones Blancas

b) 3 millones Negras, 3 millones Blancas

c) Mas de 2 millones Blancas, 5 millones Negras

d) 4 millones Negras, 5 millones Blancas

3. Cual es el mejor determinante para si un estudiante tendrá una puntuación buena en el SAT?

a) Ingresos familiares

b) Sexo

c) Raza

d) Asistencia a escuela privada

4. Cuanto dinero hace un trabajador de tiempo completo ganando el mínimo comparado con la linea de pobreza para una familia de tres?

a) $2,000 mas que el nivel de pobreza

b) $500 mas que el nivel de pobreza

c) $2,000 menos que el nivel de pobreza

d) $500 menos que el nivel de pobreza

5. Cual son los efectos financieros neto medianos por familia Negra (valor neto menos equidad de auto y hogar)?

a) $0

b) $7,000

c) $36,000

d) $145,000

6. Que son las probabilidades de un jugador de baloncesto Negro en secundaria llegar al NBA?

a) Mas de 24,000 a 1

b) Mas de 7,600 a 1

c) Mas de 2,400 a 1

d) Mas de 760 a 1

7. Que son las probabilidades de un colegial de cuarto año en el equipo de baloncesto llegar al NBA?

a) 1,500 a 1

b) 150 a 1

c) 15 a 1

d) 1.5 a 1

8. Cuanto tiempo de prisión reciben los Negros por violaciones de drogas y armas, comparados con Blancos convictos del mismo crimen?

a) La misma cantidad de tiempo

b) 5% menos tiempo

c) 5% mas tiempo

d) 50% mas tiempo

9. Que porcentaje de usuarios de drogas en los E.U. son Negros y que porcentaje son Blancos?

a) 50% Negro, 35% Blanco

b) 25% Negro, 50% Blanco

c) 12% Negro, 50% Blanco

d) 12% Negro, 70% Blanco

10. En términos de uso de drogas, de las edades de 12 a 34...

a) Negros y Blancos de igual manera han probado las drogas

b) Negros son cuatro veces mas probable de haber probado las drogas

c) Negros son menos probable de haber probado las drogas

d) Negros son dos veces mas probable que los Blancos

11. Asia tiene la población mas grande (3,879,000,000). Europa tiene 727 millones y Norte América 501.5 millones. Cual es la población humana de África?

a) 204,500,000

b) 379,500,000

c) 32,000,000

d) 877,500,000

12. Que porcentaje de la población mundial es Blanca?

a) 15%

b) 28%

c) 42%

d) 73%

13. Que porcentaje de la población mundial no es cristiano?

a) 82%

b) 70%

c) 45%

d) 23%

14. Que era el poder total de gastar de los Negros en los E.U. en 2006?

a) $100 millones

b) $500 millones

c) $5 billones

d) $800 billones

15. Cuanto de la cantidad arriba mencionada se queda en la comunidad Negra o es gastada con negocios con propietarios Negros?

a) 5%

b) 15%

c) 50%

d) 85%

16. Que porcentaje de los gringos en los E.U. tienen por los menos un antepasado Negro?

a) 5%

b) 30%

c) 50%

d) 19%

17. En 1997, que porcentaje de hombres Negros de edad de votar, no pudieron votar porque estaban en prisión o porque han sido convictos de una felonía?

a) 1% o 104,000 hombres Negros

b) 3% o 312,000 hombres Negros

c) 14% o 1,460,000 hombres Negros

d) 50% o 5,200,000 hombres Negros

18. Que región de los E.U. tiene la concentración mas alta de residentes Negros?

a) El Noreste

b) El Medio Oeste

c) El Suroeste

d) El Sureste

19. Que porcentaje de la población de Washington D.C., la capital de la nación E.U., es Negra?

a) 10% b) 25%

c) 43% d) 60%

20. Cuantos tigres hay en África?

a) 3,500

b) 480

c) 0

d) mas de 1 millón

Contestaciones

1. B	4. C	7. C	10. C	13. B	16. B	19. D
2. C	5. A	8. D	11. D	14. D	17. C	20. C
3. A	6. B	9. D	12. A	15. A	18. D	

0 – 4 Correctas: Carajo! No estoy diciéndolo por estúpido, porque estoy seguro que no lo eres. Si has llegado hasta aquí en el libro, no puedes ser estúpido. Asumiendo, por supuesto, que lo estas leyendo y no solo ojeando. Lo digo porque tu puntuación te deja saber cuanto te han mentido y desviado. Esta cabrón.

5 – 10 Correctas: Buen Trabajo! Estoy impresionado. Si esto fuera una prueba, tendrías una F, pero en un mundo lleno de tantas mentiras, estas haciendo mejor que la mayoría. Yo leí en algún sitio que un tercio de los Estadounidenses (de todas razas) no pueden identificar a donde esta los E.U. en un mapa. Así que si puedes obtener 7 o 8 preguntas correctas en un examen como este, estas delante de las masas. Ahora sigue aprendiendo e investigando.

11 – 17 Correctas: Tremendo! Eres una inspiración. Estoy bastante seguro que tienes que ser una persona inteligente para saber tanto, especialmente como esta información no esta enseñada en las escuelas. Eso, o eres un buen adivinador. Como sea, mas poder a ti. Estas por buen camino.

18 – 20 Correctas: Wow! O eres un genio bien informado...o un embustero de primera categoría. Yo voy con embustero. Digo, yo metí horas investigando algunas de estas preguntas, y yo tengo un doctorado. Tu me quieres decir, que tu solo sabias esto? A quien le estas tratando de probar algo? Estas 'fronteando' para un libro? Es vergonzoso cuando no puedes ser honesto ni con un jodido objeto inanimado.

El Quinto Principios

"Identifica Tus Fuerzas" quiere decir: Encuentra tu poder interno, en la vida y en el mundo...y enfoca en desarrollarlo.

Que Aprenderás

- ❒ Que podemos aprender de ser hombre de las hormigas asesinas, Tupac Shakur, y los verdaderos bregadores detrás de la película "Paid in Full".
- ❒ Como entender tu subconsciente y como trabaja.
- ❒ Porque no nos importa un carajo ya.
- ❒ Como empezaron las pandillas, y que ha ocurrido desde entonces.

- ❒ Porque raperos ya no dicen la verdad.
- ❒ Cuando soltarlo y cuando meterle duro.

Por lo Menos Dispara al Alero

Era una noche húmeda en Noviembre. Nuestro camión de 'U-Haul' corría por la I-20 Oeste, martillando y rebotando mientras Born Culture manejaba un poco mas sin cuidado de lo que se debe cuando esta al timón de un camión grande. No me molestaba. Tenia un buen embale de cafeína, ya que había terminado un vaso gigantesco de Mountain Dew de la gasolinera.

Algunos de mis hermanos por fin me habían convencido a mudarme con ellos, terminando un año de estar sin hogar. Durante ese tiempo, había vivido de dos bolsas de basura mientras la mayoría de mis cosas estaban en una unidad de almacenaje. No tenia mi licencia todavía, así que Born Culture estaba guiando el camión hacia al unidad para buscar mis muebles.

En algún punto, Born se despisto y se le metió al frente a un auto. No lo note hasta que escuche una bocina tocando de atrás entonces de la izquierda. Born pensó que era cómico que se habían enojado tanto, así que lo hizo de nuevo. Me reí, no porque era cómico, pero porque Born usualmente era una tipo bien humilde y apacible. Momentos luego, un Chevy se nos alineo y el pasajero se estaba volviendo loco. Estaba mal diciendo, dejándonos saber que el no era "un pendejo del sur."

"Yo soy de L.A.!" nos grito. "Pandilleros reales! No jugamos a esa mierda!"

Yo mire a Born Culture por un momento en descreimiento. Entonces agarre mi vaso de 32 onzas, ahora solo conteniendo hielo, y le tire los contenidos en la cara al tipo llamándolo una puta. Casi cada pedazo de hielo le dio en la cara, y creo que se trago el cigarrillo. Era pura comedia.

Pero entonces volvieron alinearse con nosotros y ahora el tipo estaba enseñando una pistola. Estaba agitándola hacia nosotros como loco. Y ahora si que estaba hablando mierda. Estaba haciendo unas amenazas serias. Todo esto corriendo por la estatal. Podía mirar al tipo y ver que no hablaba en serio. Un pandillero verdadero ya hubiese dejado de hablar. No tenia la mía, pero me sentía seguro bregando con este perdedor. Yo le dije a Born que se reclinara para poder ser mas directo, y grite por la ventana, "Pendejo, si estuvieras en serio hubiese disparado ya."

Grito algo mas, todavía tratando de hacerse el matón.

"Pero sacaste la pistola y no vas hacer mierda! Eres débil!"

Todavía ningún disparo.

Patético, pero todavía hablaba mierda.

Así que le tire el vaso de 32 onzas, mas la tapa y el popote. Cuando le dio a la ventana el caro por poco pierde el control.

Se salieron en la próxima salida sin decir otra palabra.

Si no eres matón, no estas mejor no haciendo que lo eres?

Cuan vergonzoso es que enseñen lo que realmente eres?

Porque la gente no pueden ser ellos?

Se quien eres. No te hagas mas macho de lo que eres. Especialmente cuando solo eres macho con los tuyos.

Hormigas Asesinas

La formación de abanico se mueve firmemente adelante como una marea negra. Es casi 15 pies de ancho y hecha de por lo menos 100,000 hormigas, trabajando juntos como una sola unidad de caza. Un escorpión grande sale de abajo de un tronco con una hormiga, miles de veces mas pequeño, engrapada a su pierna. Frenéticamente trata de zafarse de su atacante con cantazos armados de su punzador, pero la hormiga no se suelta. La hormiga se aferra al piso y suelta una señal química de un par de glándulas especiales. Dentro de segundos, cientos contestan a su llamado, y el escorpión se desaparece debajo de una remolina herviente de hormigas negras. Dentro de minutos, queda poco del una vez poderoso escorpión.

Como la gente Negra perdidos en la selva de Norte Americana, las hormigas Siafu no tienen hogar permanente. Hormigas conductoras Africanas, o Siafu en Kiswahili, viven en colonias, pero a distinción de otras hormigas, se quedan constantemente en movimiento. A distinción a hormigas Norte Americanas, cuando forman un hormiguero, son solo temporeros, durando desde unos días a tres meses. Cada colonia Siafu puede contener 20 millones de individuos.

Como verdaderos guerreros, las hormigas Saifu caza de noche, y se esconden en hoyos y arboles durante el día. Cambian de sitio regularmente mientras se exhausta la caza. En algunas áreas los Siafu cazan toda la noche y el día. Ciegos, siguen sus otros sentidos para guías.

Como su homologo en Norte América, hay una clase de soldado entre los trabajadores. Los soldado Siafu son mas grande, con una cabeza grande y quijada como pinzas. Sus quijadas son tan fuerte que las gente

Masai del Este de África los usan en cortes abiertos para juntar la herida. Estos Siafu se aguantan tan fuertemente con su mordida tan terrible que los puede jalar por el cuerpo para quitarlos y se queda la cabeza atada.

En viajar de donde se estén quedando hacia el área de cazar, los Siafus forman carreteras de hormigas de un pies de ancho. El Siafu también cambian su formación en abanicos mas anchos cuando están cazando activamente. Las columnas de Siafus marchando están arregladas para que la hormigas pequeñas están flanqueados por las mas grandes en las orillas de la columna. Los gigantescos soldados Siafu se paran es sus patas de atrás y toman posiciones defensivas en el camino, permitiendo a las Siafu mas débiles a correr libres en el corredor entre medio.

"Cuando las telas de arañas se unen, pueden amarrar a un león."
Proverbio Etiopía

Las columnas largas de hormigas marchando defenderán ferozmente contra lo que sea que cruce su camino. Es mas, gente han visto los Siafu formar bolas terroríficas tan grande como una bola de baloncesto. Estas bolas rodantes de Siafu lo mas seguro eran pequeños animales tragados en miles de Siafus. Gente dicen que estos guerreros feroces se trepan por dentro de la trompa de un elefante, eventualmente superándola con millones de Siafus. Animales grandes y hasta gente se han encontrado muertos, cubiertos por Siafu, y siendo desgranados hasta el hueso por ellos. Después que te le saques del medio de su camino, estarás a salvo.

Siafu, aunque agresivos y dolorosos, no se ven como amenaza o una plaga por los Masai. Ellos saben que si los Siafu enjambran por tu casa o finca, se comerán todas las demás hormigas, cucarachas, arañas y todo lo demás que se arrastra o gatea, y luego se irán como llegaron. Una colonia de Siafu pueden eliminar hasta 2 millones de pestes al día. Por esa razón los Siafus son respetados y admirados.

Por que es que hormigas pueden trabajar juntos de formas que nosotros no podemos?

Que pudiéramos lograr si pusiéramos las diferencias a un lado para trabajar juntos?

Solos somos débiles, pero juntos somos poderosos.

TUPAC VIVE

Con sobre 75 millones de álbumes vendido hasta la fecha, Tupac Shakur es el artista de rap de mas ventas de todos los tiempos. Mas importante, sin embargo, Tupac era uno de los raperos mas reales de todos los tiempos.

Tupac Amaru Shakur nació en Junio 16, 1971 a su madre Afeni Shakur solo un mes después de su absolución de mas de 100 cargos de "Conspiración contra el gobierno de los E.U. y marcas de reconocimiento de N.Y." en el caso de corte los New York Panther 21. Su padrastro Mutulu Shakur y padrino Geronimo Pratt también eran guerreros por la liberación establecidos quien luego se convirtieron en presos políticos.

El primer álbum de Tupac, '2pacalypse Now', fue amado por la comunidad Negra, pero a los poderes Americanos no. El vice-presidente Dan Quayle, dijo que el álbum de Tupac "no tenia lugar en nuestra sociedad". Que mal había hecho Tupac? Estaba reportando de los problemas afectando la comunidad Negra. Eran esos problemas que no tenían lugar en nuestra sociedad. Pero siendo hijo de una Pantera Negra, una de sus primeras canciones llamada "Panther Power" (Poder Pantera), Tupac estaba en una lista de vela bien temprano en su carrera.

"Y los raps que le rapeo a mi comunidad no deben estar llenas de rabia?
No deben estar llenas de las mismas atrocidades que me dieron a mi?
Los medios no lo hablan, así que yo lo hablo
y suena extranjero porque nadie mas lo habla."
Tupac Shakur

En 1991, Tupac fue golpeado brutalmente por oficiales que lo acusaron de peatón imprudente. El sobrevivió y encasillo un litigio contra ellos. El gano el caso y le confirieron $42,000.

Siguiendo la controversia alrededor de su segundo álbum, en Octubre 1993, Tupac vio un hombre Negro siendo hostigado por dos hombres Blancos. El fue a la defensa del hermano y se encontró con pistolas sacadas hacia el. Tupac le disparo a uno en la pierna y al otro en el culo. Luego resulto que eran policías fuera de turno, estaban borrachos y estaban amenazando a Tupac con una pistola robada del cuarto de evidencia. Cuando los cargos fueron disueltos, Tupac se convirtió uno de los muy pocos jóvenes Negros que le dispararon a un policía (dos, de hecho) y no ir preso. Esta fue la segunda vez que Tupac fue contra la policía y gano.

Por supuesto, los poderes del mundo estaban determinados a tumbar a Tupac. El seguía empujando para delante con su música. Su reinventar la palabra 'Nigga' como 'Never Ignorant, Getting Goals Accomplished' (Nunca ignorante, cumpliendo con metas) fue su introducción a el concepto de "Thug Life". Para Tupac quería decir 'The Hate U Gave Little Infants Fucks Everybody' (El odio que le diste a pequeños infantes jode a todos).

Tupac veía una visión de una serie de álbumes Thug Life con canciones de pandilleros y narcos tratando de dejar las bregas de la calle y meterse a negocios legítimos haciendo música. El declaro que la definición del diccionario de un 'thug' de ser criminales no era como el usaba el termino, pero que el quería decir alguien que venia de un trasfondo opresivo o mugre y poca oportunidad pero que hacían una vida por ellos y eran orgullosos.

"Mi música no es para todos.
Es solo para los de fuerte voluntad, la música de soldado de la calle.
No es música de fiesta – digo, puedes bailar a el, pero es espiritual.
Mi música es espiritual. Es como lo espirituales Negros
excepto por el hecho que yo no estoy diciendo "vamos a sobrepasar".
Estoy diciendo que hemos sobrepasado."
Tupac Shakur

En Diciembre de 1993, Pac fue cargado con abuso sexual de una mujer en su cuarto de hotel. Aunque ella le había dado sexo oral en un club la noche anterior y tuvo sexo consensual con el mas temprano esa misma noche, cuando regreso, culpo a Tupac de violación. Pac estaba dormido cuando ella regreso (o la mandaron?) y se alega que su corrillo la violo.

Después de tres mas encuentros con la ley, Tupac fue asaltado y disparado cinco veces – dos en la cabeza – cuando andaba con cuatro mas al frente de un estudio de grabación en Manhattan. Ninguno de los otros fueron golpeado. Era Noviembre 30, 1994, el día antes del veredicto en el caso de abuso sexual. En sentenciar a Shakur a un año y medio de prisión, el juez describió el crimen como "un acto de violencia brutal contra una mujer impotente." La policía hizo poco para investigar su balaceo.

Mientras en prisión, Pac continuo leyendo, escribiendo, y construyendo con otro luchadores por liberación, diciendo que había construido con "cada 5%" en la prisión. Después de esto, Tupac empezó a decir mas sobre los diablos blancos que le hacían la vida tan difícil al hombre Negro.

Después de ser soltado de prisión, Pac empezó a trabajar por Suge Knight y grabando con Death Row Records. Mayormente como resultados de comentarios de Suge, y la exageración los medios de E.U. , se desarrollo una tensión entre Death Row y Bad Boy Entertainment. Los medio convirtieron el conflicto a uno de Costa Oeste contra Costa Este, la cual fue escalada aun mas por jóvenes impetuosos que no sabían mejor.

Pac vivió lo suficiente para grabar y velar la producción de su álbum Don Kiluminati. Pac soltó el álbum bajo el nombre, Makaveli, un homenaje a Niccolo Machiavelli, el estaba leyendo fuertemente su libro "El Príncipe". Tupac también pudo velar el diseño de su ultima portada de álbum, que lo enseño como un Jesús Negro crucificado en una cruz. Algunos dicen que el emblema nebuloso encima de la cruz es una pequeña bandera universal de la nación de Dioses y Tierras (los 5%).

"Para mi, yo siento que mi juego es fuerte.
Me siento como si soy un príncipe brillante, como Malcolm,
y siento que todos somos príncipes brillantes, y si vivimos como príncipes,
entonces lo que sea que queremos puede ser nuestro. Lo que sea."
Tupac Shakur

En Septiembre 7, 1996, Tupac salio de la pelea de Mike Tyson en Las Vegas corriendo en un convoy al lado de Suge Knight, quien iba manejando. Como a las 11 de la noche, otro vehículo se alineo al lado de ellos y soltó unos cuantos disparos, unos cuantos le dieron a Tupac. Mientras en el hospital, individuos trabajando con Death Row recibieron llamadas que venían mas gatilleros para terminar el trabajo. La gente de Pac llamo por protección policíaca, no llegaron ninguno.

Mientras tanto, los medios exageraban el balaceo como una intensificación de la guerra Este-Oeste como la estaban llamando ahora. El Notorio B.I.G. fue culpado pero negó envolvimiento alguno. Poco después de esas acusaciones Biggie fue asesinado también. Siguiendo estas dos muertes, pasaron unas cuantas matanzas en las dos costas. Kadafi, un amigo de la juventud de Pac, y miembro del grupo The Outlawz, estaba en el convoy cuando paso el balaceo, y indico que posiblemente podía identificar los asesinos, pero fue asesinado también en un proyecto de vivienda en Irvington, Nueva Jersey. Afortunadamente, una guerra Este-Oeste nunca se manifestó, no importa cuanto los medios querían que pasara.

"Siempre pasa, todo los que cambian el mundo mueren.
No logran morir como gente regular, mueren violentamente."
Tupac Shakur

Hasta hoy día, mas de diez años mas tarde, se ha hecho poco para resolver el asesinato de Tupac Amaru Shakur y ningunos sospechosos han sido arrestados. En cambio, la legado de Tupac sigue. Hay fundaciones promoviendo las ideas en las cuales el creía, cursos universitarios enseñando sobre su vida y su filosofía, libros y Películas documentando su impacto, y cientos de raperos que dicen ser influidos por el. Tupac lo mas seguro es el rapero favorito de tu rapero favorito.

"Yo esperaba morir. En ningún momento antes del juicio esperaba escapar con vida.
Pero morir en la camerina de gas no necesariamente decir derrota.
Puede ser un paso mas para traer la comunidad a un nivel mas alto de consciencia."
Huey P. Newton

Michael Eric Dyson dijo que el "hablaba con brillantes y perspicacia como alguien que da testigo al dolor de aquellos que no pudieran tener su plataforma. El decía la verdad, aun mientras luchaba con los fragmentos de su identidad." Profesor de Ingles de SUNY, Mark Anthony Neal argumenta que Shakur era un ejemplo de el "intelectual orgánico" expresando la aprensión, respectar, desvelos, y concernir de un grupo mas grande. Neal también dijo que la muerte de Shakur dejo un "vacío de liderazgo entre los artistas de hip hop", describiendo a Tupac como una "contradicción andante", un estatus que lo permitía "hacer siendo un intelectual accesible a gente ordinaria." En esencia, Pac lo hizo para que pandilleros y matones pudieran ser inteligentes y revolucionarios.

Tupac vive. No físicamente, pero en el sentido de una idea que no puede morir. Esa idea es una que el gobierno atento a destruir desde que el primero entro a la escena. Les cogió unos cuantos años y unos cuantos intentos, pero aun después de lograrlo, el sigue viviendo.

Tupac fue asesinado cuando tenia 25 años. Si hubiésemos perdido al Dr. King, Jesús, o hasta Barack Obama a los 25, hubiésemos perdidos a nadies. Imaginate lo que Tupac hubiese podido desarrollar a los 30 o 35.

Ahora imaginate lo que tu puedes ser.

No puedes matar una idea.
Después que hay gente que puedan verlo, una visión es indestructible.

Dinero Joven

Parte I

Gerente: Mira muchachos, te llamamos porque a los jefes no le gusta la nueva canción.

A&R de la compañía: Van a tener que usar esa para un mixtape o algo. No va para el álbum.

Yung Murda: Que esta mal con "Es Una Trampa"? A todos les gusta.

Lil Baby: Necesitamos una canción así. Es sobre lo malo que es el juego narco, y en barrio.

Gerente: Ese no es el sonido de ustedes! Eso no es lo que quieren los fanáticos!

A&R: No es lo que teníamos en mente para ustedes. No es tu imagen.

Gerente: Que tal un "Mueve ese Coño" *Parte Dos*? O algo como "Ido en el X" o "Tengo Mas Dinero Que Tu"? Esos serian éxitos! Clásicos!

A&R: El publico consumidor quiere música de festejar. No quieren esa mierda de KRS-One. No quieren mierda de Public Enemy. Toda esa mierda ya paso. Ustedes quieren quedar pelados?

Lil Baby: No estamos tratando de ser Public Enemy. No estamos ni predicando. Solo lo estamos diciendo tal y como es. Todas las canciones no pueden ser de autos, dinero y embalarse!

Yung Murda: Ni tenemos toda esa mierda! Estamos esperando cheques de ustedes!

A&R: Y nunca tendrán nada tampoco, si están haciendo música deprimente que nadie puede bailar.

Gerente: Miren, saben que soy como un padre para ustedes, y no te guiaría mal. Ustedes tienen una imagen, una reputación, saben? Tienen que salir duros y relumbrantes. Eso es lo que la gente quieren. Cuando fue la ultima vez que vistes algo como "Es Una Trampa" en 106th y Park?

Yung Murda: Tienes razón.

Gerente: Vuelvan al estudio y graben otro éxito. Esa es toda la verdad que necesitan. Cuando vean lo bien que les va, manejando ese nuevo Lamborghini por los proyectos, sabrán que ellos lo pueden lograr también.

A&R: Escucha. Les dice la verdad.

Lil Baby: Esta bien, pero "Es Una Trampa" va para el mixtape.

A&R: Seguro, lo que quieran.

Parte II

Mira la siguiente lista de raperos:

Hurricane Chris	Dem Franchize Boys	Soulja Boy
Shop Boyz	Crime Mobb	Young Hot Rod
Gucci Mane	Waka Flocka	D.G. Yola
Huey	Young Berg	Party Boys
D4L	Rich Kids	Lil Retard

Esta bien, me invente el ultimo, pero aquí la pregunta: Que tienen todos estos en común?

Primero, lo obvio: Todos han soltado sencillos exitosos en años recientes. Millones de personas los han escuchado, o todavía los siguen escuchando.

Segundo, todos son jóvenes y sin pista, y no tienen nada que decir.

No lo digo por odio, lo digo de honestidad y concierne genuino. Casi todos los raperos nuevos que han salido en los últimos años son de menos de 25. Sus canciones y bailes han pegado como fuego a cruzar la nación. No puedes prender el radio sin escuchar las mismas 10 canciones cada cuantos minutos.

La parte estúpida, yo la explico. No es que tenga coraje con ellos por salir y tratar de hacer dinero. Yo entiendo que mucho de estos niños llevan buen rato tratando de salir...quizás 4 o 5 meses! Pero sean maravillas de un éxito o no, la gente los quiere. Y yo lo admito, las canciones, o por lo menos las pistas y los coros son bastante pegajosos.

Cuando viene al contenido de la lírica, la mayoría te dirían que no les importa ser considerados líricos. Solo están queriendo hacer música de fiesta. No me crees? Escucha las canciones. A ver cuantas veces oirá 'VIP' o 'en el club'. Quizás en cada canción.

Lo que necesitas entender, es el porque son tan populares. No lo sabrás, pero las casas disquera están enloquecidos tratando de empujar uno tras otro de estos artistas jóvenes a la escena. No hacen ningún desarrollo de artista con ellos, y no le importa si son maravillas de un éxito o no. Las disqueras saben que los consumidores jóvenes, Negros y especialmente Blancos van a salir a comprar el álbum.

También saben que estos jóvenes raperos no van a ir contra el grano, ni decir nada que cause polémica. Solo van a rapiar de autos, dinero, ropa, muchachas, espectáculos y cuan machos son.

Un joven rapero de la calle usualmente no ha madurado lo suficiente para entender porque las cosas están tan malas allí. No han crecido lo suficiente para querer decir algo acerca de esa situación. No se sienten lo suficiente responsables para querer ayudar a alguien que este pasando por la misma mierda en que crecieron ellos. No saben el poder que tienen, así que son impotentes.

Al mismo tiempo, mucho de estos muchachos son de buena familia (Bow Wow), y grabaron sus primeras canciones en un estudio que pago sus papas (Crime Mobb). Eso no los para de actuar bravo, entre canciones para las muchachas (Sean Kingston). Es un imagen...en realidad, es una formula. Tu lo sigues comprando, así que ellos lo siguen vendiendo.

Pero volvamos a las casas disqueras y aquellos que están en el poder. Al evitar raperos que tienen algo que decir, la gente en el poder saben que pueden mantener a las audiencias jóvenes dormidas y atontados. Esta generación esta creciendo sin consciencia de cuan mala esta la lucha, y cuanta pelea falta por hacer. Todo lo que escuchamos es como meterle duro para conseguir autos, dinero, ropa y chicas...a cualquier costo. Sin olvidar lo mucho que escuchamos de lo bueno que es estar embalado y borracho.

Los ejecutivos de las casas disqueras y los gerentes le dicen a estos jóvenes raperos impresionantes, "No diga nada de la gente blanca" y "Sigue haciendo canciones de fiesta." Y ellos hacen lo que les dicen. Es una vergüenza ser platino a los 21 y todavía ser un esclavo.

Parte III

Solo mira a como Soulja Boy, de 16 años, responde a unas preguntas profundas que le hacen a tres artistas jóvenes:

> All Hiphop: Que crees que contribuyo a Hip Hop virando en esta dirección?
> Red Café: No hay A&Rs. Una canción de fiesta y un álbum sin substancia. No estamos vendiendo el estilo de vida ya solo estamos vendiendo el baile. El artista no tiene identidad, solo un sencillo. La música esta enfocando toda su energía y presupuesto en un artista que tienes un disco que ellos creen sea un éxito. Puede ser un éxito para el radio pero no hace nada para la cultura o el artista en términos de longevidad o ingresos.
> Soulja Boy: Sin comentarios.
> Rich Boy: Yo creo que alguien saco una canción así y todos vieron que hizo bien y brincaron en esa formula. Es como en un casino donde alguien se pega. Ahora, todo el mundo tiene un estudio de grabación. Es comparativo a todos jugando las maquinas buscando pegarse. Si, todos tienen talento pero se supone que esto sea un arte creativo.
> All Hiphop: Que raperos contribuyeron a ese cambio?
> Red Café: Como dije, no es realmente el rapero, son la gente detrás de el, la gente que le enseñan como terminar el álbum. Esa gente deben asegurar que hay tres o cuatros de esas pistas antes que brinquen a soltar el álbum.
> Soulja Boy: Sin comentarios.
> Rich Boy: 'Cash Money', 'No Limit', 'Master P', y 'Puffy'. Enseñaron los frutos de su labor en videos de autos y joyería que compraron. La gente viendo esos videos estaban como, "Contra, esas son cosas nitidas."

Ya dicho. Tienes 14 millones de toques en Myspace y no tienes nada que decir. Pero no es que es estúpido. El es obviamente un genio en mercadearse. Pero el sigue jugando el juego como se lo dieron (vea *Parte Dos*, "Desde Parte Uno").

Te haz dado cuenta que hace dos o tres años desde que escuchamos en el radio algo que hable de lo mala que esta la cosa? Que hable de lo que necesita cambiarse? Que hable de lo difícil que realmente es el juego de narco?

Donde están los Tupacs?

Y si tu haces música, que estas haciendo que sea tan diferente?

Cuando te están escuchando, ten algo que decir.

Deja de Llorar

Por el comercio de los diamantes sangrientos y otras corrupciones causada por los Europeos, muchas partes de África continúan sufriendo de guerras civiles. Muchos de los victimas son niños. Cuando Ishamael Beah tenia 14, fue reclutado al ejercito de Sierra Leone. Luego describió su primer experiencia en la frente:

> Cuando llegamos allí estuvimos en un acecho, los rebeldes estaban atacándonos donde estábamos en el arbusto. Al principio no dispare mi arma, pero cuando miras a tu alrededor y vez a tus compañeros de

> escuela, algunos mas jóvenes que tu, llorando mientras mueren con su sangre derramándose encima de ti, no hay opción pero empezar a jalar el gatillo. Yo perdí mis padres durante la guerra, nos dijeron que nos metiera al ejercito para vengarlos.

En Uganda, las fuerzas rebeldes están engendrados en una guerra civil con el gobierno. Estas fuerzas rebeldes secuestran niños de los pueblos que atacan y los forzá que se junten a ellos. Una niña de 16 años testifico a las crueldades que paso cuando un niño trato de escapar:

> Un niño trato de escapar, pero lo agarraron. Le hicieron comer un bocado de pimientos, y cinco les pegaban. Sus manos estaban atadas, entonces hicieron que nosotros, los cautivos nuevos, lo mataran a palos. Me sentí enferma. Yo lo conocía de antes. Eramos del mismo pueblo. Yo rehusé matarlo, y me dijeron que me dispararían. Me apuntaron una pistola, así que tuve que hacerlo. El niño me preguntaba, "Por que me haces esto?" Yo le dije que no tenia alternativa. Después que lo matamos, nos hicieron regar su sangre en nuestros brazos. Me sentí mareada. Nos dijeron que teníamos que hacer eso para no temer a la muerte, y para que no intentáramos escapar.

Otro niño soldado, Ibrahim, contó su historia a los 16:

> La primera vez que batalle tenia miedo. Pero después de dos o tres días nos forzaban a usar cocaína, y perdí el miedo. Cuando estaba tomando drogas, nunca me sentí mal en la frente. Sangre humana era lo primero que tomaba en la mañana. Era mi café en la mañana, cada mañana.

Hay 41 países, desde Peru hasta Burma hasta Uganda con soldados niños activos. Ninguno de esos países son poblados por gente blanca. La mayoría de ellos son gobernados por gente que los E.U. ayudo a llegar al poder. Todos son pobres.

Te pregunto, sigues sintiéndote mal por ti?

Solo Piénsalo. Cuan mal realmente te va? Estas haciendo tan mal que no te puedes ayudar, o buscas excusas para estar triste y desesperado? Estas haciendo tan mal que no puedes ayudar al prójimo subir?

Mi Cuento

Lo Sabias?

Si el mundo fuera encogido a un pueblo de 100 personas:
80 tendrían malas condiciones vivientes
70 estarían ineducados
50 estarían mal alimentados
solo 1 tendría una educación alta
Como rapeaban los Geto Boys años atrás, "El mundo es una barriada."

Por si no lo sabia, mi familia es de India. Yo nací en Jersey, y nunca me metí muy dentro de la cultura India. Era un muchacho de Jersey, y me creía malo.

La primera vez que mi mama me llevo a India tenia seis años. Perdí una carrera a otro muchacho en ese pueblo y lo amenace. Bueno, le dije que volvería con una pistola y le dispararia...lo cual es considerado una amenaza allí, aparentemente. Eso no le gusto a la gente de ese pueblo, así que terminamos

Lo Sabias?
India era el país mas rico del mundo hasta la invasión Británica en el siglo 17.

saliendo de allí mas temprano de lo planeado.

La próxima vez que me llevo mi mama a India, tenia 14 y yo era el que me sentía amenazado. Era mi culpa, fui a India, un país del tercer mundo, esperando mantener la postura de matón que recogí en las calles de Jersey.

Dejame explicarle algo a aquellos que nunca han salido de los Estados Unidos. El mundo es un barrio. Y esos tipos en las áreas de pobreza del mundo no están jugando. El hombre blanco tiene esta gente muriéndose por el minuto. No tienen nada que perder. Te quitan hasta la ropa.

No me importa cuan macho te creas. Si una docena de raperos pueden ser robados en Brixton, Londres (puedo nombrar algunos de tus favoritos), imaginate lo que pasaría si bajaran por la calle equivocada en Trenchtown, Jamaica o en Sao Paolo, Brazil.

India no es nada diferente. La palabra 'thug'(matón) viene del culto 'thugee' en India, una pandilla de pillos sangrientos que secuestraban, robaban y sacrificaban sus victimas a la Diosa Kali. Que es mas pandillero que eso? Una cadena con una medalla que da vuelta? No lo creo.

Por supuesto, yo no sabia eso cuando me monte en ese avión. Nuestro pare en Londres fue tan aburrido como puede ser Londres, una neblina persistente, lluvia liviana, cielos grises y comida desabrida. Paramos por el palacio y quería patear a uno de esos guardias con las gorras peludas, pero andaba con la vieja y no quería abochornarla. Dentro de unas horas de haber llegado a Londres, tuvimos que volver al aeropuerto y empezar el tortuoso vuelo de 99 horas hacia la India. El vuelo fue tan largo que termine mi adolescencia en el aire.

Al llegar al aeropuerto, me sentí instantáneamente fuera de lugar. Ahí estaba, gorra de Nike nueva, camisa de carrera brillante, mahones caídos y mi par de zapatillas mas limpias. Y no eran los XJ1000s de Payless tampoco, para ese tiempo había convencido a mi mama que me comprara uno Fila's de $50.

Teniendo que rogar por un par de zapatillas de $50 me hacia pensar que era pobre. Pero pobre es una palabra relativa, y aprendí eso rápido. Mirando a mi alrededor lo que vi era pobreza abatida. Y quiero decir, en el aeropuerto. Ni habíamos salido todavía. Habían limosneros

estacionados por el aeropuerto de Nueva Delhi como hay maquinas de juego en el aeropuerto de Las Vegas.

Cuando llegamos a la calle el olor me dio como una bolsa de mierda. Con la fuerza e impacto exacta...y la peste igual. Un chófer de taxi nos metió en su pequeño sedan, y con mínima negociación

nos fuimos. No pude entender mucho de lo que decía. Yo pensaba que era un psicópata, porque iba manejando como un loco por el transito pesado de allí, como si no hubieran reglas del manejo en India. Todavía no estoy seguro si las hay, o si es cada uno por si mismo.

Corriendo a cerca de 80 en calles concurridas, pasamos cientos de negocios y tiendas, sus paredes y ventanas cubiertos en polvo de las carreteras mal pavimentadas. A lo largo de las aceras mas anchas del distrito comercial habían chozas que habían puestos los que no tenían hogar. Y habían miles de ellas.

Hechas de tres o cuatro planchas de metal, no parecían ofrecer mucha protección de lluvias, pero me imaginaba que era mejor que estar a plena luz del sol, como habían muchos. De mi primera mirada, me pareció que los leprosos y los animales dormían afuera. Animales...de ahí venia parte del olor. Gallinas, cabras, monos...

Cuando finalmente llegamos, estábamos en un pueblo rural a las afueras de la ciudad grande. Tenia tanta calor que me iba a desmallar. No quería sentarme en el apartamento mal ventilado de mi tía, así que decidí aventurarme y explorar el pueblo yo solo. Mi meta era encontrar una botella fría de Coca-Cola, o algo, antes de morir.

Mientras caminaba, una realización me llego lentamente a mi consciencia. Mientras pasaba lineas de Indios oscuros y sin camisas con mofares en las caras y ojos sospechosos que me velaban, realice que aquí, yo era el pendejo.

Yo era el pendejo de afuera que estaba apunto de joderse. Estos tipos estaban sentado en la tierra, muchos de ellos descalzos, toda su ropa sucia o rota, y cada uno tenia cara helada para mi. Cuando me veían, todo lo que veían era "dinero Americano." Y por la mirada fría en sus ojos, el dolor en sus caras, y los pequeños músculos en sus cuerpos flacos y huesudos, me di cuenta que no tenían nada que perder.

Yo llegue a los barrios de India pensando que yo era matón. En cualquier momento, par de estos matones de tercer mundo me pudieron arrastrar a un callejón y cortarme la cabeza con uno de esos machetes que vi par de ellos cargando. Eso es pandillero.

Hice las mismas observaciones en cada país de tercer mundo que he visitado desde entonces. He ido a Ghana, Tailandia, México y la

República Dominicana, ademas de otros sitios. En todos esos lugares, la pobreza es una mierda real.

Hay alcantarillados abiertos, cazas sin puertas, diez personas compartiendo un cuarto, rata y perros dondequiera, y los niños que ven en 'City of God' son reales. Esos niños que matan por dulce en 'Hostel' son reales. Los soldados niños son reales.

Los barrios en el resto del mundo no son juego. No me importa quien eres. No tienes un pase de calle para Sao Paolo, Brasil. Te destriparan. Y por menos de cinco pesos, porque cinco pesos puede darle de comer a una familia allí.

"El hombre con un ojo, solo es agradecido cuando conoce uno que es ciego."
Proverbio Nigeria

Así que la próxima vez que quiera llorar por lo pelado que estas, o cuan mal te va, mantén en mente que hay comunidades completas en la Filipinas que viven encima de sitios de basureros. Imaginate la cena que comerías allí.

Cuando llovió fuerte hace un tiempo atrás, hubo un deslizamiento que enterró cientos de personas vivas en la basura en la cual vivían. Piensa en eso. Piensa en los niños en África que son secuestrados por rebeldes y forzados a matar a sus familiares y meterse a la milicia. Imaginate los problemas que tendrías entonces. Aprecia lo que tienes, tipo, porque – para otras personas – tienes muchísimo.

Para tener una idea por ti mismo, ve y busca un pasaporte y visita tus hermanos y hermanas en otros países en cualquier parte del mundo. Para algo mas barato, ve alquila una de estas películas:

- 'Born in Brothels' (sobre niños de prostitutas en India)
- 'The Devil's Miner' (sobre trabajadores niños en Bolivia)
- 'Blood Diamonds' (el documental, sobre el comercio de los diamantes en África)
- 'Rabbit Proof Fences' (sobre los Aborígenes de Australia)

Millones de personas están peor que tu.
Deja el engreimiento.

Películas Para Ver

Blood Diamond; Lord of War; Hotel Rwanda; Cry Freedom; The Constant Gardener: The Last King of Scotland; City of God; The Last Samurai

Unas películas bastante buenas basadas mayormente en África, Sur América, y Asia. La mayoría se tratan de unos temas profundos. La parte loca es que ninguna pudo ser hecha como película grande sin tener un gringo como personaje principal...excepto 'City of God'. Y si te gusta 'Blood Diamond', necesitas ver el documental en DVD, 'Bling'.

Bloods y Crips

Mientras preso, Cle "Bone" Sloan empezó a leer un libro sobre la historia de Los Ángeles que decía, "De las cenizas de el Partido de Panteras Negras nació los Crips, los Bloods y otras pandillas." Eso le intereso. Empezó a preguntarle a sus socios Bloods, solo para ver que "muchos pandilleros no saben la historia de como empezaron las pandillas" y resolvió educarse.

Eso es lo que llevo a Sloan ser director de 'Bastards of the Party', el cuento de los orígenes de los Bloods y Crips en Los Ángeles.

"Yo descubrí que veníamos de un trasfondo revolucionario," dijo Sloan.

La Gran Migración

Las pandillas primero aparecieron en Los Ángeles en los 1940s, cuando Negros empezaron a mudarse del sur al área mayormente Blanco de Los Ángeles. Pandillas de Blancos cazaban a los Negros y cualquier otra gente que se mudaban a sus ciudades. Aun cuando los Negros vivían juntos en sus propias comunidades, pandillas Blancas llegaban de noche a robar, violar y golpear a quien encontraran.

Si tienes un tiempo difícil entendiendo eso, lee cualquier libro de la historia de pandillas en los Estados Unidos. Si eres vago, vea la película 'Gangs of New York'. Las primeras pandillas en los E.U. eran todas Blancas.

Luego, muchos de las pandillas violentas Blancas eran legitimadas convirtiéndose en partidos políticos y sindicatos de crimen organizados.

Pero los grupos de minorías que emergieron para proteger sus mujeres y niños de las pandillas gringas nunca solidificaron a organizaciones tan fuertes. Aunque llegaron cercas.

Cuando el Partido de Panteras Negras emergieron y la Nación de Islam se hizo popular por los E.U., muchos grupos Negros empezaron a desarrollar usando las mismas ideas. Se pueden considerar pandillas, lo cual muchos de ellos siguen siendo hoy día, pero también pudieron haber sido ejércitos revolucionarios.

Origen de los Crips

Stanley "Tookie" Williams creció en el Sur Central de Los Ángeles en el era de las Panteras Negras y otros grupos revolucionarios. Grupos Negros eran conscientes del racismo y brutalidad policíaca porque habían tenido muchos encuentros y peleas con supuestos esforzadores de la ley.

En el vecindario donde vivía Tookie, ya habían pequeñas pandillas que le robaban a los residentes. El quería hacer algo de ello, pero el y sus amigos eran muy joven para juntarse a las Panteras Negras.

En 1969, había un sitio de la comunidad que se llamaba Relaciones de Comunidad para una Gente Independiente. El centro atraía mucha gente joven, como un sitio para juntarse y hablar de las cuestiones que Tookie quería tratar. En 1971, a los 16, Tookie y su amigo de 15, Raymond Washington, juntaron muchos de estos jóvenes como pandilla organizada para proteger la comunidad. Las iniciales del centro (en Ingles) se convirtió en el nombre del grupo: C.R.I.P.s.

En esos días la ropa de los CRIPs reflejaba su influencia mayor: las Panteras Negras.

En 1973, después que muchos guerreros jóvenes se juntaron al nuevo grupo, sus lideres trato de guiarlo de nuevo a sus raíces de servicio de comunidad. Publicaron una Constitución CRIP nueva, y se definieron como: Community Reform Inner-Party Service (CRIPS). Estos miembros, mucho de ellos acabados de salir de la cárcel donde habían estudiado libros sobre la lucha Negra, juraron a servir a su pueblo, en vez de explotarlos como habían hecho los gringos.

"Yo no peleo por el color o el terreno. Yo peleo por los principios y por el honor."
Tupac Shakur

En el segmento "Propósito y Objetivo" de la nueva constitución, los CRIPS reorientados escribieron:

> Somos un partido cual propósito es a servir nuestra comunidad en general. Nuestros servicios serán a proveer terapia a males sociales, guía en corregir esos males, y amor y paz para nuestras comunidades.

Los CRIPS empezaron a crecer y regarse del Este al Oeste a Compton y mas allá. Para el 1979, los CRIPS habían crecido de una pandilla vecinal pequeña y buena a un grupo masivo con capítulos por todo California. Como crecieron rápido, sin forma de mantener que se le enseñaba a los nuevos capítulos, miembros perdieron el enfoque en la misión original. De acuerdo a Mumia Abu-Jamal, "En esencia, los CRIPS se convirtieron en exactamente lo que peleaban, pandilleros peleones."

El crecimiento de los CRIPS ayudo al crecimiento de un grupo rival, los Bloods. Los Bloods también fueron influenciados por la Panteras

Negras, ademas de las enseñanzas de Islam. Es mas, el termino popular "Damu", es una palabra Swahili, significando "blood"(sangre).

Si lees la historia de los Vicelords, los Gangster Disciples, los Black P. Stone Nation, o cualquier pandilla nacida en los 60s o 70s encontraras lo mismo.

Pandillas Hispanas y Asiáticas también desarrollaron de la misma manera. Al principio, eran resistencias organizadas a amenazas de afuera. Por amenazas de afuera, quiero decir los gringos locales que aterrorizaban comunidades inmigrantes. Pero mientras pasaba el tiempo, pandillas revolucionarias como el partido Young Lords y el partido Red Guard le dieron paso a pandillas sin dirección ni enfoque. Estas pandillas no solo empezaron a pelear contra las pandillas Negras sino que entre si también.

Desde los 60s, los 5% se mantuvieron como uno de los pocos grupos activos de la calle consumiendo pandilleros y aveces pandillas completas y convirtiéndolos a orientación positiva.

Sin embargo, en años recientes, la falta de dirección en la comunidad Negra ha llevado a:

- pandillas imitadoras, modelado en la estructuras de pandillas que vinieron antes de ellos, usualmente afondado por *La Brega* y
- pandillas de vecindario, sirviendo como familias sustitutas para jóvenes que no tienen a donde mas ir, pero una necesidad de pertenecer a algo, después que sea fuerte y agresivo (no pasivo como las iglesias).

Introducción de Armas y Crack

Como el suplidor Colombiano de Oscar Danilo Blandon Reyes era la fuente de Ross para la cocaína barata que inundo las calles de Sur Central Los Angeles en los 80s, el 'Mercury News' llamaron a Blandon "...el primer contacto directo de los Crips y los Bloods a los carteles de Colombia."

De acuerdo a Mumia Abu-Jamal, la misión original de los CRIPS no se regó cuando se regó la pandilla:

> Lo que se ha regado de costa a costa es nihilismo, ira, violencia contra Negros y el motor económico de el negocio narcotrafico, lo cual es solo una arma química usada contra la vida de la comunidad Negra.

Pero algunos se despiertan, y están tratando de redirigir su enfoque:

> Sanyika Shakur, una vez CRIP, ahora nacionalista Negra, pregunta, "Si no hubiésemos empezado como cazadores de Nuevos Afrikanos (Negros) hubiésemos sido permitidos durar tanto?" El anuncio, en 1993, la refoma de los CRIPS en 'Clandestine Revolutionary Internationalist Party Soldiers.' (Yo dudo que habrán muchos videos de

> rap sobre estos tipos de pandilleros!) Cada par de décadas, estos grupos de calle tratan de reorganizarse, reformarse y resurectarse, pero algo se le mete de por medio.

Adivina que? Te doy diez segundos. Si todavía no sabes, necesitas ver 'Soldado Por Vida'.

Condiciones Corrientes

A los 45, Tookie Williams había estado en el corredor de muerte por 19 años. Desde que estuvo encarcelado, dejo el liderazgo de los CRIPS, empezó activismos y esfuerzos educativos de comunidad, escribio libros de niños, y fue nominado por el Premio Nobel de la Paz. Dos años antes de su ejecución en el 2007, el dijo:

> Por mucho tiempo me escondía de mi propia redención. Estaba preocupado que otros pensarían de mi. Pensarían que Tookie se había vuelto tierno? Ese era mi preocupación. Yo pensaba antes que no apandillar era una señal de debilidad.
>
> Mucho de los jóvenes hoy sienten como yo sentía en el pasado. Pero ahora se mejor. Un esfuerzo legitimo de redención para cambiarse, toma disciplina ardua para tener éxito. Así que hacer una transición positiva en tu vida es una señal de fuerza y no de debilidad.

Estimados sugieren que habían por lo menos un millos de pandilleros en los E.U. en el año 2000. Y aparecía que con la destrucción de las familias y la persistencia de drogan y armas, ese numero no iba a bajar.

Imaginate si esa mano de obra se podría hacer trabajar? Considerando que estos jóvenes están frustrados con sus condiciones y están dispuestos hacer lo que fuera. Imaginate el poder militar que hay en los barrios de los Estados Unidos. Si los lideres de nuestras comunidades estuvieran menos enfocados en decirle a los jóvenes que suban los pantalones, y mas enfocados en hablar con estos jóvenes, tuviéramos un ejercito revolucionario en nuestras manos.

Es mas, eso fue lo que los gringos temían en los 60s, y esa amenaza fue la razón que dieron los Derechos Civiles. No estaban convencidos de la promesa de paz de King. Tenían miedo de la amenaza de guerra. Grupos como las Panteras, los Mau Maus, el Ejercito de Liberación Negra, los seguidores de Robert Williams, y muchos otros, tenían el gobierno asustado.

Pero que pasa con la juventud hoy? No pelean por nosotros. Se pelean a ellos mismos.

Mumia concluye que la mentalidad de los soldados jóvenes hoy:

> Son demasiados materialistas, sexistas y revelan en los imágenes de violencia contra sus comunidades. Y, mientras nuestra fascinación por las cosas expande, nuestro querer de otras personas cae. Cosas importan, bling importa.

> Los videos proyectan, no nuestras riquezas, sino nuestra pobreza inherente, porque solo la gente pobre siente necesidad de guillarse, porque los realmente ricos han aprendido que guillarse es cosa de dinero nuevo; aquellos que acaban de acumular su dineral.
> También hay un viraje fatal en el encanto de la vida pandillera; abre la puerta a la prisión o la tumba, y alimenta la industria de abarcamiento – el complejo industrial de prisiones, el heredero institucional de la plantaciones de esclavos, que se nutren del dolor y perdida Negra.
> Mientras tanto, el pandillero mas grande del planeta, el imperio Estadounidense, se come las naciones como dulce, invade países como cruzan una calle, y tratan la constitución como si fuera papel de inodoro.
> Eso es pandillero!

O como dijo David Banner en una entrevista reciente de Billboard:

> Estados Unidos apunta el dedo a jóvenes Negros cuando el pandillero mas grande esta en la guerra. Cuando yo (el presidente) dice, "No me importa que tu pienses de esta guerra, voy a seguir." Eso es pandillero. Para el presidente de los E.U. decir, "Tienes 24 horas para salir de mi país." Eso es pandillero. Si yo voy a tu nación y digo que lo acabo de descubrir, aunque tu llevas milenios allí. Eso es pandillero. Trajeron Africanos a este país y les quitaron su idioma, su cultura. Perdimos nuestras tradiciones porque no las quitaron a golpes. Eso es pandillero.

Cuales eran los objetivos de las primeras pandillas nuestras?

Que nos hizo perder esa visión?

Que nos puede llevar al programa original?

Desarrolla un enfoque y mantente en el. No hace sentido subir hasta la mitad de una montaña, solo para dejarte caer.

Matando a un Hombre

Tenia la pistola fuera de 'safety' con uno en la cámara. Dirigido justo entre sus ojos, estaba segundos de dispararla. Uno en la cabeza, estaba listo para ponerle uno en la cabeza. Solo tendría que jalar el gatillo con suficiente presión para poner el martillo en moción, pero no tanta presión que mi mano brincaría y podría fallar.

Estaba ardiendo. Estaba gritando. Había salido del arbusto con asesinato en mi mente. No había casi nada entre el, yo y sus sesos en el pavimento. El me rogaba que no disparara, suplicando algo que no podía entender. No podía entender sus palabras. Así estaba. Al ultimo momento uno de mis hermanos me paro. Podemos bregar esto de otra manera, propuso. El estaba calmado, como yo usualmente era en situaciones como esta, y lo escuche. Para acortar una larga historia, no mate un hombre en el medio de la calle esa noche.

Antes de esa noche, la ultima vez que me vi seriamente a punto de matar a alguien, estaba completamente calmado. Iba hacer premeditado por semanas y planificado hasta el ultimo detalle. Como dicen, venganza es un plato mejor servido frío. Y yo estaba suficientemente frío para dar quemaduras de congelador en aquel momento. Yo estaba en modo de asesinato. No el tipo de asesinato "el calor del momento", pero el "dispararte y sonreír" tipo de asesinato. Solo que no pude arreglar los detalles de mi plan para que cayeran en su sitio de la manera correcta. Primero que estaba pelado y todavía no tenia mi propio carro. Dejando la escena de un asesinato para esperar un autobús no me parecía practico. Y no podía ir con otro, porque no se puede confiar en nadie estos días.

Habían otros problemas también, como tratando de figurar la rutina exacta del tipo sin el dinero para pagarle a alguien que me investigara todo eso. Después de todo, necesitaba entrar a su casa para hacer que se viera como un suicidio. Pero nada me resultaba. Y de nuevo estaba mi hermano en mi oído siendo la voz de la razón.

Desde entonces, he crecido. Ya ni me pongo en ese tipo de situaciones. Y asesinato ni esta en mi vocabulario. Si algo pasara ahora, te prometo, te garantizo, que seria en defensa propia.

Cuando miro a esas dos experiencias, aprendí mucho de ellas. Aprendí que no puedes matar a alguien al menos que estés metido en el por todo. Yo lo estuve, pero por fortuna, otros factores me aguantaron. Eso es diferente de cuando tenia seis haciendo amenazas que ni entendía.

Han habido gente que me han puesto pistolas a la cabeza, quien yo sabia no estaban en el por todo. No estaban para nada en la mentalidad o en el modo necesario para asesinar me. Por eso, si no estas o todo frio ni todo caliente no se puede. Tienes que estar en el por todo, sino vacilas. Como dice Jay-Z, "Sabes lo que dicen de el que vacila en guerra? El que vacila pierde."

No quieres sacar una pistola solo para quedarte congelado al momento de jalar el gatillo. Entonces hay que te puedas salir de esa con solo la pasada de vergüenza.

Lo mismo con la vida. No puedes meterle a medias a nada. O le metes fuerte o no le metas. No te quedes en la verja, indeciso. No debes ir al tantos extremos, pero mejor bregar con alguien quien ve la vida de blanco y negro que con alguien que solo anda a mitad con todo.

No le metas a mitad a nada. O lo haces o no. Eres o no.

Pagado Por Completo

Mas de 20 años atrás...mucho antes de que "hacerlo llover" se hizo la frase favorita para cualquier pendejo tirando billetes de uno. AZ, Rich Porter y Alpo estaban tirando billetes de $50 dondequiera que iban. Las historias de estos tres leyendas de la cocaína son un testimonio verdadero de los tres caminos que puede andar en este juego sucio. Como dice Killer Mike, es "Cárcel, Infierno o Hospital."

Camino 1: AZ

En 1983, la película "Scarface" salio, y el cuento de Tony Montana y su lujuria por dinero y poder inspiro jóvenes en barrios por todo el país. Ese mismo año, un suplidor de cocaína Colombiano se le acerco a Azie Faison – pronunciado AZ – sobre vender cocaína, y lo demás es historia. Para los 19, Azie era un mayorista de cocaína en Harlem, ganándose regularmente entre 40 – 100 mil a la semana.

Azie se junto con su amigo de infancia, Rich Porter y luego Alberto 'Alpo' Martinez, los tres que se convirtieron en leyendas en Nueva York. Los tres vivían como reyes, enseñando joyería cara y autos lujosos por las calles de Harlem.

Pero no duro mucho. En 1987, una invasión de puerta pateada a la una del las casas de Azie dejo tres muertos y tres heridos críticamente. Azie fue disparado nueve veces en el intento a robo, incluyendo dos veces en la cabeza a quema ropa. Con su cabeza desbaratada como un melón, los pillos lo dejaron por muerto.

Pero milagrosamente sobrevivió.

Azie describió la experiencia en su autobiografía, 'Game Over: The Rise and Transformation of a Harlem Hustler':

> "Abre la caja, cabrón! Abre la jodida caja ahora o voy a matar a todos aquí! Avanza, puto..." Es lo ultimo que dijo antes de pegarme con el culo de la pistola, haciendo que sangre me cayera en los ojos. Temblando de miedo y aturdido por el dolor, trate de responder: "Mira hombre...la sangre me esta cegando. No puedo ver! No tengo dinero en la caja. Solo dejanos ir, yo te consigo dinero. Ellos no tienen nada que ver."
>
> Estaba arrodillado, torcido con sangre fluyendo de mi cabeza. No sentía dolor estaba aturdido. Este era mi día de sentencia – pago por todos mis pecados. Dios había perdido paciencia conmigo. En vez de escuchar, ignoraba las advertencias del Señor y viraba mi espalda hacia El. Escuchaba Su voz durante unos años, pero no estaba seguro que era El. Así que allí estaba. Mi cabeza volteando, mi corazón a punto de explotar, y mis ojos quemando por la sangre pegajosa que le caía.
>
> Tropezando por ahí dolorido, logre sacarme un poco de sangre de mis ojos con mi camisa. Lo que vi me dejo sin aire: cinco personas, incluyendo a mi tía y mi mejor amigo atados en el dormitorio de mi tía. Estaban esposados y acostados boca abajo, suplicando por sus vidas. Al caer la noche, mi tía, su amiga, y mi mejor amigo fueron pronunciados muertos. Dos personas mas sobrevivieron, pero tenían heridas serias. Yo recibí dos tiros a la cabeza a quema ropa, y siete mas: uno en mi

> cuello, uno en mi hombro y los demás en mis piernas. Yo vi una luz brillante y mi cuerpo se sentía como que subía hacia la luz.
>
> "Lo estamos perdiendo, lo estamos perdiendo. No va a llegar." Los médicos que me llevaron al hospital no tenían razón para creer que sobreviviera. Es mas, no sobreviví...por lo menos el viejo yo no. En ese día el viejo yo morí, para que un nuevo yo pudiera nacer.

Después de su experiencia cercana a la muerte, AZ no siguió el camino que la mayoría hubiesen (o sea, diciendo que encontraron a Dios comportando como si estuvieran salvo, y poco después volver a hacer lo mismo).

En vez, el dejo el juego de narco para embarcar en una misión de repudiar su vida previa y guiar a jóvenes lejos de el camino que el había escogido. En 1989, el formo un grupo de rap compuesto de bregadores de la calle quienes contaban la historia de la vida de un narco en su lírica. Después de las muertes trágicas de su amigo Rich Porter y su hermano Donnell Porter, Azie empezó a trabajar en una película sobre su vida, que eventualmente salio en 2002 con el nombre de 'Paid In Full'. Como para el mismo tiempo, se junto con el documentalista de la calle Troy Reed para producir un documental de su vida llamada Game Over.

En el 2002, Azie también se junto con el educador Agyei Tyehimba para escribir su biografiá. Su meta era contar la realidad sobre el juego de narco, especialmente como destruye las familias y comunidades. El resultado es el libro 'Game Over...'

Camino 2: Rich Porter

Mientras su amigo de la infancia Azie Faison trabajaba en una lavandería vecinal, Rich Porter empezó su brega a los 12. Ya para los principios de los 80 – la altura de la "Guerra Contra las Drogas" de Reagan" - Rich Porter era rico.

A distinción de su amigo Azie, a Porter lo conocían por su flamante estilo de vida. Ya a los 16, a Rich se veía por las calles de Harlem en un BMW. Al tiempo, su amor por los autos lo llevo a tener un flete de autos lujosos, algunos que hasta regalaba. Gente dicen que el nunca uso la misma ropa dos veces y que tenia un garaje en Manhattan lleno de autos lujosos.

En la canción "The Truth" de DJ KaySlay, LL Cool J rapio de sus experiencias con los tres:

> Un reino de 17 años, simple y sencillo/Cuando y gobernaba el rap y mis pares vendían coca del bolsillo/1.3.2...Uptown, cuando Rich Porter me dijo/"Tu puedes guiar auto nuevo, es diferente contigo/Y AZ le daba 50s a los pobres/Nunca se alababan. Pero te decimos, que así no cobres

Pero en la vida que escogieron, honor y buenos hechos, no te garantizan nada. Rich Porter fue matado por dos asociados en Enero del 1990. Uno de esos dos hombres fue Alpo. La causa? Un dinero que se supone Porter le debía.

Camino 3: Alpo

Desde que se junto con Rich y AZ, Alpo había desarrollado una reputación como algo serio con cual bregar, un matón con suficiente dinero y poder para terminar con las vidas y carreras de quien se metiera con el trío.

"Y Alpo mandaba tipos a matar tipos.
Y todo Harlem lloro cuando Rich Porter murió.
No eran casucha, mucho dinero y armados fuertes para la lucha.
Los tenia aterrorizados de la 132, escucha."
Cam'ron, "I Remember When"

Mientras Rich se conocía por guillado, y AZ calmado y calculado, Alpo era arrebatado y loco jalando gatillos. Pero quien se imaginaria que se iría en contra de su hermano?

En 1992, Alpo fue arrestado y convicto de unos cargos, incluyendo el asesinato de Rich Porter. Con la esperanza de bajar su termino de prisión, Alpo se volvió soplón. El proveo información de docenas de personas, cual llevo a muchas convicciones largas para muchos amigos y socios previos.

Recientemente Alpo hablo sobre matar su buen amigo en la revista F.E.D.S.:

> Mi socio Gary le metió dos tiros, pero no murió so le metí otro. Yo se que lo sintió porque tuve que forzar sus manos de la puerta. Mate a Rich? Si. Si, yo mate a Rich, pero no fue personal. Era negocio.

Recientemente preguntado por DJ KaySlay que si podía cambiar una cosa, Alpo dijo que seria lo del haber matado a su amigo Rich.

Aun con todos que le vendió a las autoridades, Albert 'Alpo' Martinez no sale pronto. Alpo todavía esta sirviendo una sentencia de por vida por varios cargos de narcotrafico y 13 homicidios, incluyendo la de su amigo y socio Rich Porter.

En un juego como este, no hay muchas maneras de hacerte verdaderamente exitoso. Aun la ilusión de éxito, manifestado en dinero rápido, autos lujosos y mujeres – es a corto plazo. Viene rápido y se va rápido, como pueden ver en la gráfica. Por supuesto la mejor idea es empezar y mantener una brega legitima, pero no es un cuento de hadas. Como dice Jay-Z en "My Mind Right" de Memphis Bleek:

"No se trata de Rico y Pobre, se trata de rico y pobre." Pero no vemos esa realidad por la ilusión que nos enseñan y le metemos duro a la mierda incorrecta.

Mucho de nosotros nos hemos metidos tan afondo en esa realidad que es difícil ver una manera sensible de salir. Todo lo que puedo decir es, si el cuarto camino es muy duro (vea "El Cuarto Camino"), toma el primer camino de este cuento. Si no sales de este juego como AZ, es casi garantiza que saldrás como Rich o Alpo.

Cuando estés en una situación que se conoce que nunca termina bien, salte antes de convertirte en otra historia triste.

Como Hacerte Inteligente en 17 Pasos

1. Lee este libro. No tienes que leerlo de atrás para delante. Puedes saltar por los capítulos. Pero lee todo lo que esta en este libro, y sabrás mas que muchas personas dos veces tu edad.
2. Investiga. Mientras lees este libro, o cualquier libro, investiga gente, sitios y eventos de que quisieras saber mas. También busca el significado de palabras que no reconoces.
3. Lee a diario. Puedes empezar simple, con revistas y novelas gráficas, pero si lo sigues, te sentirás cómodo leyendo libros grueso con el tiempo.
4. Escribe. Escribiendo mejora tu leer, igual que leyendo te hace un mejor escritor. Mantén notas sobre lo que estés estudiando, mantén un diario de tu vida y pensamientos, o solo mantén un pedazo de papel a la mano para escribir cosas que te pasen por la mente. Y empieza ahora, no una vez estés encarcelado y no tengas opción.
5. Cambia lo que te metes al cuerpo. La comida que comes y los otros químicos que te metes al cuerpo afectan como tu cerebro funciona. Si no puedes mantener tu cabeza clara o una memoria decente, es hora de dejar de hacer algo.
6. Mira mas a fondo. Cuando las cosas estén pasando, busca las respuestas de 'porque' y 'como'. Si no sabes como funciona algo, averigualo.
7. Cuestiona todo. Cuando te dicen algo, o vez algo en la TV o las noticias, preguntate si puede ser mentira. Mira cual es la meta de alguien que te esta contando algo.
8. Usa el Internet. Salte de Myspace, Facebook y Youtube. Empieza usar el Internet para investigar, encontrar información y descubrir recursos.
9. No tengas miedo. Se necesita coraje para pensar diferente. La forma fácil es pensar como los demás. Cuando empiezas a pensar por ti, tienes que hacerte lo suficientemente inteligente para defender tus ideas.
10. Ve a la escuela. Quizás no creas en lo que te enseñen, pero la mayoría no te creen si no puedes enseñarles que eres

suficientemente inteligente para conseguir tu grado colegial. Lo mas seguro es que aprenderás algo útil allí.

11. No seas papa de sofá. Aunque no estés preparado para velar el Canal de la Historia, Discovery, o Red de Ciencia piensa en los mensajes en los programas que si vez.
12. Hablale a gente mas inteligente que tu. No estoy diciendo que debes pasar todo tu tiempo con los 'nerds'. Solo encuentra una gente que tenga algo que enseñarte, y pasa algún tiempo con ellos tan a menudo que puedas.
13. Estudia lo que haces. Si quieres ser rapero, lee un libro sobre la industria de la música y como trabaja...para que no te chinguen. Si te gustan las pistolas, aprende todo sobre ellas. Por lo menos tendrás algo que aportar cuando estés teniendo conversaciones informadas.
14. Atiende discursos dados por gente inteligente. No tiene que ser una conferencia de música de opera. Hay muchas oportunidades para escuchar gente hablando sobre prisiones, hip hop, empezando negocios y otros tópicos que puedan ser importantes para ti.
15. Juegos mentales. Y no quiero decir que jodas con las cabezas de la gente. Actividades como ajedrez, sudoku y crucigramas ofrecen ejercicios necesarios para el cerebro. Si son demasiado para ti, empieza a resolver problemas en el mundo real. Todo a tu alrededor, hay muchas oportunidades para usar el pensamiento critico y así afiliar tu ingenio.
16. Consigue una muchacha inteligente. Una muchacha bruta solo te mantendrá bruto, o hacerte mas bruto. Tu mejor apuesta es una muchacha de colegio (aun si todavía estas en la secundaria) o una graduada de colegio. Si no, por lo menos asegura que ella lee (y no solo novelas eróticas y románticas).

Ya no es listo ser bruto.
Es bruto ser bruto, así que ponte listo o muere.

PEONES EN EL JUEGO

Unas pepitas de información sobre nuestro amigo el 'Crack':

"Crack" fue nombrado por el sonido que hace cuando es quemado para fumar.

Reportes de uso de crack salieron en L.A., San Diego, Houston y en el Caribe tan temprano como 1981. La primera casa de crack fue descubierta en Miami en 1982. Crack llego a Detroit para el 1985, Nueva York para 1986 y Chicago para el 1988 antes de expandirse a las ciudades pequeñas en los 90s.

Los cortos masivos a los servicios sociales de la administración de Reagan y el fin de muchos trabajos de manufactura causo que las tazas de desempleo subieran dramáticamente. Mientras tanto, se hizo mas fácil distribuir la droga (por ayuda del gobierno), generando gran cantidades de dinero a los narcotraficantes.

"Cuando el era de Reagan empezó/
recibíamos increíble cantidad de queso"
Busta Rhymes, en "Hustlin (streets remix)" de Rick Ross

Entonces empezaron las guerras por el punto y otros factores que llevaron a una violencia sin precedente en la comunidad. Las armas también se hicieron mas fácil de conseguir para este tiempo.

Crack se regó como un fuego a causa de narcotraficantes notorios como Alpo, Pappy Mason, los Wild Cowboys y el Supreme Team de Nueva York; los Pretlow Brothers y The Family de Nueva Jersey; Junior Black Mafia de Filadelfia; Freeway Rick en L.A.; Rayful Edmonds de D.C.; ademas de Young Boys, Inc. y Latin Counts en Detroit.

Crack fue usado para aplastar el creciente movimiento de consciencia Negra, ademas de el crecimiento del hip hop. Como dice Rodrigues en el libro de Jamel Shabazz, A Time Before Crack: "Anteriores B-boys y varones alfa se convirtieron en generales de la calle y cambiaron el hip hop por una oportunidad a ser el próximo Tony Montana."

Crack era la primera droga que fue vendida ante todo por hombres Negros y usado por mujeres Negras (habían 98,000 mujeres Negras usuarias para el 1992). Rodrigues continua: "Mujeres jóvenes quien eran bellas y vivas fueron transformadas a flacas sin dientes dolorosas de mirar. Empezaron a meter por piedras, creando la 'puta crack' que le dio luz al 'bebe crack'."

Sexo por crack se hizo común, hasta llevando a orgías que los narcotraficantes grababan, que pudo haber sido el precursor al fenómeno de "Girls Gone Wild".

Adictas al crack fueron desde prostituirse a vendiendo sus hijas (y hijos), que subió la indice de vejación, pedofilia y abuso sexual en la comunidad Negra.

De 1979 a 1990 (el subido de la era del crack), el porcentaje de hombres Negros mandado a la prisión estatal y federal subió 14%.

Crack también llevo a la alza en familias de madres solteras, a causa de las tazas altas en hombres Negros encarcelados. Durante el mismo periodo la preñez adolescente subió significativamente.

Mientras la violencia se apodero de las ciudades, los Negros de clase media se mudaron a los suburbios, torciendo mas las divisiones entre la clase media Negra y los pobres Negros. Empero la riqueza ilícita hecha por los narcos de crack, en un tiempo donde otros Negros estaban luchando bajo las presiones económicas de vivir con Reagan como presidente, hizo que el uso y venta de drogas fuera especialmente atractivo a los jóvenes Negros.

Después que mucha gente Negra empezaron hacerse ricos bregando en heroína y cocaína, en 1973, el estado de Nueva York paso unas leyes de droga Rockefeller, después de mandar a 713 personas a prisión por crímenes de drogas en 1973. Para el 1992, usando esas leyes fuertes, el estado estaba encarcelando 11,000 ofensores nuevos de drogas cada año.

Para aquellos que no están en el lado equivocado de la verja, el sistema de justicia criminal es una industria de $70 billones. Aun corporaciones mayores benefician del uso de prisioneros como trabajadores baratos, en una forma de esclavitud permitido por el 13era Enmienda.

Pueblos pobres, aislados y blancos sufriendo de alto desempleo benefician de construyendo nuevas prisiones para encarcelar Negros. Allí, rednecks racistas sin educación pueden hacerse oficiales de corrección y una vez ser pagados por controlar Negros impotentes, como en la esclavitud. Como ha dicho Baruti, "De nuevo nuestro caer facilita su alza."

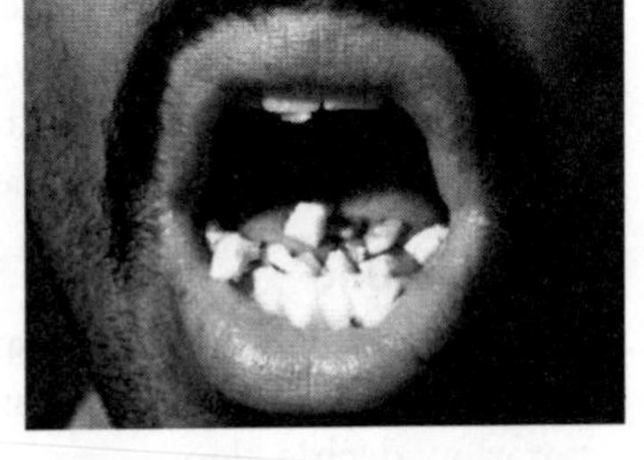

También, programas federales y organizaciones giradas a pelear la guerra contra las drogas hacen una tonelada de dinero, usando nuestro dinero de impuestos. Cuando sera que esta guerra se va a ganar? Y porque es que los Negros son los apuntados cuando los gringos son tan o mas metido en el negocio de drogas?

Finalmente, la gente quien importan y asisten los cargamentos de drogas que entran a nuestro país se están haciendo extremadamente ricos. Si excavas lo suficiente, veras que mucha gente de alto rango – incluyendo presidentes previos (como Bill Clinton) – quien eran/son envueltos.

De acuerdo a un reporte de una comisión de pólizas de sentenciar, las sentencias por ofensores de cocaína en forma de crack son seis veces mas largas que para ofensores de cocaína con cantidades equivalentes. Defensores – mayormente negros – traficando crack recibieron un promedio de 64 meses o poco mas de 5 años. Mientras los que traficaban cocaína – mayormente blancos – recibieron una sentencia promedio de solo 13 meses.

Cocaína en polvo (usado mayormente por blancos) y cocaína de crack (usado mayormente por negros) contiene mas o menos la misma cantidad de drogas por gramo. De acuerdo a las leyes Rockefeller, ser convicto de posesión de cuanta cantidad de esas drogas recibirán una sentencia mandatario mínima de cinco años bajo la ley federal?

- ❐ 500 gramos de polvo o 500 gramos de crack
- ❐ 5 gramos de polvo o 50 gramos de crack
- ❐ 500 gramos de polvo o 5 gramos de crack
- ❐ 5 gramos de polvo o crack

Si escogiste la tercera, felicidades! Sabes las reglas del juego. Ahora la pregunta es, eres suficientemente estúpido para seguir jugando?

Este juego no solo es injusto.
Este juego esta diseñado para que pierdas.

Tu Subconsciente

Tu subconsciente esta muy ocupado. Aun cuando tu no sabes que estas pensando, estas pensando. Mientras estés calmado por afuera, puedes estar con miedo, vergüenza, lujuria, codicio, duda o miles de otras cosas por dentro. El problema es: O lo sabes y no lo admites, o ni lo sabes. Siendo consciente de tu subconsciente es como ir a las profundidades del mar. Aveces consigues tesoros, y aveces encuentras alguna mierda fea que quisieras nunca a ver visto. Como quiera que sea, necesitas saber, porque tu subconsciente juega un papel en toda las decisiones que hagas, y cada pensamiento que tienes. Aquí unos ejemplos:

Ejemplo Uno

Situación a la mano: Algún payaso me choca en el club y derramo parte de su bebida en me camisa. Hay una mancha, así que tengo que pararlo y decirle algo.

Pensamientos conscientes: Este pendejo me acaba de arruinar mi camisa favorita. Es mas me daño la noche con esta mierda. Se ve todo estúpido ahora, voy a tener que decirle algo. Va a pagar por la camisa, de una manera u otra: o de su bolsillo o de el culo. Es lo único que puedo hacer.

Pensamientos subconscientes: Coño, este cabrón es grande. De veraz que no quiero pelear por esta camisa barata de Target, pero me están mirando mis socios. Si no le ladro por lo menos, voy a verme bien pendejo. Espero que sea un mamón y no quiera pelear, porque entonces si que toda mi ropa se van a joder.

Ejemplo Dos

Situación a la mano: El segundo primo – dos veces removido, en el lado de su padrastro – de Chino, le brincaron encima unos cuantos de la calle 79. Los tipos se están uniendo y vienen a buscarme para bregar con eso.

Pensamientos conscientes: Estoy preparado. No me vale madre! No le he partido el culo a algún cabrón en semanas. Estos cabrones no saben con quien se metieron. Le va a dar pena cuando se enteren.

Pensamientos subconscientes: Quien carajo es Chino? Yo casi ni lo conozco, menos al primo. Como quiera, estoy en probatoria, y mi oficial esta loco por ponerme una violación. No necesito esta mierda. Estos jodidos locos siempre queriendo partir le la madre a alguien por alguna razón. La mitad de las veces, soy el mas que le mete y estos cabrones esperando meterse cuando ya esta tumbado el que sea. Necesito conseguir una excusa para no ir. Quizás me tomare la leche mala esa y me enfermo.

Ejemplo Tres

Situación a la mano: Mi mejor amiga, Sheronda, esta enojada con su novio, quien usualmente es buena honda con ella. Me lo esta contando para sacárselo del pecho.

Pensamientos conscientes: Le voy a decir que deje al tipo ese. El es buena honda aveces, pero no lo suficiente para ella. Ella tiene que saber que ella puede hacer mejor. Le voy a enseñar como ella no es el hombre para ella. Un hombre real, como yo, nunca haría la mierda que el le hizo...uh, lo que sea que le hizo.

Pensamientos subconscientes: Esta es mi oportunidad. He querido chingar a Sheronda desde hace tiempo, pero ese tipo siempre de por medio. He respetado esa mierda lo suficiente. Es buen tipo, pero no me va a bloquear hoy. Yo se que no haría bien por ella si la tuviera, pero solo la quiero por esta noche.

Ejemplo Cuatro

Situación a la mano: Estoy saliendo con una gringa.

Pensamientos conscientes: No me importa la raza de Megan. Ella es buena conmigo. No me lleva por sus padres, y no podemos hablar de temas de Negros, pero no es racista. Después de todo, ella me ama. Y yo la amo, no porque es gringa, pero porque ella se porta mejor conmigo que cualquier mujer Negra que he conocido.

Pensamientos subconscientes: Tengo una gringa, tengo una gringa, tengo una gringa! Nyah nyah nyah nyah nyah!

Ejemplo Cinco

Situación a la mano: Conocí un tipo en el tren que estaba hablando de 'revolución'. Era bien indio, con pelo largo y una ropa camuflaje.

Pensamientos conscientes: Este tipo esta raro. Toda esa mierda "pelear contra el sistema" no es para mi. Yo estoy buscando la plata, y apuesto que este tipo esta pelado. No he escuchado una palabra que ha dicho.

Pensamientos subconscientes: Le tengo miedo a la mierda que esta hablando este hombre. Me hace sentir pequeño saber que todo lo que se y creo esta mal. Se ve raro, pero lo que dice hace sentido, pero no quiero admitirlo al frente de toda esa gente. Necesito dejar pensar en eso.

Resumen

Aveces, nuestro subconsciente aguanta los deseos mas profundos y oscuros. No queremos admitir algunas de las cosas que pensamos, pero están allí. Al menos que los traiga a la superficie y bregar con esos pensamientos (y el porque los tiene) te comerán desde adentro. Esto puede continuar por años y años...hasta que pase algo malo un día. Para entonces sera muy tarde para regresar y arreglar lo que estaba mal.

Otras veces, nuestro subconsciente quiere hacer lo que sabemos profundamente lo que es lo correcto. Eso es lo que le llamamos la conciencia y aun la gente mas fea tienen uno. Puede que este enterrado muy profundo pero nos molesta cuando hacemos algo que sentimos es malo. En esos casos, necesitas reconocer lo que verdaderamente estas pensando y se el hombre que en verdad quieres ser.

Se consciente de tus pensamientos subconscientes.

Los Mas Grandes...

El habito mas destructivo	Preocuparse
La felicidad mas grande	Donar
La perdida mas grande	La del respeto propio
El trabajo mas gratificante	Ayudar a otros
El rasgo mas feo de la personalidad	El egoísmo
La especie mas expuesta	Lideres dedicados
Nuestro mas grande recurso natural	Nuestros jóvenes
El mejor "tiro en el brazo"	El estimulo
El problema mas grande de sobrepasar	El miedo
La pastilla para dormir mas efectiva	Paz mental
La enfermedad mas paralizante	Las excusas
El poder mas grande de la vida	El amor
El amigo mas peligroso	El chismoso
La computadora mas increíble	El cerebro
Lo peor que puede ser falta	Esperanza
El arma mas fatal	La lengua
Las dos palabras mas poderosas	Yo puedo
El recurso mas grande	La determinación
La emoción menos valiosa	El auto-penarse

La decoración mas bella	Una mirada de confianza
La posesión mas preciada	La integridad
Nuestro peor enemigo	Uno mismo

Grandeza en como vives resulta en una gran vida.

Diamantes de Sangre

Cuanta gente tuvieron que morir por esa cadena o brasilete?

De acuerdo a www.realdiamondfacts.org, cada año como 300,000 quilates de diamantes son minadas con trabajo de esclavos en áreas controlados por rebeldes en África occidental. Estos diamantes entonces son vendidos para fondear guerras civiles que explotan soldados niños y destruyen millones de vidas. Esos diamantes de sangre entonces terminan en joyeras Americanas y Europeas. La película Blood Diamond es basada en lo que realmente esta pasando.

Como dijo Kanye West en el remix de "Diamonds from Sierra Leone":

> Buenos días, no es Vietnam, pero la gente pierde manos, piernas, brazos de verdad. Poco se sabia de Sierra Leone y como esta conectado a los diamantes que tenemos....Estos no son diamantes de conflicto, verdad Jacob? No me mientas. Vez parte de mi me dice sigue brillando. Como? Cuando se que son diamantes de sangre. Aunque sea miles de millas de aquí. Están conectados con lo que me pase a mi. Aquí son las drogas, morimos de ellas. Allí se mueren de lo que compramos para vernos mas bellos. Los diamantes, las cadenas, los brasiletes, sortijas.
>
> Pensaba que mi pieza de Jesús no tenia cierto enlazo hasta que vi la foto con la niña sin brazo. Y aquí el conflicto es que somos adicto a ponernos el oro y mientras mas mejoro mas hielo quiero obtener. Pero mucho el costo, hay que dejarlo, necesito detener.

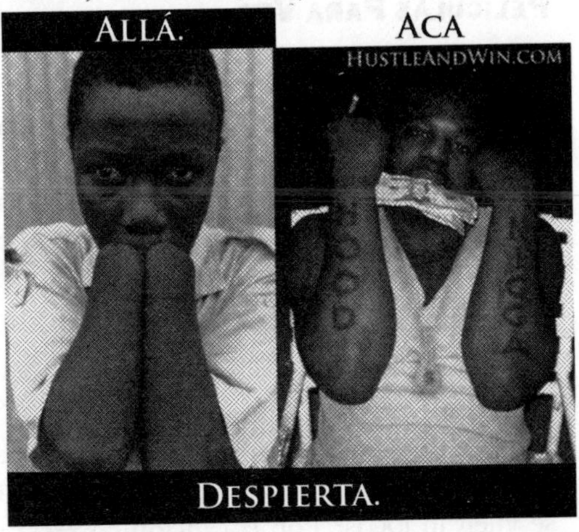

Ese verso cuenta mucho, pero aun los diamantes que son libre de conflicto no vienen sin problemas. Aun cuando la gente no las estén matando por el comercio de diamantes, las vidas se pierden de otras maneras.

Por ejemplo, niños trabajan como esclavos en las minas de diamantes de Sierra Leone. La cosa mas loca de esto es que Sierra Leone fue originalmente establecido por los Ingleses como un hogar para los esclavos liberados de África occidental.

Estos diamantes no son considerados diamantes de sangre así que pueden ser exportados a Antwerp y otras localizaciones donde son pulidas y llegan a tu tienda de departamento local o la joyera.

Y si tu diamante es una mas barata (lo cual es mas probable si la compraste en el barrio), puede ser que fue cortada o pulida por niños casi esclavos en India.

Después de todo esto, que vale una vez lo tienes? No sabes cuantos brazos ni piernas fueron cortados por ello. Ni cuantas familias matadas, ni cuantos niños trabajados a la muerte detrás de ello. Pero es... que? Brillante? Te hace sentir como alguien? Al final del día, de veraz te hace sentir feliz? No puedes ni venderla sin perder la gran cantidad! Y hay tanta gente usando falsas que a nadie le importa cuanto pagaste por la tuya!

Básicamente te estas jugando tu mismo...solo que a un costo tremendo a otras personas. Estoy esperando por el día cuando un rapero diga, "Yo me mantengo bañado en estos chavos. Y en diamantes minados por un chorro de esclavos."

Ese sera el día que yo empiezo a disparar.

Diamantes no son para siempre. Nuestra lujuria por mas y mas cosas solo empeora la situación para mas y mas de nosotros.

Películas Para Ver

Be Cool

Un poco tonta, pero enseña algunas tonterías que son muy reales en la industria de la música. Desigual a 'Hip Hop Dynasty' o 'CB4', que hacen mas o menos lo mismo, 'Be Cool' va mas lejos y ofrece unos comentarios sobre raza y poder durante la película.

A Quien Le Importa?

"Somos muchos en esta mierda así que chinga tu madre, tengo el sur conmigo, y no me importa un carajo!"
Lil Jon & The Eastside Boys, "I Don't Give a Fuck"

Sabes como una canción con un coro de "Chinga tu madre!" o "Al diablo con ellos!" puede ser que todo el mundo en un club o una fiesta se vuelvan locos? Pon la canción correcta y hasta el que esta en silla de ruedas esta tirando el dedo en el aire tirando codazos a los huevos. Por que es eso?

Cualquiera que vea eso puede darse cuenta que tenemos mucha ira y frustración para sacarnos de encima. Y no nos importa lo que piensen de como nos expresamos. Tenemos ira que sacarnos de encima.

Ha sido así por un tiempo ya. Desde los noventas cuando Onyx gritaban Slam! Hasta hoy día. Cuando DJ Khaled's "I'm So Hood" se pone en cualquier club erupciona el caos cuando Plies dice, "Maldito sea mi oficial de probatoria! Y se lo puedes decir! Me puede dar la violación si quiere, me tendrá que seguir." Por que? Porque simplemente estaba diciéndole a todos "me vale madre". Y 90% de nosotros podemos relacionarnos con eso en algún nivel. Aunque lo sepas o no, toda persona pobre tiene ese "me vale madre" o "que se jodan todos" en algún sitio debajo de la superficie. Explico.

Si pones atención, cuando cualquiera de esas canciones que dice "me vale madre" o "que se jodan todos"...nos volvemos locos, hasta los buenos tienen el dedo en el aire y los malos están pateando a algún extraño...De donde viene toda esta rabia?

"No vamos a parar hasta que algún diablo en la audiencia muera.
Empuja los al piso, pon tu pies dondequiera,
vela algún cabrón pisoteado.
Tiros en el aire, seguridad asustados."
Three Six Mafia, "I Bet You Won't Hit a Motherfucker"

Es simple. No solo estamos diciendo "al diablo el mundo" porque sentíamos que pudimos. Lo sentíamos. La realidad del porque esta enterrado profundamente en nuestra psicología colectiva.

Después de tantos años de ser la generación abandonada de una gente ya explotada, nos vale madre. Sinceramente no nos importa un carajo sobre este mundo que nunca les importamos. Aun Young Buck no estaba feliz con el titulo de su álbum Buck the World: "Yo solo quería tener el dedo medio allí. Quería que se llamara 'Fuck the World', pero no dejaron que lo llamara así."

"Estoy matón/que se joda el mundo que así es que mi hicieron."
Tupac Shakur, "Life of an Outlaw"

Entiendes? Si has dicho 'que se joda el mundo' se que si lo entiendes. Si has puesto el dedo en el aire, a nadie en particular, se que lo entiendes. Si solo querías destrozar alguna mierda por hacerlo, se que entiendes.

Estoy aquí para decirte que es natural sentirse así cuando te han dado lo que nos han dado. Hemos nacido dentro del dolor que nos hace sentir así. Como recordó Ice-T en su libro, The Ice opinión: Who Gives a Fuck?:

> "A quien le importa?" es una de las primeras preguntas que se preguntara un joven creciendo en el barrio. El mirara a los edificios abandonado, los proyectos fastidiados, el patio de recreo roto de la escuela y no parece que a nadie le importa. El vela hombres viles en autos de patrulla pasar por su vecindario, y no les importa. Todo el mundo que el ve esta tratando de sobrevivir, solo están tratando de llegar a otro día.

> Es su vista desde aquí. Para entender donde viene esa ira y desafío en niños de la ciudad, tienes que entender la actitud de la gente cuando están caídos. Aun un muchacho con fuerza de voluntad tendrá un tiempo difícil importándole un carajo cuando dondequiera que mira, los policías, las escuelas, y la gente de afuera refuerzan sus sentidos de desespero.

Ese desespero nos consume. Atacamos en rabia, ira y frustración como resultado. De la misma manera que los viejos sueltan su miseria y desespero llorando y cayéndose al piso en la iglesia, nosotros nos volvemos loco y actuamos tonto en el club la noche antes. Sin embargo....la llave hacer sentido de todo esto escapar el ciclo de sufrimiento y cebarse.

"Ser Negro y consciente en E.U. es estar en un estado constante de rabia."
James Baldwin (1924-1987)

Tenemos que aprender a canalizar esta rabia y usarla para destruir lo que es débil en nuestras vidas y nuestras comunidades. No necesitamos bajar nuestros dedos. Solo necesitamos saber a quien apuntarlos, como Plies hace en su video para "100 Years."

"Como a ellos no le importa, yo tampoco – sientes lo que digo?"
Kastro en "They Don't Give a Fuck About Us" de Tupac

Desde un hombre con dinero como Young Buck, a el adolescente pelado en la esquina, todas nuestras actitudes han sido formadas por este sistema desdichado. Aun aquellos de nosotros que todavía pensamos en poder "hacerlo" hemos empezado a mirar a el resto del mundo, aun otros Negros, como que no tienen nada que ofrecer o decirnos. Cuando miras a tu alrededor, aun cuando no estas tirando el dedo al aire, estas tirando el dedo al aire.

Y entonces que?

Jóvenes Negros en todo lugar están llenos de rabia y frustración. Solo cuando sabes de donde viene eso, podrás tener el poder de cambiarlo.

Al Ser Continuado

Aquí es donde termina el cuento....por ahora.

Como dije en la introducción, no hay forma que te puedo llevar por el circulo completo en un libro. Ese libro hubiese sido literalmente mas de 400 paginas, y yo se que muy poca gente tratarían de leer un libro así de largo. Pero sabia que podríamos con la comida si la servia en dos partes.

Ahora que has terminado con las primeras 200 paginas, como te sientes?

Sientes cambios en tu manera de pensar y vivir? Quizás no lo sientas, pero ha empezado.

Estas preparado para los pasos siguientes?

La segunda parte de este libro va mas profundo, da mas duro, y producirá pensamientos y reacciones aun mas fuerte en ti. Parte Uno, en muchas formas, es solo la preparación para las ideas en *Parte Dos*. Allí continua la jornada, y lleva el lector por las ultimas cinco fases de desarrollo hacia éxito total.

Puedes mirar a lo ultimo de este libro para tener una idea de que mas puedes esperar en *Parte Dos*...ademas de que puedes hacer ahora.

REVISO

El principio para este capitulo era **Identifica tus Fuerzas**: Encuentra tu poder interno, en la vida y en el mundo...y enfoca en desarrollarlo.

Aquí están los principios y lecciones que cubrimos en este capitulo:

Compasion
Millones de personas están peor que tu. Deja el engreimiento.
Enfoque
Desarrolla un enfoque y mantente en el. No hace sentidosubir hasta la mitad de una montaña, solo para dejarte caer.
Inspiracion
Cuando te están escuchando, ten algo que decir.
Compas
Cuando estés en una situación que se conoce que nunca termina bien, salte antes de convertirte en otra historia triste.
Dedicacion Total
No le metas a mitad a nada. O lo haces o no. Eres o no.
Poder Verdadero
Solos somos débiles, pero juntos somos poderosos.
No te hagas mas macho de lo que eres.
Ya no es listo ser bruto. Es bruto ser bruto, así que ponte listo o muere.
Jóvenes Negros en todo lugar están llenos de rabia y frustración. Solo cuando sabes de donde viene eso, podrás tener el poder de cambiarlo.
Verdad
Se consciente de tus pensamientos subconscientes.
Este juego no solo es injusto. Este juego esta diseñado para que pierdas.
No puedes matar una idea. Después que hay gente que puedan verlo, una visión es indestructible.
Valores
Diamantes no son para siempre. Nuestra lujuria por mas y mas cosas solo empeora la situación para mas y mas de nosotros.
Grandeza en como vives resulta en una gran vida.

Esta es la primera mitad de Capitulo Cinco. Este capitulo y sus lecciones son resumidas y completadas en *Parte Dos*.

Afterword

TODAVÍA NO ES EL FIN

Espero que no se sientan que los deje ahí colgando. La otra mitad de este libro ya esta hecho, lo juro. Mientras lees esto ya debe de estar a la venta la *Parte Dos* en tiendas o por www.HustleandWin.com.

Como sea, aquí tengo unos pensamientos de partida para la Parte Una. Como saben, escribí estos libros con la esperanza de compartir lecciones que he aprendido de la vida y de los muchos maestros que me ha encontrado en el camino. Muchas de estas lecciones las tuve que aprender de manera difícil. Aunque espero que no tengas que pasar por las mismas, se que van a tener que fracasar unas veces mas antes de entenderlo. La vida es el mejor maestro, después que sean lo suficiente inteligente de aprender algo cada vez que fracasas. Espero que este libro te enseñara de que guardarte, ademas de como encontrar otras lecciones en tu vida diaria.

Tengo confianza que podemos cambiar el mundo. Y cuando digo podemos, no estoy hablando de un grupo de políticos o gente rica. Estoy hablando de los líderes que saldrán de la pobreza, el abuso y de la nada...como surge pasar con nuestros lideres más increíbles. Estoy hablando de una ola de marea de cambio que empezara pequeña, antes de crecer a una masa critica que no se podrá ignorar. Estoy hablando de gente que seguirán siendo seguidores...pero siguiendo gente como tu. Estoy hablando del mundo entero mirando hacia nosotros y diciendo, "Aquí una gente que han sido esclavizados, explotados, y casi exterminados y sin embargo se levantan de una forma que el mundo nunca ha visto antes. Tenemos que darles saludos, apoyarlos y juntarnos en solidaridad con ellos...y levantarnos también." Estoy hablando de cambio de abajo hacia arriba.

No hay nada de nuestra gente que verdaderamente muere. Aun mientras los críticos gritan "El Hip Hop esta muerto," yo veo docenas de raperos reviviendo lo. Veo raperos siendo honestos de nuevo, y hablando de las realidades de vivir en este mundo agrio. Veo raperos siendo bravos y desafiantes, sin miedo de hablar del racismo de nuevo. Si los raperos pueden decir la verdad de nuevo, yo se que la gente podrá verla de nuevo.

A la misma vez, veo a nuestros jóvenes hervientes con rabia. O lo expresan abiertamente con sus actitudes de 'me vale madre', o se los quedan y queman calladamente, esperando que puedan llegar al próximo día sin matarse de alguna manera. Yo se porque tienen esa ira aun cuando ellos no. También se que esa ira la pueden virar y canalizar en la mas imparable fuerza para el cambio. Yo se que con disciplina y un deseo para el cambio, un hombre que odia su vida trastornada será determinado a cambiar, no solo su vida, pero la vida de todos a su alrededor. Solo necesita una visión, yo escribí estos libros para proveer esa visión.

Yo escribí estos libros para los abandonados y sin padres, los pobres y los perseguidos, los cansados y humillados, los rabiosos y auto-destructivos, los confusos y enajenados. Yo escribí estos libros para la gente que no buscan sus contestaciones en la biblia ya, así que se perdieron a Salmos 82, donde les dice:

> Cuanto tiempo defenderán los injustos y enseñarles parcialidad a los malvados?
> Defiende la causa de los débiles y sin padres;
> Mantén los derechos de los pobres y oprimidos.
> Rescata los débiles y necesitados;
> Salvarlos de las manos de los malvados.
> No saben nada, no entienden nada.
> Caminan en la oscuridad;
> Toda la fundación de la Tierra esta temblando.
> Yo dije "Son Dioses. Son Hijos del Mas Alto.
> Pero morirán como meros hombres:
> Caerán como todo gobernante."
> Levántate, O Dios, juzga la Tierra;
> Que todas las naciones son tu herencia.

Yo no le escribí a nadies ni nadas. Le escribí a los Dioses que algún día juzgaran a la Tierra y heredaran a todas las naciones. Escribí para inspirar y desafiar, mientras asegurándome que no me aleje demasiado de la realidad diaria. No tenia muchas otras audiencias en mente cuando escribí, así que perdoname seidije algo que te estuvo malo. Soy un escolar ahora, pero no estuve pensando en lo escolar cuando escribí esto, estaba pensando en soluciones.

Ahora, si este libro te paso por encima de la cabeza, léelo de nuevo. Lo entenderás. Y con eso dicho, espero que hice mi trabajo.

Hasta la próxima vez. - Supreme Understanding

Apéndice

OTRAS COSAS QUE DEBES SABER

Sobre el Autor

Antes de empezar con los otros recursos, figure que te daría una idea sobre la persona que escribió este libro. He dicho bastante de mi vida durante el libro pero si estas leyendo esta parte primera, te daré la historia de mi vida – por lo menos lo mas destacado – como una lista:

Yo casi no nací.
Crecí en una FUH.
Me quedaba en aprietos en la escuela.
Me escape de mi casa.
Fui criado por el barrio.
Odiaba mi vida.
Me botaron de la secundaria.
Me dijeron que no era material de colegio.
Me brincaron encima.
Yo le brincaba encima a gente.
Me robaron.
Yo robe.
Compre drogas.
Hice drogas.
Vendí drogas.
Vendí pistolas.
Vendí documentos falsos.
Vendí coño.
Fui hostigado regularmente por policías.
Me han arrestado.
He ido preso.
He estado bajo vigilancia.
Me han apuntado pistolas.
He apuntado pistolas.
He estado en confrontaciones de pistolas.
Me encendí a fuego.
Por poco me he ahogado.
Por poco me he electrocutado.
Por poco me he matado.
Brincaba de techo en techo por diversión.
Quería encontrarme.
Me piso un auto.
Bebido hasta quedar achocado.
Fumado hasta toser sangre.
Llorado hasta no poder llorar mas.
Perdí amigos a drogas.
Perdí amigos a la cárcel.
Perdí amigos a la pistola.
Perdí amigos por la verdad.
Por poco pierdo mi mente.
Encontré auto-conocimiento.
Tuve un auto que exploto.
Tuve problemas de salud.
Desbarate unos cuantos autos.
Tenia mi propio apartamento a los 17 años.
Perdí mi apartamento a los 18 años.
Estuve sin hogar por un año.
Compre mi primer casa a los 20.
Poseía casi un millón de dolares en propiedades a los 24 años.
Gradué del colegio con honores.
Agarre un caso y le gane.
Hice mi doctorado a los 26.
Me senté en un edificio mientras se quemaba, y seguí comiendo.
Cruce los E.U. por Greyhound a los 18.
Viaje a Asia, África, Latinoamérica, Europa y las Islas.
Me perdí en los andurriales.
He campado en el bosque.
Viví en un pueblo rural.
He tratado esquí, correr a caballo, subir montañas, y correr en balsas.
Me metí en el 'mosh pit' de un concierto 'heavy metal'.
He lastimado a mucha gente.
Fui rapero.
Fui artista de palabra hablada.
Fui un artista gráfico.
Tuve endeudado por medio millón.
Perdí casas a ejecución de hipotecas.
No tenia crédito a los 18 años.
Tenia gran crédito a los 22 años.
Tenia crédito terrible a los 26 años.
Era fotógrafo.
Me pasaba con modelos.
Estuve comprometido.
He pasado por abortos.
He pasado por malpartos.
He tenido mucho sexo sin sentido.
He atentado muchas relaciones serias.
He pasado muchos rompimientos.
Yo fui gerente de una bailadora.
He disfrutado de muchas noches locas.
He hecho obscenidades obscenas.
He sufrido muchas mañanas locas.
He parado par de matanzas.
Agarre custodia de un "hijo" de 15 años a los 23 años.
He empezado 5 negocios.
Empece un organización sin fines de lucro.
He sido reconocido y decretado como activista y educador.
Viaje por Japón como huésped estimado del gobierno.
He hecho conferencias y presentaciones profesionales.
Por fin me encontré.
He hecho de voluntario por horas incontables.
He hablado con cientos de jóvenes.
Empece una familia.
Escribí un libro sobre todo eso.

LECTURA RECOMENDADA (PARTE UNO)

"Asi que ves, no hay fin a las cosas que puedes saber dependiendo en cuan mas alla de Zebra tu vas."
Dr. Seuss

En la biblia, Hosea dice, "Mi gente son destruidos por falta de conocimiento." Intentemos no morir. Ademas de los muchos libros que mencione por toda *La Brega*, aqui tienen mas fuentes que deben investigar...

100 Amazing Facts about the Negro por J. A. Rogers
100 Years of Lynchings por Ralph Ginzburg
1001 Things Everyone Should Know about African American History por Jeffrey C. Stewart
500 Nations por Alvin M Jorsephy, Jr.
Africa Must Unite por Kwame Nkrumah
African Presence in Early America por Ivan Van Sertima
African Presence in Early Asia por Runoko Rashidi
They Came Before Columbus por Ivan Van Sertima
Afrikan People in World History por Dr. John Henrik Clarke
Afro-Latin America, 1800-2000 por George Reid Andrews
Afromexico por Ben Vinson III
Before the Mayflower por Lerone Bennett
Behold a Pale Horse por William Cooper
Biography of a Runaway Slave por Esteban Montejo y Miguel Barnet
Black and Brown: African Americans and the Mexican Revolution por Gerald Horne
Black Indians por William Lorenz Katz
Black Labor, White Wealth por Claud Anderson
Black Man: Obsolete, Single and Dangerous por Haki Madabuti
Black Nationalism por Eric C. Lincoln
Black Skin, White Masks por Dr. Franz Fanon
Black, Brown, Yellow, and Left: Radical Activism in L.A. por Laura Pulido
Black, Red and Deadly por Art Burton
Blacked Out through Whitewash por SuZar
Black on Black Violence por Amos Wilson
Blaming the Victims por Edward W. Said y Christopher Hitchens
Blood in My Eye por George Jackson
Blueprint for Black Power por Amos Wilson
Breaking the Chains of Psychological Slavery por Na'im Akbar
Breaking the Curse of Willie Lynch por Alvin Morrow
By any Means Necessary por Malcolm X
Capitalism and Slavery por Eric Williams

Chains and Images of Psychological Slavery por Na'im Akbar
Chosen People from the Caucasus por Michael Bradley
Christopher Columbus and the African Holocaust por John Henrik Clarke
Confessions of an Economic Hit Man por John Perkins
Culture Bandits por Dr. Del Jones
El Alquimista: Una Fabula Para Seguir Tus Suenos por Paul Coelho
El fuego y la palabra: Una Historia del Movimiento Zapatista por Gloria Muñoz Ramírez
Freedom and Unity por Julius Nyerere
From Columbus to Castro por Dr. Eric Willams
From Niggas to Gods por Akil
From Superman to Man por J. A. Rogers
How Europe Underdeveloped Africa por Walter Rodney
Jefazo: Retrato Intimo de Evo Morales por Martín Sivak
Know Thy Self por Nai'm Akbar
Know What I Mean? por Michael Eric Dyson
La Esclavitud Africana en America Latina y el Caribe por Herbert S. Klein
La Guerra de Guerrillas por Che Guevara
La Otra Historia de los Estados Unidos por Howard Zinn
La Vida Loca por Luis J. Rodriguez
Lies My Teacher Told Me por James Loewen
Neither Enemies nor Friends: Latinos, Blacks, Afro-Latinos por Anani Dzidzienyo y Suzanne Oboler
Nuestra Arma es Nuestra Palabra por Subcomandante Marcos
Occupied America: A History of Chicanos por Rodolfo Acuna
Pancho Villa por Paco Ignacio Taibo II
Pasajes de la Guerra Revolucionaria: Congo por Ernesto Che Guevara y Aleida Guevara
Pedagogia del Oprimido por Paolo Freire
Por estas Calles Bravas por Piri Thomas
Red Earth, White Lies por Vine Deloria
The Latino Condition por Richard Delgado y Jean Stefancic

Como Ganar Amigos y Influenciar a la Gente

Esto es simplemente un resumen conciso de un libro muy útil. Léelo. Úsalo.

Parte Uno – Técnicas fundamentales para tratar la gente:

A. No te quejes, no critiques, y no condenes.
B. De apreciación honesta y sincera.
C. Despierta en la otra persona un deseo empeñoso.

Parte Dos – Seis formas de hacer que le gustes a la gente:

A. Ten interés genuino en otra gente.
B. Sonríe.
C. Recuerda que el nombre de esa persona es para ello el sonido mas dulce e importante.
D. Escucha bien. Estimula a otros que hablen de si.
E. Habla en términos de los intereses de la otra persona.
F. Haz que la otra persona se sienta importante – y hazlo sinceramente.

Parte Tres – Gana la gente hacia tu manera de pensar:

A. La única manera de sacar lo mejor de un argumento es evitándolo.
B. Respeta la opinión de la otra persona. Nunca digas, "Estas mal."
C. Si estas mal, admítelo rápido y enfáticamente.
D. Empieza de manera amistosa.
E. Haz que la otra persona este diciendo "si, si" de inmediato.
F. Deja que la otra persona hable mucho.
G. Deja que la otra persona piense que fue idea de ellos.
H. Trata honestamente de ver las cosas del punto de vista de la otra persona.
I. Se simpático con las ideas y deseos de la otra persona.
J. Apela a los motivos mas nobles.
K. Dramatiza tus ideas.
L. Tira un desafío.

Parte Cuatro – Ser un Líder:

El trabajo del líder a veces incluye cambiando las actitudes y comportamiento de tu gente. Algunas sugerencias para realizar esto:

A. Empieza con alabanzas y apreciación honesta.
B. Llama la atención a los errores de la gente indirectamente.
C. Habla sobre tus propios errores antes de criticar a la otra persona.
D. Haz preguntas en vez de dar órdenes directas.
E. Deja que la otra persona pueda salvar su cara.
F. Alaba cualquier mejoramiento, y todo mejoramiento. Se cordial en tu aprobación y suntuoso en alabar.
G. Dale a la otra persona una buena reputación a donde llegar.
H. Usa estímulos. Haz que la falta aparenta ser fácil a corregir.
I. Haz que la otra persona este feliz en hacer lo que le sugieres.

Los Siete Hábitos de Gente Muy Efectivas

Otro resumen de un libro que seriamente los pueda ayudar.

1. Se Pro-activo. Puedes ser pro-activo o retroactivo cuando se trata de como actúas hacia ciertas cosas, y no estamos hablando de cremas faciales. Ser 'pro-activo' quiere decir tomando responsabilidad por todo en tu vida. Cuando eres retroactivo, culpas a otros y a circunstancias por obstáculos o problemas. El hombre es diferente del animal en que tiene una mente, cual le da auto-consciencia. Tiene la habilidad de separarse y observarse, pensar sobre su pensar. Este atributo le da al hombre el poder de no ser afectado por sus circunstancias. Por consiguiente, el hombre toma la iniciativa de crear lo que quiera que ocurra en su vida.

2. Empieza con el Fin en Mente. Este capitulo se trata de hacer metas a largo plaza, basado en los 'principios verdadero norte'. La idea aquí es formular un atestado de misión personal para documentar tu idea de cual es tu verdadero propósito en la vida. El autor ve a la visualización como una herramienta importante para desarrollar esto. Básicamente, imagínate donde quieres estar y haz una mapa de como llegar allí.

3. Pon lo Primero Primero. Este capitulo presenta una sistema para priorizar trabajo que es para las metas de largo plazo, y eliminar aquello que aparecen ser urgentes, pero en verdad son menos importantes. Delegación exitosa tiene que ver con encontrando las personas correctas para hacer los trabajos correctos, y chequearlos de manera correcta.

4. Piensa Beneficio/Beneficio. Este capitulo describe una actitud donde se buscan soluciones de beneficio mutuo, que satisfacen tus necesidades y las de los demás. En caso de conflicto, las dos partes pueden encontrarse en un punto de contacto y buscar un compromiso.

5. Busca Primero Entender, Entonces que te Entiendan. Básicamente, trata de verlo de su punto primero. Dando nuestro consejo sin antes enfáticamente haber entendido a una persona y su situación usualmente resulta en tu consejo ser rechazado. Tienes que dejar que vean que tú sientes de donde vienen, y que te importa. La comunicación no es esperar que uno termine de hablar para tu decir lo que ibas a decir comoquiera. La comunicación es ver lo que todo el mundo esta tratando de decir.

6. Sinergia. La sinergia se trata de trabajar en equipos. Algunas de las cualidades importantes de el verdadero trabajo de equipos son resolver problemas efectivamente, hacer decisiones en colaboración, y aceptar (y valorar) sus diferencias. Cada cual tiene fuerzas diferentes, y si las juntas correctamente, el resultado del trabajo en equipo excederán la suma de lo que cada uno pudo ser solo.

7. Afilar el Machete. Esta idea enfoca en la auto-renovación balanceada. Básicamente, quiere decir que recobras tu habilidad a trabajar fuerte por escoger cuidadosamente actividades de recreación o diversión que no le quitan a lo que estas tratando de lograr.

Artistas No Hacen El Dinero Que Piensas

Por Wendy Day del 'Rap Coalition'

¿Quién es el morrón increíble que dijo que los raperos ganan mucho dinero? Mal, mal, mal, mal, mal!! Debido a que los fanáticos esperan que sus artistas favoritos les paguen bien y que vivan muy bien, le pone una cantidad increíble de presión a los artistas de parecer ricos. Y no sólo los fanáticos, no puedo decirle cuántas veces he salido con raperos, junto con personas de la industria que esperan que los artistas recogan el cheque de la cena. Incluso he visto a la gente ponerles una actitud si el artista no paga por todo. Esto es de mente pequeña y ignorante, porque el artista es siempre el último en recibir sus pagos. Todo el mundo recibe su corte primero: la etiqueta, el gerente (15% - 20% del total de ingresos de entretenimiento del artista), el abogado (por hora o 5% -10% del trato), el contador (por la hora o el 5% de todos los ingresos), y, por supuesto, el IRS (28% a 50% dependiendo de la escala de impuestos).

Una vez que un artista suelta un disco, la presión empieza enseñar una imagen de éxito a los fanáticos, amigos, familiares y personas de sus vecindarios. La gente espera que los artistas estén bien vestidos, conduzcan un auto lujoso, etc. Piensa en ello. ¿No esperas que los artistas "parezcan artistas?" ¿Le admirara a Jay-Z tanto si manejara un viejo reventado Grand Am del 1990 en lugar de ese bello y nuevo Bentley?

Lamentablemente, cuando un artista firma un acuerdo con el sello discográfico, sobre todo un artista de rap, él o ella recibe entre 8 a 13 puntos. Lo que significa es del 8% al 13% del precio de venta al por menor, después de que el sello discográfico recupera el dinero que invertio (el avance del artista, los pagos por 'samples', los avances de productores, usualmente la mitad del costo de cualquiera video, cualquier desembolso para los artistas, etc.) El artista tiene que vender muchas unidades para hacer un dinero. He aquí un ejemplo de un contrato de grabación relativamente justo para un artista de rap nuevo con algo de influencia en la industria y un abogado de negociación tremendo: **Tasa De 12%**

Vamos a suponer que hay 3 artistas en el grupo, y que se divide todo por igual. También vamos a suponer que producen sus propios temas ellos mismos.

Precio sugeridos al por menor = $ 10.98
menos un 15% la deducción de envases (usualmente 20%) = $ 9.33
se le paga el 85% de discos vendidos ("bienes libres") = $ 7.93

Así que el 12% de los artistas es igual a cerca de 96 centavos por disco vendido. En la mayoría de los casos el 3% de los productores proviene de ese 12%, pero por ser breves, en este ejemplo el grupo produjo el álbum entero, no compraron pistas de productores de afuera, lo cual es muy raro.

Vamos a suponer que son un éxito y su álbum llega ser Oro (aunque es raro que un primer disco se pegue asi). Supongamos también que eran una prioridad en su sello discográfico y que sabian exactamente cómo comercializarlos. Así que se llegaron a Oro, vendiendo 500,000 unidades según SoundScan (y debido a las inexactitudes en el seguimiento de SoundScan en el rap a nivel minorista, 500,000 escaneados probablemente significa más bien 600,000 vendidos).

Disco de Oro = 500,000 unidades vendidas x $ .96 = $ 480,000. Parece un pedazo agradable del botín, ¿eh? Mira esto. Ahora recupera el sello discográfico lo que han gastado: la promoción independiente, 1/2 el costo de vídeo, algún apoyo de gira, todos los paseos en limusina, todos los viajes fuera de la ciudad por el artista y sus amigos, etc

$480,000
- $100,000 cosas recuperables (no el avance)
$380,000
- $70,000 avance (gastos de grabación)
$310,000

Todavía suena bien? Mira...Ahora, la mitad de los $380,000 se mantiene "en reserva" (representa los artículos devueltos de las tiendas) de 2 a 4 años dependiendo de la longitud especificada en el contrato de grabación. Así que el avance es en realidad restado de $190,000 (los otros $190,000 se encuentran en las reservas de 2 años). Ahora, hay también el gerente del artista, que tiene derecho al 20% del total de los ingresos de entretenimiento que sería del 20% de los $310,000, o $62.000. Recuerde, el artista es el último de recibir el pago, así que incluso a el gerente se le paga antes del artista.

Así que los artistas reciban efectivamente $19,333 cada uno por su disco de oro. Y en dos años, cuando las reservas se liquidan, si se han recuperado, recibirán cada uno $63.000, si se han recuperado. Adivina quién realiza el seguimiento de todo esto la contabilidad? El sello discográfico. La mayoría de los contratos son "cross-garantía", lo que significa que si el artista no recupera en el primer álbum, el dinero será pagado de su segundo disco. Además, si el dinero no se recupera en el segundo álbum, la devolución puede salir de los fondos "en reserva" del primer álbum, si los fondos no han sido liquidados. Incluso después de que las reservas se pagan, cada artista en realidad sólo hizo 50 centavos por unidad basado en este ejemplo. El sello discográfico hizo alrededor de $2.68 por unidad. Este ejemplo también no incluyen el costo adicional para un productor de fuera a venir y hacer un re-mix, y saben con qué frecuencia eso sucede.

Así, que cada artista en este grupo ha recibido un total de alrededor de $82.000. Después de los costos legales y gastos de ropa nueva para usar en el escenario mientras están de gira, etc, cada artista, probablemente ha hecho un total de $75.000 antes de pagar impuestos (por cual el artista es el responsable - recuerda Kool Moe Dee?). Echemos un vistazo a la línea de tiempo. Vamos a suponer que los artistas no tenían trabajo cuando empezó esto. Pasaron 4 meses poniendo su demo juntos con las pistas exactamente bien. Pasaron otros 6 meses a un año en conocer quienes todos los jugadores eran en la industria de la música rap. Después de firmar con un sello, tuvieron otros 8 meses para hacer un álbum y pasar toda la burocracia de el sello. Cuando cayó el primer single, el grupo entró en el modo de promoción y viajaron por todas partes promocionando el single en la radio, tiendas, conciertos y las publicaciones. Esto fue otros seis meses. La discográfica decidió impulsar tres singles del álbum por lo que fue otro año antes de que llegaran de nuevo al estudio para hacer el segundo álbum. Este escenario ha sido un total de 36 meses. Cada miembro del grupo hizo $75,000 para una inversión de tres años de tiempo, que sale a $25,000 dólares por año. En la América corporativa, eso resulta ser $12 por hora (antes de impuestos).

Qué Hacer Si Te Para la Policía

Producido por la Unión De Libertades Civiles de Nueva York y la Unión De Libertades Civiles Americana

Todos reconocemos la necesidad de la aplicación eficaz de la ley pero también debemos entender nuestros propios derechos y responsabilidades --especialmente en nuestras interacciones con la policía. Este articulo te explica que hacer si la policía te para, detiene o lesiona y como registrar una denuncia.

LOS BÁSICOS

1. Quédate calmado y bajo control de tus palabras, lenguaje de tu cuerpo, y emociones.
2. No te metas en un argumento con la policía.
3. No le hables mal a un policía.
4. Acuérdate que cualquier cosa que digas o hagas puede ser usada en tu contra.
5. Mantén tus manos donde las pueda ver un policía.
6. No corras.
7. No toques a ningún policía.
8. No resistas, ni siquiera si piensas que eres inocente.
9. No te quejes en la escena ni le digas a la policía que están equivocados o que vas a registrar una denuncia.
10. No hagas ninguna declaración respecto al incidente.
11. Pide por un abogado inmediatamente si te meten preso.
12. Acuérdate de los números de la insignia del policía y del carro.
13. Escribe todo lo que recuerdas lo más pronto posible.
14. Trata de encontrar testigos y sus nombres y números telefónicos..
15. Si te lesionan, toma fotos de las heridas lo más pronto posible,.pero primero asegúrate de obtener atención médica.
16. Lo que le dices a la policía siempre es importante. Lo que dices podrá y será usado en tu contra y le puede dar a la policía una excusa para detenerte, especialmente si le hablas mal a un policía.
17. No tienes que consentir a una búsqueda de ti mismo, tu carro o tu casa. Si CONSIENTES a una búsqueda, puede afectar tus derechos luego en la corte. Si la policía dice que tienen una orden de registro, PIDE QUE TE LA ENSEÑEN.
18. No interfieras con ni obstruyas a la policía -- te pueden detener por eso.

SI TE PARAN EN TU CARRO

1. Si te los pide, muéstrela al policía tu licencia de conducir, registro y prueba de seguro. En ciertos casos, tu carro puede ser buscado sin una orden de registro. Para protegerte luego, debes declarar que no consientes a la búsqueda. Es ilegal que la policía te detenga simplemente por negar a consentir a una búsqueda.
2. Si se te da una multa, la debes firmar, si no te pueden detener. Siempre puedes reclamar después en la corte.

3. Si te sospechan de manejar ebrio (DWI) te pedirán que tomes una prueba de aliento-alcohol y coordinación. Si fallas estas pruebas o si niegas a tomarlas, te pueden detener, tu licencia puede ser suspendida y te pueden quitar el carro.

SI TE DETIENEN PARA INTEROGARTE

1. La policía puede pararte y detenerte solo si tienen una sospecha razonable de que has cometido, estás cometiendo o vas a cometer un crimen.
2. Puedes preguntar si estás detenido o si estás libre para irte. Si estás detenido, tienes el derecho de saber por qué.
3. La policía no puede legalmente requerir que te identifiques o que produzcas identificación si no tienen ninguna sospecha razonable de que estás involucrado en un crimen. Pero USA TU PROPIO JUICIO -- tu negación puede resultar en tu detención hasta si no está justificada.
4. Si la policía tiene una sospecha razonable que presentas una amenaza hacia ellos o otras personas, pueden administrar un cacheo o un "pat down" de tus ropas exteriores. No resistas físicamente pero deja saber claramente que no consientes a ninguna búsqueda adicional.
5. No le hables mal a un policía ni le corras ni siquiera si crees que lo que está pasando no es razonable. Eso puede resultar en tu detención.

EN TU CASA

1. Si la policía toca la puerta y pide entrar a tu casa, no tienes que dejarles entrar si no tienen una orden de registro firmada por un juez.
2. En ciertas situaciones de emergencia la policía puede entrar a tu casa y conducir una búsqueda sin una orden de registro.
3. Si te detienen en tu casa o oficina la policía puede hacer una búsqueda de tu persona y del área inmediatamente alrededor de ti donde hay evidencia de actividad criminal en plena vista.

SI TE DETIENEN O TE LLEVAN A UNA COMISARÍA

1. Tienes el derecho de quedarte callado y de hablar con un abogado antes de hablar con un policía. NO LE DIGAS NADA AL POLICÍA MENOS TU NOMBRE Y DIRECCIÓN. No des ninguna explicación, excusas o historias. Puedes preparar tu defensa luego, en la corte, en base de lo que tu y tu abogado decidan es lo mejor.
2. Si tienes un abogado, pide por tu abogado inmediatamente. Si no puedes pagar por un abogado, tienes el derecho a uno gratis cuando tu caso va a la corte. Puedes preguntarle a la policía como contactar a un abogado. NO DIGAS NADA SIN UN ABOGADO.
3. Después de un tiempo razonable luego de tu detención o de que te registren, debes pedirle a la policía para contactar a un miembro familiar o amigo. Si te permiten hacer una llamada cualquier cosa que digas en la comisaría puede ser grabada y oída. Ten mucho cuidado. Nunca hables de los detalles de tu caso en el teléfono.
4. No tomes ninguna decisión en tu caso hasta que hayas hablado con un abogado.

QUE HACER AHORA?

Ya terminaste? Que bien. Ahora, relájate. Respira. Deja que todo te entre. Lee de nuevo todo lo que pienses que debes mirar de nuevo. No te excites y empieces a repartir bofetadas a la gente por ellos no saber la mitad de lo que tu sabes ahora.

En cambio, aquí lo que puedes hacer ahora:

- ❒ Cuéntale a la gente de este libro y las ideas en el.
- ❒ Manda copias a gente que necesiten esto en sus vidas.
- ❒ Practica las lecciones de este libro en tu vida.
- ❒ Desarrolla un plan para como vas a crear cambios en tu vida y en el mundo a tu alrededor.
- ❒ Hazlo un hábito encontrar por lo menos una lección diaria en las experiencias de tu vida.
- ❒ Busca las lecciones de este libro en tu vida diaria y en la vida de los que conoces.
- ❒ Empieza a eliminar tus hábitos malos/débiles, empezando con los mas destructivos.
- ❒ Trabaja en tus habilidades de liderazgo, y destruye tus temores.
- ❒ Piensa en los temas constantes encontrados a lo largo de este libro (ideas o hechos que siguen ocurriendo) y pregúntate por que?
- ❒ Consigue una copia de *Parte Dos* tan pronto que sea posible.
- ❒ Añade, mandándonos tus alabanzas, comentarios o sugerencias para mejorar.
- ❒ Comparte tus historias de éxito con nosotros.
- ❒ Deja críticas positivas del libro en Amazon.com y otros sitios.

Puedes comunicarte por correo al:

Supreme Design

PO Box 10887

Atlanta, GA 30310

O nos puede visitar en linea al **www.HustleAndWin.com**

QUE ESPERAR EN *PARTE DOS*

Lecciones de las historias verdaderas de:

Che Guevara
Tupac Shakur
Steve Biko
Rick Ross
Esclavos Rebeldes
Bumpy Johnson
Allah (Clarence 13X)
Fred Hampton
NWA
Rodney King
Mike Vick
Lil Wayne
Los Seis de Jena
Haile Selassie I
Bob Marley
La 'Mafia Negra'
Samuel Jackson
Frank Lucas
Hugo Chavez
Tecumseh
Dave Chappelle
…y muchos mas

Ademas de capítulos enseñándote:

- Como hacer que tu dinero te haga mas dinero
- Como sobrepasar cualquier posibilidad o obstáculo
- El verdadero historia detrás de los días feriados Americanos
- Como bregar con la policía
- Como disciplinar tu mente y tu cuerpo
- 11 maneras de salir del barrio
- Que tipo de estilo de liderazgo tienes
- Como hallar coño....y como hallar amor
- Porque los hombres están mas y mas afeminados
- Como poner metas y lograrlos
- Como podemos realizar cambios sociales verdaderos

Y docenas de otros cuentos verídicos, hechos raros, verdades escondidas, comentarios que provocan el pensar, y lecciones practicas para la vida que cualquiera persona puede usar.

Si *Parte Uno* te hizo pensar…*Parte Dos* te llevara mas allá…

FESTEJA COMO UNA ESTRELLA (UN EGRESO DE LA *PARTE DOS*)

Festeja Hasta que Lleguen los Policía

Manuel estaba demasiado borracho. Acababa su labor de poner ladrillos por 10 horas para un nuevo complejo en el pueblo. Los ladrillos especiales pesaban como 20 libras cada uno y tenían que ser puestos con exactitud por el camino hacia la torre principal. A Manuel se le había caído uno de los ladrillos caros y se lo quitaron del pago por el día. Comoquiera le pagaron en efectivo, asi que Manuel tenía dinero en su bolsillo.

Ya había gastado bastante dinero con su hermano en unas cajas de cervezas, las cuales venían tomándose desde que llegaron a la casa. El hermano de Manuel también trabajaba un trabajo manual igual que él y sus dos primos que llegaron recientemente de México sin papeles de inmigración. Todos compartían una casa de 3 cuartos con sus esposas e hijos. Estaban apretados, pero era una buena forma para poder ahorrar dinero, lo cual podían mandar a México para ayudar el resto de la familia grandísima de Manuel.

Mientras oscurecía, amigos y familia empezó a llenar la casa y el patio donde comían, tomaban, cantaban canciones, contaban chistes y hablaron mierda. Al rato, se pelearon dos tíos, uno que acababa de salir de haber cumplido 3 años. Nadie llamo la policía. Pero quizás por la cantidad de autos estacionado en el patio de afrente, o por el ruido de la gente riendo y gritando por encima de la música, uno de los vecinos si los llamo. Cuando llegaron la policía, Manuel estaba tan borracho que por poco se cae tratando de abrir la puerta por ellos. Los policías decidieron chequear el registro de Manuel y descubrieron que tenía una ordenanza de arresto por no aparecer en corte. Se llevaron a Manuel en esposas mientras su familia y amigos protestaban. Algunos de los hombres estaban muy molestos, pero se sentían impotentes para hacer algo – o no tenían visas o quizás los buscaban también.

Puedes relacionarte? Deberías. Todos somos relacionados.

Examinando el amor Mexicano por el festejo, el laureado Nobel Mexicano Octavio Paz dijo:

> La manera explosiva, dramática, y a veces suicida en la cual nos despojamos y nos renunciamos, es evidencia de que algo nos inhibe y nos sofoca. Algo nos impide de ser. Y como no podemos o no nos atrevemos a confrontarnos a nosotros mismos, recurrimos a la fiesta.

Profundo, no? Los mexicanos festejan duro porque los tiempos están más duros. Tiene sentido. Y tú? Cuan frecuente escapas tu lucha como Manuel?

Tamborileo por Justicia

En 9 de Septiembre del 1739, un esclavo Angola llamado Jemmy lidero 20 esclavos reunidos por el Rio Stono cerca de Charleston, Carolina de Sur en un rebelión. Su banda marcho a una tienda local y se armaron, matando los dos blancos que atendían la tienda. Entonces marcharon de casa en casa matando dueños de esclavos y sus familias, solo saltando a uno porque se conocía por ser "amable a sus esclavos."

Mientras continuaban por su camino, tocando el tambor mientras marchaban, sus números subieron a 100. El ritmo de la procesión era algo como una banda de marcha colegial y un ejército guerrillero.

El tamborileo recibió mucha atención. Cuando habían matado como 25 blancos, había una muchedumbre de blancos siguiéndolos de cerca.

En la batalla que sucedió se mataron 30 esclavos rebelde y otros 30 que se escaparon y luego agarrados, fueron ejecutados al mes.

Como resultado del Rebelión Stono, se paso el "Negro Act", que restringía las asambleas de grupos Negros y de ellos leer, además de otras cosas. Aun mas importante, prohibieron que los Negros tuvieran tambores. Después del Rebelion de Stono, los blancos aprendieron que los tambores no solo se usaban como llamado a la guerra. Por meses antes, los tambores fueron usados como una forma secreta de comunicación entre los esclavos de plantaciones lejanas. A través de la música del tambor, el mensaje del levantamiento había sido regado por el largo y el ancho del canto.

La música puede ser una herramienta muy poderosa para la liberación…después que seas tu el que la controla. Pero y la música de ahora? Que mensaje, y de quien, esta regando? Nos ayudara a liberarnos?

Haces música? Que hace tu música?

Ya No Bailamos

Africanos tienen una cultura de baile muy fuerte y rica. Es mas, la mayoría de los bailes que hacemos hoy pueden ser seguidos a tradiciones Africanas. Solo visita un representación de baile Africano para que veas por ti mismo. Pero mas de 400 años atrás, la gente blanca pudieron distorcionar partes de la cultura Negra a mierda que nos mantiene oprimido, o lavarnos el cerebro de las partes de la cultura que no podía distorsionar. Asi que cantar y bailar – una vez la parte favorita de ceremonias Africanas – se hizo una herramienta que se usa en contra de nosotros. Muchos Negros los estafaban a la esclavitud siendo pedidos a bailar en barcos Europeos. Los Europeos hasta prometían pagarles, pero tan pronto se montaban los Negros, el barco arrancaba.

Una vez en el barco, la mayoría de los esclavos eran forzados a bailar para ejercitarse y para el entretenimiento de la tripulación. Un doctor en una embarcación de esclavos reporto que, todos los días, "aquellos que estaban encadenados eran ordenados pararse y hacer el movimiento que pudieran, dejando espacio para los que no estaban encadenados poder bailar." Muchos bailaban solo por el placer de estar temporeramente fuera de las cadenas. Los que rehusaban bailar eran golpeados hasta que se ponían con el programa.

Y aquí estamos hoy. Dime que es lo que hay en BET. La misma mierda, no?

> "Aunque nuestras manos estén atadas como las son, no nos han quitado la música todavía. Así es que peleare. La gente me dice que no me quite como los demás. No tendré temor."
>
> Tupac Shakur

Cuál es mi punto? Aquí una adivinanza: Cual es la diferencia entre un partido regular y un partido político? Un partido regular puede que pague alguna cuenta. Un partido político cambia las cuentas. No le estoy tirando a nuestro enamoramiento con la música y el baile, pero no podemos perder la vista del retrato grande. De igual manera que nuestra música nos ayudo en Stono, también ayudo a esclavizarnos. Aun hoy, nuestra música a veces nos empuja en la dirección correcta, pero más a menudo nos empuja hacia mierda.

> "Después de las canciones rápidas vienen las lentas/Después de las tristes vienen mas."
>
> Saigon, "I Believe It"

Muchos nos escapamos en la música y las fiestas como algunos nos escapamos con alcohol y drogas. Eso es lo que el rapero Saigon le dijo a *XXL*:

> Después de festejar y otra mierda que hacen la gente en los clubes, se desintoxican y se dan cuenta que todavía tienen los mismos problemas que trataron de escapar bebiendo y tomando drogas para escapar la realidad. Eso es todo que ofrece los clubes, es un escape de la realidad. Aun tipas feas se sienten lindas alrededor de bellacos borrachos.

Tiene razón. Como los esclavos en el barco, solo estamos tratando de disfrutar momentos breves de sentirnos libres. Pero jodiendo a 500 clubes no nos va a liberar. Así que soy fanático de un tipo diferente de fiesta y de música. Si vas hacer música, haz música de guerra. Música rebelde. Has un cambio.

Vez, el activismo toma tu energía y frustraciones y las enfoca…directamente contra tus oponentes. La fiesta regular solo toma esa energía y frustración y las enfoca en nada. Y al final de la noche volvemos a nuestros autos y volvemos al ser esclavos.

No hay nada malo con soltar tus frustraciones. Pero el poder verdadero es en enfocando tu frustración hacia el sistema de opresión que lo causo. Así que puedes vivir tu vida bailando o peleando. O puedes esconder tu pelea en tu baile.

Al menos que estés trabajando mucho más que jugando, no hay tiempo para festejar todo los día.

Si Se Puede

Volvemos a Manuel por un minuto. Incluí su historia para que pudieras entender lo similar que somos, aun con todas nuestras diferencias. Pero si vamos a hablar de diferencias, aquí está la pregunta del millón: Que carajos es un Hispano, exactamente? No le estoy tirando a aquellos que se incluían en esa categoría, solo quiero que consideremos como nos definimos.

Digo, estoy bastante seguro que quiere decir ser Negro (vea Parte Uno, "Negro es Bello"). También se lo que es ser Chino o Nigerio. Esos son países, y sé que hispano no es un país. Hispano quiere decir una gente que habla español. Sin embargo, el Español viene de donde? Europa.

Quizás soy yo, pero Tego Calderon, Zoe Saldaña y todos esos hispanos no me parecen Europeos.

Así que hispano no puede ser una 'raza' – es un grupo lingüístico. Pues que raza son los que se dicen Hispanos? Mirando a varios grupos que se consideran hispanos, son obviamente diferente tonalidades de marrón. Pero en el último censo 42% de ellos se reportaron como blancos. Otro 40% escogió 'alguna otra raza'. Es mas, 97% de las personas en este país que escogieron 'alguna otra raza' (y nada más) eran hispanos. Así que Hispanos son su propia raza? Cómo?

Suena a crisis de identidad para mí. Si eres 'hispano', no te sientas mal. Todos estamos fastidiados cuando se habla de quiénes somos y que debemos ser. Se supone que así sea. Es parte del programa. No estás solo.

Y cuando digo que no estás solo, quiero que entienda cuan profundo va eso. Vez los negros y los 'hispanos' tienen mucho en común.

Digo, seguro que hemos sido esclavizados, explotados, discriminados, encarcelados y lavados de cerebro hasta que no se nos reconocen…y a los dos nos siguen cuando andamos en tiendas de mucho cache…pero para realmente entender cuan común, tienes que volver al principio.

El impacto de la esclavitud en sitios como Puerto Rico, Republica Dominicana, Cuba y Sur América es bastante obvio. En estos sitios, hay una diferencia clara en la población. Algunos son casi blancos. Algunos son tan negros como los de África Occidental. La mayoría de la población cae en el medio de eso. Es fácil descifrar que paso.

En las islas, millones de esclavos Africanos fueron traídos para trabajar mientras los indígenas morían de enfermedades o fueron matados por los blancos. Cientos de años mas tardes, solo la elite en Cuba, Puerto Rico y otros países son tan blancos como los europeos en España. Los demás son trigueños y negros. Esto es por el grado variable de la mezcla entre los esclavos, los indígenas y los amos blancos. Cómo? Pues por violación.

No nos olvidemos que la mayoría de los indígenas eran bastante oscuros, y que hubo exploradores Negros aquí desde siglos antes. Si no me cree, lee *'They Came Before Columbus'* por Ivan Van Sertima o *'African Presence in Early America'* por Runoko Rashidi.

De vuelta al presente. En cada uno de estos sitios, hay mucha gente Negra desesperadamente pobres. La única forma de saber que no son de Mississippi es porque no hablan ingles y comen pies de gallina. Bueno, eso sí suena a Mississippi.

En esos sitios donde la gente con sangre negra e indígena son la clase más baja, la clase más alta es casi siempre la gente más blanca. Es mas en algunos países Latino Americanos, hay comunidades blancas que nunca se han mezclado con otra gente. Considerando como son alguna gente blanca, no me sorprende. Hay comunidades de Alemanes, Españoles y hasta Judíos Europeos viviendo en comunidades protegidas desde Perú hasta Costa Rica.

Y que de los Mexicanos? Quizás has conocido a un negro Cubano o Puertorriqueño, y probablemente muchos Dominicanos negros, pero cuantos Mexicanos negros conoces? Pues hay una historia detrás de eso, y todo Negro y Mexicano debería saberlo. Es más, cada "hispano" lo debe saber, porque si te ves como "hispano", te cae el cuento también.

Muchos Mexicanos no realizan que una porción significante de su población una vez se veía bastante Africano. Por lo menos 200,000 esclavos negros fueron importados a México de África. Ya para 1810, Mexicanos considerados al menos parciamente Africano numeraban como medio millón, o más de 10% de la población. De acuerdo a la serie "Race Now" de Steve Sailer, todo desde la comida Mexicana a la música Mexicana tiene raíces en África Occidental. Aun la canción "La Bamba" fue seguida hasta llegar al distrito de Bamba en Angola.

Como pudieron olvidarse los Mexicanos que durante su primer siglo de independencia, más que unos pocos de sus líderes más famosos eran visiblemente Negros?

> "Busca justicia de los tirantes no con su gorra en la mano, sino con un rifle en el puño."
> Emiliano Zapata

Emiliano Zapata era probablemente el OG más real de la política Mexicana del siglo 20, un pobre revolucionario, todavía amado como un mártir de la gente. Algo como un Jesús Mexicano. Y como Jesús, usualmente algún blanco hace el papel en las películas. Pero aun en las mejores conocidas fotos de él, se ve que tenia rasgos y pelo Africano. Hace sentido, considerando que su pueblo era el hogar de muchos descendientes de esclavos librados.

Otro revolucionario, Vicente Guerrero, o "El Negro Guerrero", un general durante la Guerra Mexicana de independencia y el segundo presidente de la nación, era seguramente parte negro también.

Luis Echeverria, presidente de Mexico entre 1970-1976, se veía como el líder natural del Tercer Mundo no blanco. El problema era que él era, como la mayoría de los presidentes Mexicanos, bien blanco. Así que pasaba horas bajo lámparas de sol, tratando de hacerse más Negro.

Cuando científicos examinaron el DNA de Mexicano-Americanos viviendo en Texas, vieron que todos eran por lo menos 6 por ciento Africano genéticamente. Pero aun que eso comprobaba que cada Mexicano tenía un ancestro Negro de cada veinte, eso no convenció a los Mexicanos que eran, de hecho, Negros. Después de todo, la regla de una gota (que dice que una gota de sangre Negra te hace Negro) era algo grande en los EE.UU., pero ignorado en otros sitios. Hoy, Mexicanos y muchos otros grupos "hispanos" se ven como una combinación de blancos (Españoles) y indígenas, ignorando su herencia Negra.

"Una gente ignorante es el instrumento ciego de su propia destrucción."
Simon Bolivar

En mezclando a los Mexicanos, los blancos pudieron que los Mexicanos se viraran contra sus propios hermanos. Inmigrantes Mexicanos entrando a los EE.UU. a menudo se identifican como 'blancos' cuando se les pide escoger un grupo racial, y políticamente, a menudo votan como Republicanos – al menos que la cuestión sea inmigración. En California y Texas, los estados con la población más grande de Mexicanos, muchas pandillas Mexicanas están en guerra con pandillas Negras. En muchos casos, las pandillas Negras y las pandillas Asiáticas tienen que unirse para poder pelear contra las pandillas Mexicanas más numerosas. Estas pandillas Mexicanas, empero, a menudo se juntan con pandillas blancas incluyendo organizaciones racistas.

Mientras tanto, el Mexicano es conocido aquí como el nuevo 'nigger'. Trabaja por menos de que le deben pagar, por el 'privilegio' de estar en la 'tierra de oportunidad'. Desafortunadamente, esta tierra no le ofrece oportunidades iguales. Aun el Presidente George W. Bush le dijo a una audiencia de Mexicanos que los necesitábamos para poder tener conserjes, barre calles, y trabajadores de construcción. Ese es el sueño Americano para el 'nigger' nuevo. Y como el 'nigger' viejo, has sido tan lavado de cerebro, se creen que es todo bueno. Mientras el Tio Sam usa Mexicanos para pelear en sus guerras, hacer su labor barato y llenar sus prisiones, la mayoría sigue durmiendo.

"Si tiemblas de indignación cada vez que se comete una injusticia en el mundo, somos camaradas."
Che Guevara

Allí afuera hay algunos Zapatas y Guerreros. Y espero que uno de ellos este leyendo este libro. Y si lo agarras, espero no temas decirlo. Como reto Zapata, "Los que no tengan miedo que pasen a firmar."

"El conocimiento nos hace responsables."
Che Guevara

Aun si no estás aplicándote tu Negrura, espero que por lo menos estés aplicando nuestra lucha en común. *Viva la revolución.* Ahora eso es algo al que le puedo decir "Si Se Puede".

De noche todos los gatos son negros.